GLI ALIANTI
243

HAKAN GÜNDAY
Ancóra

Traduzione di Fulvio Bertuccelli

marcos y marcos

Titolo originale: *Daha*
Traduzione dal turco di
Fulvio Bertuccelli

www.marcosymarcos.com

ISBN 978-88-7168-739-1

via Piranesi 10, 20137 Milano
tel. 02 29515688
lettori@marcosymarcos.com

Ancóra

Ai vicoli che si imboccano
lungo la storia definita umanità
alle Vite sepolte vive con una cerimonia di Stato

L'unica cosa insopportabile
è che nulla è insopportabile.
Arthur Rimbaud

SFUMATO

Una delle quattro tecniche fondamentali della pittura rinascimentale. Indica una sfumatura ombreggiata che consente di fondere impercettibilmente le tinte e i colori rendendo indistinguibili i contorni. Viene usato per lo più nelle confluenze di luce e ombra.

Se mio padre non fosse stato un assassino, io non sarei mai nato...

"Due anni prima che tu nascessi... C'era una barca, si chiamava Swing Köpo, non potrò mai dimenticare quel nome... La barca di un bastardo di nome Rahim... Comunque, abbiamo caricato la merce... Erano almeno quaranta. Uno era pure malato. Se solo avessi visto come tossiva... Era spacciato! Chissà quanti anni aveva, forse settanta, o magari ottanta".

Se mio padre non fosse stato un assassino, io non sarei neanche me stesso...

"A un certo punto gliel'ho pure detto: 'Che bisogno c'è? A che ti serve scappare, emigrare? Se anche arrivi a destinazione che te ne fai? Sopporti tutte queste sofferenze per morire?' Comunque... Poi Rahim mi ha detto: 'Vieni anche tu, al ritorno facciamo due chiacchiere'. Io all'epoca ero senza lavoro, non avevo ancora il camion..."

Se mio padre non fosse stato un assassino, mia madre non sarebbe morta dandomi alla luce...

"Quindi penso di mettermi nel giro del traffico di clandestini. Imparo il mestiere e trovo tre o quattro rotte che posso utilizzare per conto mio... 'Va bene, amico' ho detto. Siamo saliti a bordo e abbiamo incominciato a navigare. Poco prima di arrivare a Sakız però si scatena una tempesta! E la Swing Köpo non ha per niente l'aria di mantenersi a galla! Non abbiamo neanche avuto il tempo di capire cosa stesse succedendo che ci siamo dovuti tuffare in mare..."

Se mio padre non fosse stato un assassino, non sarei mai arrivato ad avere nove anni e a stare seduto a quella tavola...

"Mi sono guardato intorno, erano tutti su un lato della barca. Urlavano... Sembrava gente venuta dal deserto, come potevano saper nuotare! Glielo si leggeva in faccia, e in pochi secondi *puff*! Affondavano come pietre! Annegavano... A un certo punto ho visto pure Rahim, aveva la fronte coperta di sangue... Doveva aver battuto la testa da qualche parte. Eravamo in balìa di onde alte come muri! Ci venivano addosso una dopo l'altra! Poi mi sono guardato intorno, e Rahim non c'era più".

Se mio padre non fosse stato un assassino, non mi avrebbe mai raccontato questa storia e io non l'avrei mai sentita...

"'Devo nuotare' mi dico, ma in quale direzione? Era buio pesto! Ce la mettevo tutta... Ma era già un problema tenere la testa fuori dall'acqua... Affondavo e risalivo continuamente... Mi sono detto: 'Ahad, figlio mio, è la fine! È il momento di andarsene...' Poi improvvisamente ho visto un oggetto bianco tra le onde. E una sagoma che si teneva aggrappata..."

Se mio padre non fosse stato un assassino, non avrei mai saputo che aveva ucciso qualcuno...

"Guardo meglio e vedo nientemeno che il tizio malato... Capito? Quel tizio decrepito... Aveva trovato un salvagente e si lasciava trasportare dalla corrente... Non so dove ho trovato la forza per nuotare... Alla fine però sono riuscito a raggiungerlo... Afferro il salvagente e glielo strappo di mano... Lui mi guarda negli occhi... Tende la mano... E io lo spingo via afferrandolo alla gola... Poi è arrivata un'onda e se l'è portato via".

Ma mio padre era un assassino e quindi è successo tutto questo...

Quella notte, mio padre mi raccontò questa storia così lentamente che le parole smozzicate che uscivano dalle sue labbra sembravano una spirale interrotta solo dai suoi silenzi. Quelle parole, più che rimanermi impresse, si avvitarono nella mia memoria. Giro dopo giro, penetrarono nel mio cervello. O almeno in quello che ne restava... Continuo a pensarci anche adesso: se mio padre non fosse stato un assassino, forse non sarebbe potuto neanche essere mio padre. Perché a me poteva fare da padre solo un assassino. E sarebbe stato il tempo a dimostrarlo...

Mio padre non parlò mai più di quel delitto. D'altronde non ce n'era alcuna necessità. Quante volte si può sentire la stessa persona confessare un peccato? Una è sufficiente. Basta una volta perché, nonostante ti sia alzato da quel tavolo per andare a letto e ti sia sdraiato, i tuoi occhi rimangano sbarrati...

"Perché proprio ora?" mi chiedevo quella notte. "Perché me l'ha raccontata adesso? Parlava a me o a se stesso?" Forse lo aveva fatto perché questa storia conteneva l'unica lezione che mio padre fosse in grado di dare a un bambino di nove anni. L'unica lezione di vita che conosceva. L'unica vera lezione di vita: "Sopravvivi!"

Ricordo anche la conclusione che ne trassi: "Non devo raccontarlo a nessuno..."

Ricordo di aver pianto pensando: "Nessuno deve saperlo. Nessuno deve sapere a chi ho rubato il respiro". Dopotutto avevo nove anni. Non potevo saperlo... Non potevo raccontare in giro cosa si deve fare per sopravvivere... Poi ricordo di aver immaginato per un attimo la scena in cui mio padre spingeva via il vecchio tenendolo per la gola. Ho pensato che quel vecchio doveva avere il pomo d'Adamo come mio padre... "Avrà stretto quel bozzo?" mi chiedevo... Il pomo di quel vecchio aveva lasciato qualcosa nella mano di mio padre mentre lo stringeva? Qualcosa in grado di contagiarmi quando mi accarezzava il viso? Poi ricordo di essermi addormentato. Ho continuato a dormire. E poi ricordo anche la colazione che mi aveva preparato, quell'ordine e quello schiaffo.

Una fetta di pane...

"Che hai imparato da quello che ti ho raccontato ieri?" mi chiese.

"Ho capito che o vivevi tu, o quell'uomo..."

Due fette di formaggio...

"Bene... Quindi, vediamo... Se fossi stato in me cosa avresti fatto?"

"Forse quel salvagente poteva bastare per tutti e due..."

Uno schiaffo...

"E basta! Smetti di guardarmi in quel modo! E asciugati quegli occhi..." mi disse.

"Va bene, papà".

Un uovo...
"Senza di me neanche tu esisteresti. Lo capisci?"
"Sì, papà".
Tre olive...
"Bravo... E non dimenticarlo mai! Adesso dimmi, tu al mio posto che avresti fatto?"
"Avrei fatto come te, papà".
Un po' di burro...
"Tutto quello che ho fatto in vita mia, l'ho fatto per te".
"Grazie, papà".
Un ordine...
"Bene, visto che ora hai capito che questa storia ti insegna a lottare per sopravvivere, oggi verrai con me!"
"Va bene, papà".
Mio padre cercava un apprendista. Qualcuno che gli appartenesse, carne, ossa e midollo. Per non condividere i profitti con un estraneo, aveva reso suo figlio complice dei suoi crimini.
"Verrai con me!" disse, e io ci andai. Quell'estate, non appena ritirata la mia pagella, divenni un trafficante di esseri umani. A nove anni...
Non che la mia situazione cambiasse di molto. Dopotutto anche prima ero il figlio di un trafficante...
Ripensandoci ora, forse mio padre era ubriaco quando mi aveva raccontato quella storia. E, una volta tornato in sé, magari aveva capito che ormai era troppo tardi...
Forse mio padre era soltanto un debole sopraffatto dalla malvagità, tutto qui. O forse era diventato così per colpa di suo padre. E questi a causa di suo padre...

Quest'ultimo a causa di suo padre... E di suo padre ancora...

In fin dei conti, tutti noi non eravamo forse figli di sopravvissuti? Figli di gente uscita indenne da guerre, terremoti, siccità, massacri, epidemie, invasioni, lotte e calamità... Figli di imbroglioni, ladri, assassini, bugiardi, delatori, traditori. Figli di quelli che abbandonano per primi una barca che affonda e strappano dalle mani degli altri un salvagente... Figli di quelli che hanno saputo sopravvivere... Figli di gente disposta a tutto, proprio a tutto, per restare in vita... Quelli che oggi sono vivi lo devono a qualcuno nel proprio albero genealogico che un giorno ha detto: "O lui o io!"

In fondo non è così? Magari non l'hanno neanche fatto perché erano malvagi, ma semplicemente perché era naturale... Solo a noi sembra una cosa così meschina... In natura non c'è niente che si possa definire meschinità... O bellezza... L'arcobaleno è solo un arcobaleno e nessun libro di scienze naturali ci spiega come si fa a passarci sotto.

In fin dei conti sono stati due cadaveri a trascinarmi in questa vita... Mio padre e mia madre... Uno voleva vivere, l'altra voleva dare la vita... E io ho vissuto... Avevo altra scelta? Ovviamente sì... Ma chissà, forse sono queste le leggi fisiche della vita. Da qualche parte è scritto:

Introduzione alla fisica della vita:
Ogni nascita porta con sé almeno due morti. Una per il desiderio di vivere, l'altra per il desiderio di dare la vita.

Ma per restare in vita il nuovo nato non deve sapere che respira grazie a queste morti.
Altrimenti questa persona si sentirà in guerra e ogni giorno la morte corroderà la sua anima.

Sì, forse il mio nome è Gazâ... Ma non mi è mai passato per la mente di suicidarmi. Solo una volta... Ho *sentito* di doverlo fare.

Adesso mi racconterò una storia e d'ora in avanti crederò solo a questa. Perché ogni volta che volgo lo sguardo al passato mi accorgo che è mutato di nuovo. Uno scenario sparisce, oppure si aggiunge un altro racconto. In questa vita nulla resta al suo posto. Sembra che nessuno sia felice dov'è. Forse, in realtà, niente è al posto giusto. È per questo che le cose non riescono a infilarsi nelle buche che hai scavato, anche se le hai misurate. Non serve a niente! Un solo battito di ciglia, e ne approfittano per scappare. O magari per spostarsi, facendoti impazzire. E il passato è una di queste cose...

Ormai il momento è arrivato. Racconterò d'un fiato tutto quello che ricordo e ci metterò un sigillo. Perché questa è l'ultima volta! Non mi volterò mai più indietro a contemplare il passato. Non mi guarderò neanche più in faccia allo specchio. Una parola dopo l'altra consumerò il mio volto, mi pulirò la bocca con uno stuzzicadenti e poi lo frantumerò sotto i miei piedi. Adesso l'unico modo per restare intero è questo... Altrimenti il corpo in cui vivo farà di tutto per fermare il tempo! Perché è al corrente di tutto: sa che si muore e si va in decomposizione... Chi è quel figlio di puttana che gliel'ha detto? Quel cane rognoso si aggrappa alla vita con le sue mandibole e mi fa fare gli stessi errori. Sempre gli stessi, in continuazione! Cerca di guadagnare tempo riportandomi con questi dejà vu indietro nel passato, anche se solo per un attimo... Ma adesso basta!

Quando avrò finito di raccontare la mia storia resterò in silenzio, e da quel momento in poi commetterò soltanto errori nuovi! Così strani che faranno scorrere il tempo all'impazzata! Così sconosciuti da far girare le lancette degli orologi con una forza magnetica! Errori che nessuno ha mai commesso e non si sa neanche come definire! Errori straordinari come uomini che fabbricano macchine che creano uomini che creano macchine che creano altre macchine! Errori giganteschi come l'invenzione di Dio! Errori inaspettati come la più grande invenzione dopo Dio che è il *personaggio*! Magici come il primo errore di un bambino appena nato! Un errore mortale come venire alla luce! Voglio solo questo... E forse un po' di solfato di morfina.

La differenza tra l'Oriente e l'Occidente è la Turchia. Non so se sia il risultato della sottrazione tra Est e Ovest, ma la distanza tra essi è grande quanto la Turchia, di questo sono sicuro. E noi vivevamo lì. In un paese in cui ogni giorno i politici vanno in televisione per sottolinearne l'importanza geopolitica. Un tempo non sarei stato in grado di capire cosa significasse. Poi ho capito che si può paragonare a un edificio fatiscente e buio presso il quale, giusto perché è di strada, fanno sosta gli autobus notturni con i fari luminosi come enormi occhi sgranati. Che significa un ponte sul Bosforo della lunghezza di 1565 chilometri. Un ponte gigantesco che attraversa la gola degli abitanti. Il nostro paese è un ponte antico, con un piede scalzo a Oriente e l'altro infilato in una scarpa a Occidente, da cui transita qualsiasi merce illegale. Per il nostro ventre passa ogni cosa. Specialmente gli uomini chiamati clandestini... E noi facciamo del nostro meglio... Li ingoiamo e, per non strozzarci, li mandiamo via. Là dove devono andare... Un commercio tra un confine e un altro... Da un muro all'altro... Naturalmente il resto del mondo non rimane con le mani in mano e fa di tutto per creare la disperazione capace di spingere quella gente a fuggire dalla terra natia, per giungere nel luogo in cui sarebbero morti. Ogni genere di disperazione. Di ogni lunghezza, diametro, peso ed età.

Il nostro lavoro consisteva semplicemente nel portare i clandestini alla latitudine e alla longitudine giusta. Conducevamo in paradiso chi fuggiva dall'inferno. A dirla tutta, io non credevo all'esistenza di nessuno dei due. Ma quelle persone credevano a tutto. Fin dalla nascita! In sostanza, la pensavano più o meno così: se a questo mondo esiste un inferno fatto di fame e guerra, dev'esserci per forza anche un paradiso.

Ma si sbagliavano. Erano stati tutti ingannati. L'inferno non prova l'esistenza del paradiso! Comunque, potevo comprenderli. Erano stati educati a crederlo. E non solo loro, tutti quanti... C'è un'immagine, a tinte sgargianti e in una cornice dorata, scolpita nella memoria dell'intera umanità. Un'immagine che raffigura la lotta tra i buoni e i malvagi, tra il paradiso e l'inferno. In realtà non c'è mai stata una guerra di questo tipo. La guerra all'ultimo sangue tra il Bene e il Male fino al giorno del giudizio è il più grande inganno propinato all'umanità. Un inganno necessario per salvaguardare, senza la minima opposizione, l'ordine sociale esistente e mantenere in piedi l'autorità. Se tutti accettassero che nell'uomo convivono bontà e malvagità, tutte le figure per le quali si nutre ammirazione comincerebbero a mostrare la corda, gli uomini in nome dei quali si va a morire, ossia tutti i leader avvicendatisi nella storia. La confusione avvilupperebbe le menti, i pensieri andrebbero in contraddizione e nessuno sacrificherebbe la propria vita per qualcun altro. Ma non è andata così. La lotta tra il Bene e il Male assoluto si è rivelata il modo più facile per spingere gli uomini gli uni contro gli altri. Quelli che dicono: "Voi siete dalla parte del bene!" in realtà vogliono dire: "Andate e crepate per me!" Quelli che dicono: "Siete coloro che andranno in paradiso!" in verità vogliono dire: "Chi ucciderete andrà all'inferno!"

Di conseguenza paradiso e inferno, bontà e malvagità, scindono in due la natura di quell'essere chiamato uomo e poi lo trasformano in uno stupido che mette una parte di sé in conflitto insanabile con l'altra. Così, grazie a questa antinomia santificata, i più grandi commercianti del passato sono stati in grado di confezionare e vendere agli uomini liberi una servitù perpetua e garantita a vita. Il segreto era fare in modo che servi obbedienti combattessero contro altri servi obbedienti! L'oscurità non è nemica della luce e nemmeno il contrario. Esiste un'unica, vera opposizione ed è valida soltanto in biologia: vita o morte...

Anche nel traffico illegale di uomini, l'unico aspetto a cui si doveva prestare attenzione era questo: che il numero delle persone non variasse, dalla ricezione alla consegna. Del resto, non aveva nessuna importanza che pensassero di fuggire dall'inferno verso il paradiso. Noi trasportavamo carne. Soltanto carne. I sogni, i pensieri, i sentimenti non erano compresi nel prezzo. Magari, se avessero pagato a sufficienza, ci saremmo potuti occupare anche di quelli. Io avrei potuto perfino prelevare personalmente quei sogni dalle case in cui erano stati concepiti – o in qualsiasi altro buco fosse nata la gente che li aveva creati – e fare in modo che non si infrangessero durante il viaggio. Sarebbe stato sufficiente qualche film di Hollywood per mantenere vive le loro aspettative sul paradiso. Oppure ci sarei riuscito nel modo tradizionale che ha dato innumerevoli volte risultati eccellenti nel corso della storia: dando loro un qualsiasi testo sacro. Ma attenzione, a uno solo di loro, come è già accaduto, in modo che ne racconti il contenuto agli altri a suo piacimento… Avrei perfino potuto farlo gratis, ma non avevo l'età giusta, né il tempo, perché c'era sempre qualche faccenda da sbrigare.

"Gazâ!"

"Dimmi, papà!"

"Va' nel deposito a prendere le catene".

"Va bene, papà".

"E porta anche i lucchetti".

"Va bene, papà".

"E non dimenticarti le chiavi!"

"Ce le ho in tasca, papà".

Mentivo. Le avevo perse tutte. Ma non avevo previsto che sarei stato scoperto. Mi beccai anche due schiaffi e un calcio. Come potevo sapere che mio padre, all'occorrenza, incatenasse le persone?

"Gazâ!"

"Dimmi, papà!"

"Va' a portare l'acqua, distribuiscila!"

"Va bene, papà".

"E non una bottiglia a testa come l'altra volta! Devi darne una ogni due persone. Mi hai capito?"

"Papà, ma loro dicono sempre…"

"Che dicono?"

"*Daha*, ancóra!"

Stavo di nuovo mentendo. Certo, dicevano sempre "*Daha!*" perché non conoscevano altre parole in turco. Io però non mi preoccupavo che l'acqua non fosse sufficiente. Badavo piuttosto al mio tornaconto. Avevo iniziato a vendere l'acqua che di solito distribuivamo gratis. Ovviamente mio padre era all'oscuro di tutto questo... Dopotutto, ormai avevo dieci anni.

"Gazâ".

"Dimmi, papà".

"Hai sentito anche tu? Qualcuno ha urlato un attimo fa?"

"No, papà".

"Mi era sembrato. Comunque..."

"Comunque..."

Stavo ancora mentendo. Certo che avevo sentito quel grido, ma non erano passati neanche due giorni da quando avevo scoperto che quel pezzo di carne che spuntava dal mio inguine non serviva solo a pisciare. Di conseguenza non desideravo altro che sbrigare in fretta i nostri affari per andare a chiudermi a chiave nella mia stanza. Nel vano di carico del nostro camion in movimento erano stipati ventidue adulti e un neonato. Come potevo sapere che quel grido soffocato proveniva da una madre disperata che si era accorta della morte del figlio che teneva in braccio? Forse gli altri le avevano tappato la bocca, spaventati? E anche se lo avessi saputo, avrebbe fatto differenza? Non credo proprio, perché ormai avevo undici anni.

Non è possibile stabilire a quando risalga il commercio di esseri umani. Se si pensa che per intraprendere una simile attività bastano tre persone, si potrebbe andare molto indietro nella storia dell'umanità. L'unica frase utile di un libro inutile che ho letto anni fa era questa: "Il primo strumento utilizzato dall'uomo è un altro uomo". Di conseguenza non penso che si sia dovuto aspettare molto perché si stabilisse un prezzo per quello strumento primordiale e per iniziare a commerciarlo. In questo senso l'inizio del commercio di esseri umani potrebbe essere datato così: alla prima occasione! Quindi, se si mette la prostituzione al primo posto, si può dire che il commercio di esseri umani è il secondo mestiere più antico del mondo.

Certo, non avevo idea che fossimo gli eredi di una tradizione professionale tanto antica. Io mi limitavo a sudare costantemente, cercando di portare a termine gli ordini che mi impartiva mio padre.

In ogni caso, il trasporto era l'aspetto fondamentale del traffico di esseri umani. Niente trasporto, niente commercio. Del resto era la fase più estenuante e rischiosa della faccenda. A confronto, infilare i clandestini in un tunnel, farli lavorare diciotto ore per produrre borse contraffatte, farli dormire per terra e soprattutto scoparti chi ti pareva era un gioco da bambini. Nel settore del commercio di uomini eravamo noi i veri lavoratori, pronti a sfidare le condizioni più difficili!

Per prima cosa eravamo sempre sotto pressione. I mittenti della merce, i destinatari e i vari intermediari ci stavano col fiato sul collo. Tutti davano la colpa a noi se qualcosa andava storto. Il tempo lavorava sempre contro di noi e qualsiasi cosa potesse andar male, all'inizio sembrava non accadere solo per poi accadere sette volte peggio.

In realtà il meccanismo non era così complicato, ma, come in tutti gli affari illegali, nessuno si fidava di nessuno e così, prima di ogni singolo passo, ti fermavi a pensare mille volte se fosse la mossa giusta o no. Era come camminare su un pavimento cosparso di vetri.

La merce entrava tre volte al mese dal confine iraniano, veniva fatta confluire con quella proveniente dall'Iraq o dalla Siria e veniva inviata da noi. In genere era stipata in un tir. Ovviamente si utilizzava un tir diverso per ogni viaggio. Più di rado, la merce veniva suddivisa e trasportata con altri mezzi come camion, furgoni o minibus. L'ingresso dal confine con l'Iran e l'organizzazione del viaggio era opera di un certo Aruz. Probabilmente la sua carica era qualcosa di simile a "presidente del comitato esecutivo di coordinamento per la salvaguardia della libera circolazione internazionale degli individui in cambio di una somma ben precisa quale contributo per le azioni rivoluzionarie popolari nel quadro del recupero di risorse per la guerra democratica e di copertura delle spese per la libera esistenza e la soddisfazione delle volontà del quadro dirigente votato alla protezione della indivisibile integrità del Kurdistan e alla salvaguardia della leadership del PKK". La "somma ben precisa" richiesta per la "libera esistenza" stava al buon cuore di ciascuno. Cuore compreso. O magari un rene, spese extra, qualsiasi cosa... In fin dei conti, se lo avessero chiesto ad Aruz, avrebbe detto di essere uno dei ministri del contrabbando del PKK. Ma lui era responsabile esclusivamente del contrabbando di esseri umani. Per il contrabbando di droga, carburante, sigarette o armi c'erano altri ministeri che se ne interessavano. L'obiettivo era semplice: scindere le branche esecutive aventi diverse funzioni. Altrimenti gli ambiti si sarebbero mescolati e avvelenati a vicenda. Evidentemente nessuno voleva ripetere l'errore di coniare un nome assurdo come "ministero della guerra e della pace", come per esempio era successo col ministero della cultura e del turismo. Un ministero con due branche con fini totalmente opposti, l'una votata a trarre profitto, l'altra a un sostegno e una protezione incondizionati, in cui della cultura non restava altro che una penna a sfera con l'inchiostro secco e del turismo una scritta semicancellata sulla stessa penna con il logo di un hotel a cinque stelle. Ma a chi importava? Certamente non ad Aruz! Esperto nel commercio quanto nella violenza, Aruz aveva tutta un'altra nozione di turismo. Prima di tutto dirigeva l'impero della sua agenzia viaggi soltanto col telefono. O meglio, mangiando il telefono. Doveva essere così, perché non capivo niente quando parlava con quella voce da ippopotamo, e non facevo che ripetere: "Ti bacio le mani, Aruz *amca*".

Oppure qualche volta, quando mi annoiavo, gli chiedevo, soltanto per farlo innervosire: "Come sta Felat?" Non appena si nominava il figlio, che non incarnava per niente il significato del suo nome, ossia deserto arido, iniziava a bofonchiare oppure emetteva una specie di risata simile al verso di un mammut, e chiedeva di mio padre. Lo capivo dal fatto che smetteva di parlare. Tra lui e mio padre c'era un sentimento misto di odio e amore. Erano capaci di parlare al telefono per ore. Forse era una semplice necessità. Se non altro mentre parlavano al telefono non potevano tirarsi delle fregature a vicenda. La fregatura poteva consistere nella diminuzione della merce o nel fingere che mancasse qualcuno. Sapevo che mio padre non faceva espatriare una parte dei clandestini che prendeva in consegna e li mandava a Istanbul. Alcuni erano venduti per essere avviati a lavorare in fabbriche tessili illegali o alla prostituzione. In quelle occasioni mio padre passava dal suo tono di giudice del mondo intero a quello di imputato, lamentandosi con Aruz di tutte le false disavventure che ci erano capitate per giustificare il calo della merce. Quindi, poiché tutto, ma proprio tutto, si pagava con la testa, Aruz grugniva come un rinoceronte per almeno mezz'ora, poi però, sapendo di non poter trovare un camionista più fidato di mio padre, riattaccava dopo averlo minacciato in tono poco convinto.

A un certo punto, per precauzione, Aruz cominciò a tenere un registro di fotografie dei clandestini e a numerarli con un tatuaggio sul tallone destro. Quando mancava qualcuno chiedeva immediatamente: "Che numero era?" Quella faccenda del tatuaggio gli era andata a genio al punto che il giorno dopo una partita di calcio telefonò a mio padre dicendogli di trovare il numero 12: quando il clandestino si rimboccò la manica apparve la scritta "Fottuti".

A quel punto Aruz si lasciò andare in risate simili ai barriti di un elefantino. Naturalmente la squadra che le aveva date era quella per cui tifava Aruz, e la squadra che le aveva prese era quella di mio padre. La persona che era stata usata come un rotolo di papiro per recapitare il messaggio era un uzbeko di vent'anni. Non so perché, ma anche lui si era messo a ridere. Forse era pazzo. Anche se in realtà secondo me erano tutti pazzi. Uzbeki, afgani, turkmeni, maliani, kirghisi, indonesiani, birmani, pakistani, iraniani, malesi, siriani, armeni, azeri, curdi, kazaki, turchi... tutti quanti. Perché soltanto dei pazzi potevano sopportare tutto questo. In un certo senso, quando dico "tutto questo" mi riferisco a noi: Aruz, mio padre, i fratelli Harmin e Dordor, ossia i due scafisti che trasportavano i clandestini in Grecia, gli uomini armati di cui ignoravo i nomi e il cui grado nella gerarchia criminale aumentava e diminuiva seguendo il flusso delle maree, tutti gli psicopatici dislocati per decine di migliaia di chilometri che trasportavano gli uomini, passandoseli da una mano all'altra, da un mondo all'altro... Ma soprattutto i fratelli Harmin e Dordor.

Loro erano le persone più strane che avessi mai conosciuto e mi piacevano veramente, perché quando ero con loro era come se la vita non esistesse. Senza regole, la vita evaporava lentamente nell'aria. Per loro non contavano il tempo, la morale, la paura o mio padre. Erano così selvaggi da cancellare il minimo segno di civiltà nel luogo in cui si trovavano, trasformandolo in un deserto, per poi usare la sabbia come uno specchio gigantesco per scrivere col sangue messaggi d'addio. Entrambi mi avevano preso per mano, portandomi innumerevoli volte su quel confine dove sparisce ogni traccia di umanità, per poi riportarmi indietro, ma l'ultima volta mi avevano dimenticato lì...

Sì, mio padre era un uomo senza scrupoli e la sfera dei sentimenti di quell'orangotango di Aruz aveva le dimensioni di un piccolo mappamondo di plastica. I fratelli Harmin e Dordor erano tutta un'altra cosa. Erano come due Arthur Cravan!

Messi insieme erano quattro metri di altezza per duecentocinquanta chili di peso. Nonostante la loro mole, avevano una voce stridula. Parlavano sempre sottovoce e per capire quello che dicevano ero costretto ad alzarmi sulle punte dei piedi.

Passavano il tempo a tatuarsi a vicenda e io cercavo continuamente di capire che cosa disegnassero. Dopo un po' mi resi conto che si trattava sempre della stessa frase:

Born to be wild
Raised to be civilized
*Dead to be free**

---

* Nato per essere selvaggio / Cresciuto per essere civilizzato / Morto per essere libero.

Se la tatuavano ovunque. Sulle gambe, sulle braccia, sul collo, sui piedi, sulle mani... Io chiedevo: "Che significa?"

Harmin diceva: "Sono i nomi delle nostre mogli!"

Dordor allora, vedendo che non me la bevevo, aggiungeva ridendo: "È turco antico, ragazzo mio. Ottomano!"

Ci vollero tre anni perché capissi il significato di quelle parole.

Me lo svelò Harmin la mattina successiva alla notte in cui quattro uomini di Aruz uccisero Dordor, con sessantasei coltellate. Sempre sottovoce.

"All'epoca avevamo la tua età. Siamo partiti con una barca. Volevamo girare il mondo. Comunque... Un giorno abbiamo gettato l'ancora. Eravamo in Australia! Volevamo scendere a terra, ma niente! Non ci riuscivamo. 'Che succede?' ci chiedevamo. Non stavamo bene, ci girava la testa, ci faceva male lo stomaco... La sola idea di scendere a terra ci faceva impallidire... Hai presente la gente che ha paura del mare? Il mal di mare... Era come se noi avessimo il mal di terra. Abbiamo chiesto se esisteva una malattia simile, ma ci hanno risposto di no. Magari loro non ce l'avevano, ma noi sì, vaffanculo! E così sono passati gli anni. Come puoi intuire non abbiamo girato il mondo! Abbiamo girato il mare! Ma qual era la tua domanda? Ah... cosa significa questo tatuaggio. Ecco, significa questo... Questa storia che ti ho raccontato... In turco. Poi, un domani, imparerai l'inglese..."

"E tu dove hai imparato l'inglese?" avevo chiesto.

"A Belconnen Remand" rispose. Poi vedendo il mio

sguardo interrogativo aveva aggiunto: "In un carcere... In Australia".

A quel punto avevo dovuto domandare: "Ma non avevate detto che non riuscivate mai a mettere piede a terra?"

"E infatti non l'abbiamo messo. Eravamo sottoterra" aveva tagliato corto.

Non avevo capito niente delle cose che mi aveva detto. Credevo mi stesse prendendo in giro. Non mi ero ancora accorto che qualunque fosse la loro malattia stava contagiando anche me. Ed era accaduto mentre salivo i gradini che portavano alla porta dell'obitorio in cui c'era il cadavere di Dordor... Poi Harmin partì per vendicarsi su Aruz, ma non riuscì a ucciderlo, fu lui a morire... E io imparai l'inglese. Insomma, adesso so che entrambi sono liberi, ormai. Anche se sottoterra...

Avevo dodici anni e, grazie alle persone provenienti dal Medio Oriente, dall'Asia centrale e dall'Estremo Oriente, le mie conoscenze di geografia erano divenute ampie come quelle di uno zingaro perennemente in movimento. In classe il professore mi additava come esempio per tutti gli altri e diceva: "Ecco! Guardate il vostro compagno Gazâ, durante la ricreazione osserva il planisfero. Se lo faceste anche voi non vi farebbe affatto male. Il mondo non è limitato al posto in cui vivete, ragazzi!"

Tutti i miei compagni, eccetto Ender, con cui dividevo il banco, mi guardavano con occhi pieni di rancore e il loro odio riempiva tutta la stanza. Mi odiavano sul serio. Di questo sono sicuro. Avrebbero voluto picchiarmi. Ma non erano sicuri di riuscirci, perché era giunta loro voce di alcuni dettagli terrificanti riguardo me, la mia famiglia e le mie parentele vicine e lontane.

Questi intermittenti impulsi di violenza nei miei confronti, che io fronteggiavo seduto a gambe incrociate, non durarono a lungo, perché un giorno Harmin e Dordor vennero a prendermi a scuola sfoggiando la loro mole. Così l'odio degli altri bambini nei miei confronti crollò su se stesso e si tramutò in un silenzio assoluto. Ormai Ender era l'unico a rivolgermi la parola. Soltanto lui continuava a raccontarmi delle cose e dopo avermi posto domande a cui non riceveva mai risposta restava a guardarmi sorridente. Suo padre era un gendarme. Un sergente maggiore. Lo conoscevo. Yadıgâr amca. Ogni volta che veniva all'uscita della scuola tirava fuori dalla tasca una barretta di cioccolato e dopo averla data a Ender diceva: "Dividila a metà, figliolo, e danne un po' a Gazâ". E mentre masticavo la barretta diceva: "Perché non vieni da noi? Salime *teyze* ha fatto le polpette". Io mi limitavo a scuotere la testa e mi allontanavo. Naturalmente sapeva che ero il figlio di Ahad, ma ero sicuro che non sapesse davvero chi fosse mio padre e che accidenti facesse. Forse era per questo che mi invitava: per estorcermi qualche informazione in cambio delle polpette, ma dal momento che non avevo una madre, ero in grado di cucinarmele da solo. Da due anni...

Il sergente maggiore Yadıgâr veniva trattato come un eroe! E lo era veramente. Due estati prima aveva salvato tre bambini da un incendio nel bosco, ustionandosi tutta la guancia destra. Aveva pure preso una medaglia per quest'impresa. Un giorno Ender venne a scuola appuntandosela al petto e tutti gli altri bambini, figli di coltivatori di olive, fruttivendoli, operai tessili, ortolani, cartolai, macellai, vigili urbani, custodi, ristoratori, tappezzieri o di gente morta, cominciarono a nutrire nei suoi confronti un'invidia tanto velenosa da corrodere le loro labbra e farli sputare per terra. Così Ender, che tutti tenevano già alla larga perché parlava con me, fu escluso ancora di più e la classe di quarantasette bambini lasciò il figlio del gendarme in compagnia del figlio del trafficante. Ma Ender era così immaturo che non si accorgeva di nulla e restava lì impalato a ridere tra sé. Quanto a me, non era la mia faccia che cominciava a riempirsi di brufoli, ma la mia anima, perché, anche se lentamente, il traffico di esseri umani cominciava a darmi la nausea.

Ormai quando vedevo quelle persone che al minimo rumore si stringevano impaurite l'una all'altra emettendo dei gridolini microscopici, con le palpebre tremanti come se fossero affette da una misteriosa forma di Parkinson, sempre lì ad annusare l'aria con i loro nasi rotti che sembravano penne succhia inchiostro, quelle persone che non sapevano dire altro che "Ancóra!" nonostante parlassero in continuazione, sepolte sotto diciassette strati di tessuti ingialliti dal sudore o anneriti dal fumo, che sorgevano da quel mucchio di tessuti soltanto per chiedere qualcosa, dicevo: "Andate a farvi fottere!" E glielo dicevo apertamente. Tanto non capivano un tubo. E anche chi capiva non faceva altro che abbassare lo sguardo.

Se Ender mi chiedeva: "Che fai questo fine settimana?" naturalmente non rispondevo: "Trasporto clandestini". E se dicevo che sarei andato ad aiutare mio padre, Ender continuava: "Peccato che non ci puoi venire". Poi elencava immancabilmente tutti i posti in cui sarei voluto andare: l'unico cinema della nostra cittadina, il luna park della città vicina alla nostra, la sala giochi del centro commerciale, uno dei due internet café della città... Insomma, Ender non aveva niente da fare! I suoi unici doveri erano fare i compiti, mangiare le polpette di sua madre e forse frequentare il corso di lettura coranica! Io invece lavoravo come un cane! Raccoglievo le buste in cui i clandestini cagavano e sotterravo la merda dietro il capannone, giravo per tutti i supermercati della città a comprare due bottiglie d'acqua e tre panini alla volta, per non dare nell'occhio con spese troppo grosse, svuotavo i bidoni dentro cui pisciavano e andavo di farmacia in farmacia, perché quei disgraziati si ammalavano continuamente. Insomma non mi fermavo un attimo e mi spezzavo la schiena solo perché certe persone avevano deciso di emigrare da un paese a un altro! Avevo perfino restituito, senza aver avuto il tempo di leggerla, la copia di *Robinson Crusoe* che mi aveva prestato Ender. In realtà il libro mi aveva incuriosito soltanto per le parole con cui lui aveva cominciato a riassumermelo: "C'è un mercante di schiavi che finisce su un'isola deserta..."

Nel preciso istante in cui avevo sentito quelle parole avevo desiderato anch'io di trovarmi su un'isola deserta. In fondo mi consideravo un mercante di schiavi e mi ero stancato di entrambi gli aspetti della faccenda: ero stufo sia del commercio che degli schiavi! Il mio unico desiderio era essere un bambino qualsiasi, che si sentiva rimproverare dal padre per i brutti voti della pagella e non perché avevo dimenticato di accendere il ventilatore nuovo che avevamo montato nel vano di carico del camion! E non era affatto come dimenticare le luci accese in casa. Quella dimenticanza aveva provocato la morte per asfissia di un afgano. Aveva ventisei anni e mi aveva pure fatto un origami. Una rana che salta se ci premi velocemente il dito sopra. Si chiamava Cuma, venerdì. Non la rana di carta, l'afgano. Poi, anni dopo, ho saputo che anche Robinson conosceva uno che si chiamava Venerdì. Però non contava, perché era il personaggio di un romanzo! Non sarebbe mai morto soffocato su un camion, né avrebbe mai potuto regalare una rana di carta a un bambino che si comportava come una iena! Certo, se Robinson e Venerdì fossero realmente esistiti, la nostra vita sarebbe sembrata un romanzo ai loro occhi. D'altronde è questo il problema: la vita sembra un romanzo. Invece è solo vita. E non si trasforma in un romanzo solo perché la racconti. Forse somiglia più al referto di un'autopsia... a tema... Le biblioteche sono piene di referti di autopsie a tema. Rilegate o no, raccontano tutte la storia di una pelle raggrinzita.

In fin dei conti l'uomo non è altro che pelle e ossa. Si sarebbe raggrinzito o spezzato alla fine, o strada facendo. Oppure sarebbe morto come un afgano di nome Cuma, rannicchiato come il *Pensatore* di Rodin. Un Venerdì morto di domenica...

Quella volta mi sentii così male che dovetti cedere e andare a mangiare le polpette dalla famiglia di Ender. Ma non servì a molto. Anzi, mentre sedevo a quella tavola osservando quella famiglia, mi sentii ancora peggio. A dire il vero, le polpette erano buone. Se avessi avuto una madre le avrebbe preparate così, ne sono sicuro. Anche lei mi avrebbe chiesto: "Ne vuoi ancora?" Chissà, forse non avrei odiato la parola 'ancóra'. Quando, per abitudine, mi fossi alzato per andare a girare le polpette in padella, forse anche mia madre avrebbe detto, come Salime: "Non è roba da bambini, lascia stare". E anch'io sarei rimasto seduto come un bambino, non mi sarei bruciato le mani col burro caldo e non sarei stato costretto a sciacquarmi gli interstizi delle dita. Come accadeva sempre...

"Dove vai? C'è il gelato!" mi dissero, ma non restai. Uscii e me ne andai. Yadıgâr non mi domandò niente di mio padre, né della salute, né del lavoro. Si comportava come se fosse al corrente di tutto. Mi disse soltanto: "Mangia. Ne hai bisogno". E aveva ragione. Dovevamo crescere. Non importava quanti anni avessimo, tutti dovevamo farlo. Tutto il mondo. Attraversavamo la fase della crescita un giro dopo l'altro. E anche la testa ci girava... Per questo mangiavamo e dovevamo mangiarci a vicenda senza risparmiare nulla. Ne avevamo bisogno. Dovevamo crescere il prima possibile per poi crepare e lasciare il posto libero agli altri. Per dare inizio a una nuova era. Magari una diversa da questa... Perché in fin dei conti lo avevamo capito che non saremmo diventati un bel niente. Non eravamo così stupidi. Non fino a questo punto...

Ero a casa. Mio padre era andato nella zona industriale per sostituire le guarnizioni dei freni del camion, e non sarebbe tornato fino a sera. Proprio mentre stavo pensando a come fosse meravigliosa la solitudine e a quanto avrei avuto bisogno di stare da solo una volta cresciuto, squillò il telefono. Vedendo i numeri sul piccolo schermo azzurro capii che era Aruz. Avevo imparato a memoria quel numero. Non avrei voluto rispondere. Tanto di solito provava al massimo tre volte e poi si stufava. Ma il telefono non smetteva di squillare. Quattro, cinque, sei volte... Insomma, non eravamo in casa! Ma perché non smetteva di chiamare e non cercava mio padre al cellulare? Oppure gli aveva telefonato e non trovandolo lo stava cercando a casa? Eppure mio padre aveva sempre il telefono in mano. E rispondeva sempre al primo squillo. Gli era successo qualcosa? Era stato arrestato dalla polizia? Dalla gendarmeria?

"Pronto, Aruz amca?"
"Sono io, Felat!"

L'ansia mi rendeva sordo.

"Cosa?"
"Gazâ, sono Felat!"

Felat, il figlio di Aruz. Aveva la mia stessa età, ma per qualche ragione sembrava più vecchio.

"Felat? Tutto bene?"
"Sto bene, sto bene. Che stai facendo?"
"Lascia stare! Forza, parla! Dov'eri? Che è successo?"
"E che ne so dove sono, prima mio padre mi ha picchiato e poi mi ha mandato dai miei zii. Mi hanno chiuso in una stanza e sono rimasto lì..."

Dopo aver scoperto che il villaggio che avevano evacuato anni prima per ordine dello stato era tornato abitabile, sempre per ordine dello stato, Aruz e gli anziani delle duecentosessanta persone al suo comando avevano convocato una riunione di famiglia. Nel frattempo Felat, che non voleva aver nulla a che fare con questo ipotetico ritorno e non voleva assolutamente abbandonare la cit-

tà in cui vivevano, con una banda di pazzi al seguito, aveva dato alle fiamme le case avite. Questi romantici piromani - il più piccolo aveva nove anni, il più grande quattordici - non avendo seguito alla lettera le "Istruzioni per incendiare un villaggio", avevano fatto sì che l'incendio si propagasse senza informare nessuno prima del tardo pomeriggio. La gendarmeria aveva addirittura redatto un rapporto in cui si dichiarava l'estraneità all'accaduto di tutti gli apparati dello stato, ufficiali e non ufficiali, e lo aveva fatto ratificare da Aruz. Così il villaggio era entrato a far parte del passato fumoso della regione. Non sentivo la voce di Felat da quattro mesi. Adesso mi stava parlando di fuga.

"Devo scappare amico mio! Li mando tutti a farsi fottere e me ne vado!" disse Felat.
"Oddio! Ma tu sei già scappato l'anno scorso! Dove vuoi andare stavolta?"

Me lo ricordavo bene, era la notte di Berat. Era stato mio padre a costringermi. "Forza! Alzati e telefona ad Aruz amca per fargli gli auguri!" E io fui obbligato a chiamarlo. Il telefono squillava, ma nessuno veniva a rispondere. Poi, proprio quando ero sul punto di dire "Niente, papà, non risponde", sentii la voce di un bambino. "Abi? Sei tu?" "Io sono Gazâ" dissi e poi, subito dopo aver chiesto "Tu chi sei?", mi sentii chiudere il telefono in faccia.
Mio padre mi disse: "È Felat... Il figlio piccolo di Aruz. Comunque, casomai lo richiami domani", e uscì per andare in moschea.

"E che ne so. E se magari venissi lì?" mi disse Felat.
"Ma che ci faresti qui, amico mio?"
"O magari vado a Istanbul. Ho degli zii là... Anche se pure loro sono degli imbecilli!"

La sera stessa di quel Berat Kandili, dopo mezz'ora, fu Felat a richiamare e la prima cosa che mi chiese fu:

"Mio fratello è lì?"
"No" avevo detto "e poi chi è tuo fratello?"
"Ahlat".
"No, non conosco nessuno che si chiama così".
Poi restammo in silenzio per un po'.
"Tu sei Felat, vero?" gli dissi.
"Sì... E tu?"
"Te l'ho detto... Sono Gazâ. Mio padre e tuo padre lavorano insieme. Lo avevo chiamato per la notte sacra..."
"Tuo padre è lì?"
"No. È uscito".
Così iniziò a piangere e io non riuscivo a capire le parole rotte dai singhiozzi.
"Che cosa?!" esclamai.
"Sono scappato di casa!"
Se fossi stato un adulto avrei chiesto dove si trovava. Ma non lo ero.
"Perché?"
"Non lo so, comunque me ne sono andato..."
"E ora che farai?"
"Vendo il telefono... E poi me ne vado da qualche parte..."
Finalmente avevo capito che cosa ci faceva Felat con il telefono di suo padre. Gli

avrebbe cercato un nuovo padrone, che finanziasse il viaggio verso chissà dove.

"Stavolta tuo padre ti ammazza!"
"E che me ne fotte! Tanto sono già morto!"

Chi aveva pronunciato queste parole era un ragazzino di tredici anni...

"Ma dai! Che cosa vuoi morire!"

Subito dopo quella conversazione, avvenuta un anno prima, Felat aveva capito che non sarebbe andato molto lontano nella notte buia, e si era asciugato il sudore strisciando contro i muri per ritornare a casa. Due giorni dopo mi aveva chiamato dal telefono di casa e avevamo continuato a parlare.

"Dai, scappiamo! Andiamocene insieme, Gazâ!"
"Dove?"
"E che ne so, andiamocene da qualche parte..."
"Lascia stare, amico mio... Magari più avanti, col tempo... Tra qualche anno... Prima finiamo la scuola..."

Così avevamo cominciato a parlare. Non eravamo bambini che tenevano un diario, non ascoltavamo sempre tutto quello che ci dicevamo, ma avevamo iniziato a raccontarci delle cose. Cose che non potevamo raccontare a nessun altro... Alla nostra seconda conversazione avevo già saputo che sul telefono di Aruz il numero di mio padre era stato memorizzato sotto il nome di Ahlat. Dopo una piccola indagine di Felat era venuto fuori che Aruz memorizzava i numeri delle persone con cui concludeva i suoi affari illegali sotto il nome di suoi familiari defunti. La considerava una precauzione. Il caso del primogenito Ahlat però era un po' diverso. Per lui non erano stati predisposti né un funerale, né una tomba. Era scomparso, come se non fosse mai esistito, in un periodo e in un'area geografica in cui le persone si alzavano al mattino per poi all'ora di pranzo non esistere più. Così si era trasformato in un dato statistico che ingrossa-

va il numero dei dispersi nella guerra contro il terrorismo. Era chiaro che Ahlat era stato ucciso, ma Felat non aveva mai accettato questa realtà. Per questo, la notte in cui era scappato di casa, era rimasto di sasso quando aveva visto una chiamata sotto il nome del fratello scomparso da anni. Anzi, per qualche secondo fu l'unica persona che non aveva rinunciato a credere che Ahlat potesse essere ancora in vita. Aveva perfino immaginato che Aruz, dopo gli innumerevoli arresti e le torture subite dal figlio, lo avesse mandato in qualche posto lontano dicendo al resto dei familiari che era morto, per precauzione. Così Felat aveva supposto che padre e figlio fossero ancora in contatto, anche se solo telefonicamente. Ed eccone la prova: Ahlat lo stava chiamando! Di conseguenza Felat aveva risposto come qualcuno che si aspettava una voce dall'oltretomba. Anche quando non l'aveva riconosciuta, non aveva perso la speranza e, dopo mezz'ora, aveva provato a richiamare. Purtroppo però poté parlare soltanto con me... Odio quella calamità naturale chiamata speranza, che incoraggia i bambini più disperati di questo mondo a coltivare illusioni!

"Sai, Gazâ?"
"Che cosa?"
"Mio padre mi manderà in montagna".
"Che significa in montagna?"
"Mi ha detto: 'Piccolo, adesso andrai in montagna! Alla guerriglia! Lì ti faranno uomo'".
"Oh, cazzo!"
"Amico mio, non ci voglio andare... Che farò io lassù!"

Non avevo nulla da dire, proprio nulla!

"Gazâ?"
"Che c'è?"
"E se divento un guerrigliero... e ti ritrovo di fronte a me?"
"E com'è possibile, scusa?"
"Non fare il servizio militare! Non farlo!"
"Ma che servizio militare?

Lo sai quanti anni ci vogliono ancora?”
“Sì, ma tu non farlo...”
“Ma dai! Sei impazzito? E poi come vuoi che ci incontriamo in un paese grande come questo?”
“Non dire così. Vediamo... Tu mandami una fotografia”.

In quegli anni il cellulare si usava solo per telefonare o, al limite, per mandare messaggi. Non si sapeva esattamente a che diavolo servisse internet, che si pagava all’ora, e le telecamere sembravano ancora troppo grandi per essere montate su un computer. Con Felat non ci eravamo mai visti in faccia.

“No, non ce l’ho” risposi.

Non ne avevo veramente. L’unica fotografia che c’era in casa era quella di mia madre.

“Davvero? Io ne ho un sacco, ma sono tutte al distributore...”

Stava parlando dell’unica attività legale di Aruz: un’area di servizio.

“Felat, calmati un attimo, dai! Aspetta, forse tuo padre l'ha detto soltanto per metterti paura. Magari non ti manda..."

Neanch'io credevo alle mie parole. E d'altronde Felat non mi stava ascoltando, stava pensando a come cavarsi d'impiccio.

"E io come farò a riconoscerti in montagna... Ho trovato! Una parola d'ordine! Inventiamoci una parola d'ordine!"

E aveva veramente trovato la soluzione! Trovava sempre qualcosa. Era creativo. Anche nelle situazioni più assurde, come quando voleva bruciare il villaggio, trovava sempre un buco che sembrava una via d'uscita e ci si infilava dentro. O quantomeno ci provava... Non potevo far altro che accettare... In realtà l'idea di avere un amico terrorizzato dall'eventualità di potermi uccidere in futuro mi faceva sentire bene.

"È fatta. Quale scegliamo?"
"Non lo so. Di' tu".
"Ti ricordi della ragazza di cui ti dicevo? Le piacevo... Si chiamava Çiçek, fiore".

Non mi aveva mai parlato di una ragazza. Non l'avevo mai sentita nominare. Comunque non era il momento di chiedere spiegazioni.

"Quindi?"
"Io dirò Çiçek. Tu invece..."

Ancora oggi non so perché l'ho detto.

"Io invece dirò Cuma".

Non lo so, veramente.

"Cuma, venerdì? Che venerdì?"

Poteva essere questo il motivo?

"Oggi è venerdì!" dissi.

Ma non ero per niente convinto!

"Va bene, ricapitoliamo... Io dirò Çiçek e tu dirai Cuma. Così ci riconosceremo subito e non ci uccideremo... Va bene?"
"Va bene".
"Devo riattaccare, sta venendo mio padre!"

Con queste parole uscì dal mio mondo. Quando riattaccammo, la vita con i suoi denti marci recise quel sottile filo di cotone che ci legava.

Non avrei più parlato con Felat e non avrei fatto il servizio militare... Ogni tanto, rivolto a una folla indeterminata, avrei gridato "Cuma!" Magari qualcuno avrebbe risposto "Çiçek!", ma non accadde mai. Nessuno rispose mai alla mia parola d'ordine. Però una volta lessi una notizia sul giornale: "Un giovane cittadino svedese di origine curda è stato ucciso dai suoi parenti a Stoccolma a causa della sua omosessualità..."

Seppur raramente, in alcune aree del mondo le persone sono ancora considerate più importanti delle disgrazie che si abbattono su di loro, dunque non vengono diffusi dettagli riguardanti l'orientamento sessuale e neanche la loro identità. Inoltre fin qui la notizia era tutt'altro che eccezionale: in alcune famiglie uccidere i propri parenti omosessuali era uno sport ancestrale.

C'era un particolare, tuttavia, che rendeva la notizia inconsueta: nel suo testamento la vittima, immediatamente dopo la disposizione di cremare il corpo, esprimeva la volontà di sposarsi post mortem con il fidanzato, di cui specificava il nome, in caso di omicidio da parte di parenti o individui da loro incaricati.

Il matrimonio tra omosessuali era legale in Svezia, ma in nessun paese del mondo i defunti hanno il diritto di sposarsi. Il fidanzato menzionato nel testamento portò la questione in tribunale. E così iniziò una delle cause legali più shakespeariane della storia, un dibattimento in cui si sarebbero discusse tematiche come la morte, l'umanità, l'amore, il significato e la tragicità della vita.

Quanti si erano imposti un qualunque codice morale poiché non riuscivano a liberarsi delle loro paure, e pretendevano che anche gli altri vi si sottomettessero, formarono rapidamente un fronte di opposizione.

E così, utilizzando le lingue e le bocche come megafoni, cominciarono a urlare che nemmeno gli omosessuali vivi, figuriamoci quelli morti, avevano alcun diritto di sposarsi. Specialmente i parenti della vittima, dispersi ai quattro angoli del mondo... Tutti coloro che pensavano bastasse un assassinio a sconfiggere un amore erano così infuriati contro le ultime volontà della vittima che su diversi marciapiedi del mondo cominciarono a vedersi bruciare bandiere svedesi. Poi, mentre gli sputi si riversavano sulla terra e gli insulti salivano al cielo, una mattina arrivò la sentenza tanto attesa.

Non era stato trovato alcun elemento che impedisse il matrimonio tra un omosessuale morto e uno in vita... Il riassunto della sentenza, in cui c'era almeno mezzo chilo di teoria etica e una lunga premessa che fungeva da motivazione, era questo:

Non trattandosi di un'unione con un soggetto a cui tale unione è legalmente preclusa (come un animale o un bambino), e non arrecando danno a terzi (come nel caso di matrimonio preesistente), e poiché le parti hanno potuto documentare il proprio consenso, ognuno può sposare chiunque voglia. Vivo o morto...

Questa sentenza senza precedenti fu d'ispirazione per tutti gli omosessuali, per lo più immigrati, che subivano minacce dalle proprie famiglie. Cosicché tutti cominciarono a redigere testamenti che contenevano quest'unica clausola.

La pratica superò addirittura i confini della Svezia con la velocità di una vaccinazione contro una malattia contagiosa. Prospettive future sorsero in Svezia per tutti gli omosessuali della terra, pronti a seppellirsi nel deserto pur di nascondersi. Fu creata una lista di persone pronte a sposare gli omosessuali uccisi a causa del proprio orientamento sessuale in qualsiasi luogo del mondo. In questo modo tutti gli omosessuali che si sentivano minacciati ebbero la possibilità di mandare a una fondazione di Stoccolma una richiesta di matrimonio post mortem, scrivendo il nome di uno dei volontari svedesi della lista. Il nome di questa nuova fondazione era "Un altro ancora!" Da solo bastava a sintetizzare tutto. Diceva forte e chiaro: "Sei riuscito a uccidere un omosessuale, ma guarda, adesso hai un altro omosessuale come parente! Ucciderai anche lui? Se lo farai ce ne sarà un altro. Poi un altro ancora, ancora e ancora..."

Era ovvio che si trattava di un'iniziativa simbolica. Ma d'altro canto non c'è forse un simbolo alla base di tutti i delitti d'odio commessi nel mondo? Le vittime non vengono forse aggredite per quello che rappresentano simbolicamente agli occhi degli assassini? Il crimine d'odio non è una questione privata. È una pratica oggettiva. Per odiare una vittima non occorre perdere tempo a conoscerla di persona. Basta annusare un po' dell'odio che riempie l'aria. In questo senso non c'è nulla di diverso da tutte le guerre presenti, passate e future che si combattono in nome di un simbolo. Se qualcuno spogliasse il campo di battaglia dai simboli, verrebbe allo scoperto una semplice lotta su una mappa per spartirsi le risorse. In fondo tutte le guerre non sono altro che una guerra civile estesa al mondo intero. Ma è impossibile non farsi infatuare dalla democrazia, la libertà, la religione, la setta, le bandiere e tutti i concetti simbolici che fluttuano nel cielo. Nelle strade, sulle barricate, nell'oscurità della notte e in ogni luogo in cui la violenza sia la norma, è tutto simbolico. Tutto, eccetto il sangue versato. O magari anche quello è un simbolo... Se non altro dà colore alle bandiere... Il mondo affetto dai simboli non è altro che un'alleanza di merda nascosta da una colata d'oro. Naturalmente se si versasse del solvente sopra tutti quei simboli verrebbe allo scoperto il complotto che c'è dietro. Perché c'è sempre un complotto. Esattamente come in Svezia...

Dopo qualche mese questa iniziativa internazionale fu stroncata di netto da una notizia affilata come un coltello. Un coltello arrugginito... Venne fuori che era stata un'organizzazione criminale sconosciuta, chiamata Mafia di velluto, composta da omosessuali così influenti e potenti dal punto di vista politico ed economico da farne degli dei mitologici, a fare pressione sulla giuria del tribunale di Stoccolma con minacce e mazzette per ottenere quella sentenza. Quell'infinita arroganza, che teme di estinguersi se non domina proprio ogni cosa, aveva di nuovo alzato la testa e, credendo di salvare la zattera, l'aveva invece affondata. Nel giro di poco tutti i matrimoni post mortem persero validità legale. Soltanto il primo rimase valido, come gesto *simbolico* naturalmente...

Quindi la persona indicata in quel primo testamento si poté sposare con un'urna in porcellana Rosenthal, vendicandosi di tutti quelli che l'avevano odiata e dell'assassino del suo fidanzato, finalmente in prigione, con una magnifica cerimonia invasa dalle telecamere. Solo allora venne diffuso il nome della vittima. O meglio, il suo soprannome: *Blomma*... In svedese significava fiore. Fiore... era Felat?

O forse Felat era uno di quei cadaveri seppelliti ai piedi delle colline dopo l'ennesimo carnevale di esecuzioni del PKK, che gli animali selvatici riportavano alla luce ogni primavera? E in quel caso, aveva parlato di me nell''autocritica' che aveva firmato con la speranza di restare in vita e che era stata rimossa dagli archivi dell'organizzazione dopo essere stata schedata in base al principio "Prima dello stato c'è la burocrazia"? Magari era stato elevato fino al rango di sottosegretario dell'istituzione della confessione volontaria, divenendo uno di quelli che emettono assegni e obbligazioni a Istanbul... Si era forse suicidato? O magari era fuggito in qualche angolo remoto del mondo a guardare il mare azzurro da qualche località nascosta? Non credo... Se ho capito qualcosa di questa malattia chiamata vita, con tutta probabilità sedeva sulla poltrona di suo padre e teneva in mano il suo telefono. Era così semplice... Il nuovo Aruz ormai non ricordava più Felat, la nostra parola d'ordine o me... Solo io continuavo a vivere nel passato. Io e nessun altro. C'ero solo io in quel museo del terrore in cui nessun vivo aveva messo piede. Nel terrore... Perché anch'io ero diventato mio padre! Ero un nuovo Ahad! Ed ero perfino peggiore di lui...

Ma per un altro verso, *blomma*... Non significava fiore in svedese? Fiore... Çiçek... Cuma, allora! Felat! Cuma! Cuma, contro ogni probabilità! Nonostante il regolare corso della vita! Nonostante tutto, Cuma! Felat, sono Gazâ! Cuma! Non mi uccidere! Cuma!

La segatura mi dà la nausea. Ogni volta che vedo della segatura per terra capisco che una vita ha lasciato lì la sua sporcizia. Nel capannone in cui organizzavano i combattimenti di galli due giorni e due notti alla settimana, nella taverna diroccata in cui, durante il Ramadan, si entrava passando da sotto la saracinesca, e in cui avevo imparato a contrarre i muscoli del volto mentre bevevo, in quella cella del commissariato aperto sette giorni su sette, ventiquattr'ore su ventiquattro, in cui avrei trascorso due notti senza chiudere occhio, c'era della segatura.

Il nome della cittadina in cui soffocavamo era Kandalı. Non l'avevo potuta conoscere quando si chiamava Kandağlı. La ğ non mi aveva aspettato ed era già entrata a far parte della storia. Kandalı, più che a una località montana, somigliava a un gigantesco divano al centro del Monte Kandağ in cui potevi capitare soltanto per sbaglio. Un ammasso di case che tutti continuavano a chiamare capoluogo di provincia. Forse con questa dicitura la gente era persuasa di vivere in un centro urbano, ma si trattava solo di una questione fonetica. In realtà Kandalı non era altro che un buco della grandezza di una cittadina con un'umidità che pareva una tenda di vetro: bisognava spostarla con le mani per passare; la pressione atmosferica non si misurava con un barometro, ma con una bilancia. Era come un vaso in cui ogni cosa troppo cresciuta avvizzisce e muore. Un posto in cui si mangiavano olive, si piantavano olivi e, dopo un cucchiaio di olio, si passava a bere il *rakı*. E la segatura lì era ovunque.

Ovunque guardassi c'era segatura sparsa per facilitare la pulizia di qualsiasi cosa fosse versata a terra. Nei cinque autobus cittadini, nelle quattro caffetterie, nei vicoli che nessuno si preoccupava di numerare e nella strada principale. Segatura ovunque. Nelle case, nelle botteghe, sotto le suole delle scarpe, sulle ginocchia dei bambini. Tutta Kandalı era sepolta da una coltre di segatura che la ricopriva come se fosse il suo cielo. Quasi che servisse a non lasciare traccia di Kandalı e di noi...

E ovviamente, ce n'era anche nel vano di carico del nostro camion. Ero io a spargerla e a spazzarla. Lo facevo così spesso che ovunque andassi mi sembrava che la segatura non avrebbe mai abbandonato la mia vita. Forse era proprio di questo che c'era bisogno: ricoprire il mondo di segatura. Per pulire più facilmente le frattaglie fatte cadere a terra da un coltello, una spada, un proiettile, e il sangue delle ragazze stuprate, con un manganello, un cazzo o tre dita. La segatura era magica! Sotto di essa tutto si perdeva e scompariva con un solo colpo di scopa. La segatura serviva a questo: a cancellare una storia di merda e preparare il terreno per una ancora più merdosa...

Il nostro nido si trovava appena fuori città, dopo duecento metri di una strada sterrata che si diramava da quella principale subito dopo un cartello con scritto da una parte "Benvenuti a Kandalı", dall'altra "Arrivederci!" Per qualche motivo mio padre non aveva mai voluto farla asfaltare e quindi arrivavamo sulla strada cittadina sempre impolverati. Così avevo preparato un tabellone con scritto "vicolo della Polvere" e lo avevo piantato all'entrata della strada. Il nome le si addiceva a tal punto che anche il postino lo aveva registrato tra gli indirizzi. Di conseguenza il nostro era semplicemente vicolo della Polvere, Kandalı. Non c'era nessun numero civico, d'altronde la nostra era l'unica casa. Odiavo perfino il mio indirizzo! Fosse stato qualcosa di vivo lo avrei ucciso! Comunque...

Avevamo un terreno di un *dönüm* e mezzo, quasi seimila metri quadrati. Lo aveva ereditato mia madre dal padre, morto quando era ancora bambina. Insomma, oltre a mio padre, l'unica cosa che potesse somigliare a un parente per me era quel terreno. Non sapevo esattamente dove fosse né cosa facesse la famiglia di mio padre. Lui non ne parlava mai. L'unica cosa che sapevo era che venivano da molto lontano. Poteva anche essere venuto dalla Bosnia, dalla Bulgaria, dal Sudafrica o da chissà dove, e magari era finito a Kandalı dopo essersi perso mentre era in viaggio con la famiglia.

Doveva aver attratto mia madre per il suo aspetto così diverso dalla media della gente del posto. Aveva la pelle chiara e gli occhi di un azzurro freddo, era bello come un gatto. Era geneticamente un bastardo e perciò non gli ci volle molto tempo per incastrare mia madre. Poco dopo nacqui io. Una volta morta mia madre gli restai solo io da incastrare. Non avevo idea se per qualche periodo della sua vita avesse svolto una qualsiasi attività legale. Forse anche lui aveva iniziato a fare questo lavoro a nove anni, esattamente come me! In fin dei conti sapevo solo che il suo luogo di lavoro era la casa, il capannone e la cisterna sottostante, e che qualche volta trasportava frutta e verdura. In ogni caso era tutta una copertura...

I tir di Aruz arrivavano al villaggio di Derçisu e avanzavano lungo la riva del torrente Derçisu, un rivolo d'acqua d'estate, un fiume d'inverno, per poi entrare nel bosco. Dopo alcune centinaia di metri la strada terminava e le sagome gigantesche dei tir venivano completamente inghiottite dalla vegetazione: pini calabri, neri e pistacchi. Il trasferimento della merce dal tir al camion avveniva proprio in quel punto in appena quindici minuti e io, visto che non avevo altro da fare che aprire e chiudere il portellone del vano di carico, annusavo l'odore di timo, salvia e lavanda che mi circondava e immaginavo di dare fuoco all'intero bosco per esaltarne ancora di più gli aromi. Mio padre aveva seppellito Cuma proprio tra alcune piante di lavanda...

Quella mattina non avevo acceso il ventilatore, e poi me n'ero completamente dimenticato. Secondo i piani di mio padre, avremmo dovuto caricare Cuma su una barca e andare a Derçisu per prendere in consegna altra merce. Invece, quando arrivammo alla spiaggia da cui sarebbe dovuta partire la barca, aprimmo il retro del camion e trovammo il cadavere di Cuma. Mio padre dovette perciò fare una scelta: seppellire sul posto il cadavere di Cuma, e quindi fare tardi per la consegna successiva, oppure sistemare la faccenda a Derçisu. Mio padre scelse di non fare tardi e di darmi una lezione... E così non trascorsi il viaggio verso il bosco accanto a lui, con gli occhi puntati sulla strada, ma chiuso nel retro, terrorizzato, sforzandomi di non guardare il cadavere di Cuma e cercando di evitare che a ogni curva mi finisse addosso.

Quando arrivammo a Derçisu, mio padre lavorò sodo e seppellì il cadavere in pochissimo tempo. Per questo motivo quel bosco, luogo benedetto per i clandestini, in quanto ulteriore passo verso il loro obiettivo, per me era maledetto.

Una volta concluso il trasferimento sul camion, c'era un rapido scambio di denaro, poi di nuovo i trecento chilometri per tornare al vicolo della Polvere. Il camion entrava nel capannone e a quel punto aprivamo il portellone... Poi mostravamo ai clandestini un tombino situato in un angolo del pavimento e facevamo loro segno di entrare dicendo "Forza!"

Quindi i clandestini, capendo di doversi calare giù dai nostri gesti, più che dalle nostre parole, scomparivano in quella botola da cui passava a stento una persona.

Mio padre aveva fatto costruire la cisterna due anni prima. Aveva giudicato che il capannone non fosse più sufficiente: la permanenza dei clandestini poteva prolungarsi in base alle condizioni di sicurezza variabili dei diversi passaggi, prima e dopo il trasporto. Così chiamò dei muratori dal villaggio di Barnak dicendo di voler costruire una cisterna. Per non destare sospetti, fece mettere anche le tubature. Gli idraulici non avevano mancato di dire che, per una migliore compensazione del livello dell'acqua, la cisterna avrebbe dovuto essere più vicina alla casa, ma non insisterono più di tanto, visto che era mio padre a pagare il loro salario giornaliero. Quando fu detto loro di utilizzare un coperchio di un materiale più costoso del semplice ferro non fecero domande. Se uno sciroccato voleva tappare una cisterna con una specie di tombino da fognatura non era certo un loro problema!

Quando richiudevo la botola come un netturbino la cisterna si rivelava un pozzo degno di un girone infernale, in grado di ospitare duecento persone, una pressata sull'altra. Una bara sempre calda in cui le pareti umide in cemento creavano pozzanghere in forme e in punti sempre diversi del pavimento, come nelle mappe delle zone tropicali. Una cella illuminata da un'unica lampadina che dovevo sostituire in continuazione, perché si fulminava almeno due volte la settimana, e la cui luce veniva oscurata dalle ragnatele. Una cisterna di invecchiamento. Per degli esseri umani...

I clandestini, che chissà quante migliaia di chilometri avevano già percorso, non facevano una piega. Si sistemavano sul pavimento bagnato come se fosse il luogo più familiare del mondo, si reggevano la testa fra le mani coi gomiti sulle ginocchia e restavano in quella posizione di attesa. In questo erano fantastici. Aspettare era la cosa che sapevano fare meglio! Erano capaci di aspettare per giorni, settimane e anche mesi senza mai annoiarsi. Una volta che si prendevano la testa fra le mani sembrava che la loro mente decollasse come uno shuttle, e piombavano in uno strano stato di sonnolenza. O meglio, in uno stato di isolamento non perfettamente assimilabile al sonno... Un'autonarcosi!

Poiché avevo imparato che stare seduti su quel pavimento bagnato provocava raffreddore, diarrea e quindi ancora più spargimento di segatura per me, distribuivo dei fogli di giornale e dei pezzi di polistirolo. Poi, per esigenze facilmente immaginabili, distribuivo dei secchi. Uno per famiglia o gruppi di compagni di viaggio. A chi era solo dicevo: "Con chi vuoi cagare?"

Certo, il più delle volte non capivano. E io ero troppo pigro per spiegare il significato della frase. Poi, proprio quando mi stavo allontanando per salire i sei gradini della scala che portava su al capannone, veniva regolarmente fuori qualcuno che faceva la stessa domanda. Di solito aveva con sé un dizionario. Qualcuno in grado di mettere in fila qualche parola di inglese, oppure che aveva giudicato utile memorizzare qualche parola delle lingue dei paesi di passaggio verso la propria destinazione. Insomma uno sveglio... Naturalmente capivo subito qual era la domanda, ma facevo finta di non capire. "Quando?" mi chiedeva. In tutte le lingue che conosceva. Io rispondevo che la faccenda non li doveva interessare e che avrebbero fatto meglio a preoccuparsi di che cazzo fare quando dopo qualche ora sarebbero stati costretti a usare i secchi. Questa lunga risposta non veniva quasi mai compresa e puntualmente veniva reiterata la domanda. Io facevo finta di non sentire e me ne andavo. Al ritorno, davo a chi mi aveva rivolto la domanda un filo per stendere i panni da appendere a dei ganci fissati al muro e un vecchio chador.

Quando gli consegnavo l'occorrente per ricavare un bagno nella loro nuova casa di dodici metri di lunghezza, sei di larghezza e due di altezza, e il portavoce restava a guardarmi con un'espressione da imbecille, incerto sul da farsi, io ero già tornato nel capannone e avevo già chiuso la botola. In un modo o nell'altro si sarebbero arrangiati. Fino a quel giorno non era mai successo che non ci fossero riusciti. Lascia le persone a loro stesse e vedrai che saranno in grado di produrre dei missili con i loro organi interni!

A seconda dei casi, restavano nella cisterna da mezza giornata a due settimane prima di continuare il viaggio. Erano Dordor e Harmin che stabilivano la durata del periodo d'attesa. In base all'andamento del gioco del gatto e del topo con la guardia costiera decidevano quando le barche sarebbero potute salpare e facevano recapitare un messaggio in codice a mio padre per comunicare il luogo dell'appuntamento. Poi una notte sollevavamo il coperchio della cisterna, i clandestini entravano nel vano di carico del camion e, dopo un viaggio che poteva variare dai cinquanta ai duecento chilometri, le barche partivano finalmente da uno dei tratti di costa dell'Egeo che sembravano essere stati spolpati dai lupi...

Tutto qui. Nient'altro... Ma quella mattina... C'era qualcosa di più... Anzi molto di più! C'era qualcosa di diverso al mio risveglio. C'era qualcosa di diverso quando mi ero alzato dal letto e mi ero messo a camminare, quando mi ero lavato la faccia e avevo camminato un altro po'. Mi sentivo invaso da qualcosa che somigliava alla felicità. Le mie mani, i miei occhi e tutto ciò che vedevo erano più grandi. Sentivo su di me qualcosa che mi faceva dimenticare la vita... Qualcosa in più... L'amore.

Nella cisterna c'era un gruppo di ventiquattro persone. O meglio, come diceva Dordor, una carovana! Erano lì da due giorni. Tra loro c'era la ragazza più bella del mondo. Era lei che mi faceva sentire quel qualcosa in più... Doveva avere la mia età. Forse uno o due anni di più. Capelli e occhi neri... Non sapevo da dove venisse. Ma pensavo di chiederglielo. Pensavo di chiederle come si chiamava, quanti anni aveva, cosa le piaceva, cosa voleva fare da grande... Non ero riuscito a staccarle gli occhi di dosso dal primo momento in cui l'avevo vista scendere dal tir per andare verso il camion. Non riuscivo a dormire, trattenevo il fiato senza accorgermene e poi prendevo a respirare affannosamente. Ridevo da solo come avevo visto fare a Ender. Non sapevo cosa si provasse quando si è innamorati, ma doveva essere una cosa del genere: pianificare tutto come in una rapina... Cercare il posto, l'occasione e la cosa giusta da fare... In verità non c'era nessuna differenza con la caccia. Anche la prima persona che ha pensato di produrre un tessuto leopardato doveva essere della stessa opinione. L'amore è come la caccia. Altrimenti quale donna avrebbe voluto assomigliare a un animale?

Il tempo stringeva sempre più. Da un momento all'altro potevano giungere notizie da Dordor e Harmin, e in poche ore la ragazza più bella del mondo sarebbe potuta scomparire per sempre. Aspettavo che mio padre uscisse di casa, ma non sembrava avere intenzione di farlo. Mi era rimasto incollato addosso! Decisi di non curarmi di lui. Era una decisione importante. Molto! Qualsiasi cosa dovessi fare l'avrei fatta quel giorno e avrei scommesso tutto sulla possibilità che mio padre non entrasse in quel capannone. Avevo il gioco d'azzardo nel sangue: per me una possibilità su un milione era sufficiente. Confidavo nel fatto che mio padre si sarebbe svegliato verso mezzogiorno, che sarebbe tornato in sé solo dopo pranzo, che verso sera avrebbe poco a poco cominciato a bere e che quindi mi avrebbe dato qualche lavoro da sbrigare nel capannone. Perciò forse non stavo neanche giocando d'azzardo. Io stesso mi sentivo già una *fiche*. Avrei potuto addirittura disporre che dopo la mia morte venissero prodotte delle *fiches* dalle mie ossa. Non sarebbe stato per niente male! Almeno non sarebbe stato contro la mia natura!

Da due giorni non facevo altro che pensare a come rendere felice la ragazza più bella del mondo. Certo, non avevo molto da offrirle. Mia madre aveva una collana. Una collana d'oro con un angelo come pendaglio. Le avrei potuto dare quella. Ma nella situazione in cui si trovava a che le sarebbe potuta servire? Ci voleva qualcosa di più concreto. In quel momento mi vennero in mente soltanto i panini che distribuivo nella cisterna. Ero io a prepararli. Pomodoro e formaggio. E poi avrei distribuito anche l'acqua. Gratis! Tutto questo per fare in modo che la ragazza più bella del mondo notasse quanto fossi premuroso. Se n'era accorta? Non lo sapevo. Però non sembrava. Non mi guardava neanche in faccia. Io intanto facevo di tutto per prolungare il tempo trascorso nella cisterna. Anche se lì, in fin dei conti, lei stava passando i giorni più brutti della sua vita. Fino a quel momento...

Comunque... Ormai avevo deciso. Il mio dono sarebbe stato qualcosa di buono da mangiare, che le avrebbe lasciato in bocca il suo sapore per tutto il viaggio, in modo che si ricordasse di me. Ma quale poteva essere un buon cibo? Per i miei gusti poteva essere soltanto carne... Sarebbe piaciuta anche a lei? Poteva essere considerato un gesto romantico nutrire qualcuno? Magari avrei anche potuto farla uscire dalla cisterna per prendere un po' d'aria... Senza che mio padre lo venisse a sapere. Nelle condizioni in cui mi trovavo il mio spirito di cavalleria non si sarebbe potuto spingere oltre. Era il rischio più grande che potessi correre per la mia innamorata, perché non c'era niente di più pericoloso per me.

Quella mattina mi ero alzato presto. Sicuro che mio padre stesse ancora dormendo, mi ero vestito in silenzio ed ero uscito di casa, ma, una volta chiusa la porta e incamminatomi lungo vicolo della Polvere, vidi una cosa che avrebbe fatto saltare tutti i miei piani. Mio padre era seduto su una sedia proprio dove iniziava la strada sterrata. Tra noi c'erano quaranta metri di distanza e mi dava le spalle. Sembrava che stesse aspettando l'arrivo di qualcuno dalla strada principale, ma era così immobile che per un attimo pensai che fosse morto. Magari era quello che desideravo, non so. A ogni passo che muovevo verso di lui pensavo a una scusa che giustificasse il fatto di andare in città. Mi avvicinai silenziosissimo, e vidi che aveva il mento appoggiato sul petto. Stava dormendo! Si era appisolato sulla sedia. Con buona probabilità aveva bevuto fino all'alba e poi era crollato. L'unica cosa che non capivo era perché si fosse messo all'imbocco di vicolo della Polvere. In ogni caso, il motivo per cui, nonostante avesse un giardino grandissimo, si fosse ubriacato proprio lì, non mi interessava minimamente! L'importante era che fosse crollato... Gli passai accanto senza far rumore e dopo essermi allontanato a sufficienza cominciai a correre. Una volta arrivato in città, mi resi conto che era ancora presto. Attesi che i tre ristoranti dell'unica strada di Kandalı accendessero i forni e aprissero le cucine.

Il primo serviva kebab, il secondo pesce, il terzo piatti a base di zuppa. Arrivata l'ora di pranzo, cominciai a fare avanti e indietro tra i locali. Uno dei camerieri, pensando che non avessi soldi e mi vergognassi di dirlo, mi chiamò: "Vieni! Ti do una zuppa".

"No" risposi "grazie!"

La mia preoccupazione era un'altra, e nessuno poteva capirmi. Poiché sarei dovuto tornare a casa, cercavo qualcosa che restasse delizioso anche raffreddandosi. Naturalmente non riuscii a trovare una soluzione. Quindi entrai in tutti e tre i ristoranti e ordinai. Mentre aspettavo che i piatti fossero pronti, mi misi a osservare le ragazze che camminavano lungo la strada. Guardavo i loro capelli, i vestiti, le scarpe che indossavano... Per trarre ispirazione... La ragazza più bella del mondo, seduta sul pavimento di quella cisterna infernale, indossava un pullover logoro. Pensai di comprarle una maglietta. Entrai in un negozio e ne osservai attentamente almeno trenta, come se fossero le prime che vedevo in vita mia. In fin dei conti non avevo mai comprato una maglietta a una ragazza. Quando mi chiesero di che taglia la volessi, per un attimo, rimasi interdetto. Alla fine comprai una maglietta rossa, in due diverse misure, con la figura di un angelo simile a quello della collana di mia madre. In tutto questo ero così emozionato che le mani mi tremavano e, mentre tiravo fuori i soldi dalla tasca, spargevo monetine ovunque. Forse ridevo pure come un imbecille...

Quando ripassai per i tre ristoranti a ritirare i pacchetti capii di aver esagerato. Avevo comprato cibo per almeno cinque persone, ma non me ne curai. Il mio unico obiettivo ormai era entrare nel capannone prima che si raffreddasse. Corsi. Mi fermai soltanto due volte per appoggiare un momento i vassoi che scottavano. Per un attimo temetti che mio padre fosse ancora seduto sulla sedia dove l'avevo lasciato. Ma poi pensai che il sole era abbastanza alto da svegliare anche un ubriacone come Ahad e accelerai il ritmo della corsa. Quando arrivai a vicolo della Polvere, mio padre e la sedia erano spariti. Non c'erano più...

Così riuscii a entrare nel capannone senza incrociare Ahad. Poi però mi venne in mente che non avevo comprato niente da bere. Con tutto quel cibo ci voleva almeno una coca cola. A casa ne avevamo una bottiglia. Non appena misi piede fuori dal capannone, mi trovai di fronte mio padre. Era in compagnia di un tizio che non conoscevo, con una pistola infilata nella cintola. Io comunque ero abituato a entrambi. Sia agli sconosciuti che alle armi. Non era questo a preoccuparmi. Il problema era che, quando cominciavano a farsi vedere tizi del genere, di solito era il momento di mettersi in viaggio. "Non adesso! Ti prego fa che non se ne vadano oggi! Ancora un altro giorno!" pregavo dentro di me. In realtà, poiché dubitavo che ci fosse una divinità che ascoltava i clandestini e coloro che li trasportavano, non sapevo bene chi stessi pregando. Mentre camminava con lo sconosciuto in direzione del porticato sul retro della casa, Ahad si voltò e gridò: "Dove sei sparito tutto questo tempo? Va' a pulire il vano di carico del camion! E poi spargi la segatura!"

Chiamava vano quel container gigantesco dietro il camion, ma io preferivo chiamarlo cassaforte. Mi sembrava più logico, perché non era altro che questo! Una cassaforte in cui caricavamo e accumulavamo persone. Una cassaforte riempita e svuotata periodicamente, che chiudevamo sempre a chiave... In fondo non facevamo forse del nostro meglio per non far capire che era una cassaforte? Non serviva a questo la scritta a caratteri cubitali "AHAD LOGISTICA – TRASPORTO DI FRUTTA E VERDURA FRESCA"? Quella scritta era come uno di quei quadri di merda che servono a nascondere le casseforti a muro...

"Va bene papà! Vado!" dissi.

Chiunque o qualunque cosa avessi pregato doveva aver ascoltato le mie suppliche, perché era uno di quegli ordini quotidiani e abituali. Non di quelli che preannunciavano la partenza. Era uno di quegli ordini dati tanto per essere dati, quelli che venivano in mente a mio padre quando mi vedeva, un modo per comunicare con me dato che non sapeva dire: "Come stai, figlio mio? Che stai facendo?"

Non appena mio padre e lo sconosciuto scomparvero sul retro, io entrai in casa con la velocità di una lepre. Impiegai solo qualche secondo a prendere una bottiglia di coca cola, una forchetta, un coltello e un bicchiere. Uscii e corsi immediatamente verso il capannone.

Era il momento di passare alla fase due del piano: apparecchiare la tavola. Il camion era proprio al centro del capannone, quindi non avevo molta scelta su dove sistemare il tavolo di ferro che mio padre utilizzava per i suoi lavori di carpenteria: proprio accanto alla botola della cisterna. Liberai il piano da cacciavite, chiave inglese, viti e chiodi, posandoli a terra. Pensai di pulire con una pezza la superficie annerita dalla sporcizia. C'era uno sgabello nel capannone, ma mi ci vollero almeno dieci minuti per trovarlo. Come lo sistemai vicino al tavolo, mi accorsi che traballava. Avrei potuto cercare un cartone da sistemarci sotto, ma rinunciai per non perdere altro tempo. Per non far sentire scomoda la ragazza più bella del mondo su quello sgabello traballante avrei potuto usare il mio piede. In questo modo le sarei potuto stare accanto e magari metterle pure una mano sulla spalla. Tirai fuori dai pacchetti il cibo che avevo comprato e disposi le pietanze in fila, una dopo l'altra. Una volta sistemate le salviette profumate, le bustine di sale e pepe nero, i tovaglioli, la forchetta, il coltello e il bicchiere feci due passi indietro... Ebbene sì! Quella che avevo davanti agli occhi poteva essere definita una tavola da pranzo. O almeno, a me così sembrava. Ormai era tutto pronto e anche io! Dopo mangiato le avrei dato le magliette che avevo nascosto sotto il camion... Al posto del dessert.

Aprii con la chiave la serratura della botola e scesi nella cisterna. Ero così emozionato che sentivo il battito del cuore pulsarmi nelle tempie. Non appena mi videro, tutti quelli in grado di reggersi in piedi si alzarono e mi circondarono. Come sempre pensavano che fosse il momento di mettersi in viaggio. Io agitando le mani dissi: "No! No!" anche in inglese. Si lasciarono andare sul pavimento come se fossero stati travolti da una valanga. Poi vidi lei: la ragazza più bella del mondo. Teneva la testa appoggiata sulle ginocchia, che stringeva al petto cingendole con le braccia. Non mi guardò fin quando non le fui accanto. Quando la mia ombra fu su di lei alzò la testa. Presi un respiro per darmi coraggio e le tesi la mano. Non capì. A quel punto mi chinai e le presi delicatamente la mano. Cominciò a scuotere la testa, da destra a sinistra. "Non avere paura" le dissi. Tentai di rassicurarla con l'espressione del mio viso, con la mano rimasta libera, col mio sguardo, con qualsiasi cosa avessi... Ma non capì. Nessuno capì. La donna accanto a lei, che doveva essere sua madre, iniziò a lanciare urla incomprensibili... Poi si aggiunse un uomo. Poi ancora un'altra donna, e infine tutti quanti. Non diedi loro importanza. Pensavo che avrebbero capito. Rivolsi loro perfino un sorriso senza lasciare la mano che stringevo. Improvvisamente lei, la ragazza più bella del mondo, cominciò a piangere e a ritrarsi da me. Sentii delle mani sulle mie spalle. Mani che cercavano di separarci. Le avevo addosso su tutto il corpo, volevano spingermi via e così fui costretto a lasciare la mano della ragazza. "Va bene!" dissi "*No problem!*"

Mi voltai e mossi un passo, ma non potei fare altro, perché la donna che immaginavo fosse sua madre mi si parò davanti. Disse una parola scandendo due sillabe e mi sputò in faccia. Poi si scostò e io me ne andai. Passai tra ventiquattro paia d'occhi che mi guardavano come se mi volessero uccidere, salii la scala e chiusi a chiave la botola. Mi asciugai la guancia su cui la donna aveva sputato e per qualche secondo rimasi immobile. Guardai la tavola, le pietanze... Erano ancora calde, perché fumavano leggermente. O magari ero io che avevo un'allucinazione. Mi lasciai andare sullo sgabello, rischiando di cadere per via del piede traballante. Mantenni l'equilibrio appoggiando i gomiti sul tavolo. Mi presi la testa tra le mani, chiusi gli occhi e in quel momento capii che cos'ero...

Certo, già prima di quel giorno sapevo in che razza di affari fossi invischiato. Ovviamente sapevo che per quelle persone io ero un poco di buono. Una creatura di cui si può anche avere bisogno, ma con cui nessuno aveva il coraggio di familiarizzare... D'accordo, anch'io disprezzavo loro. A volte non tolleravo nemmeno la loro stessa esistenza. Perché in quella cisterna non c'erano chiusi soltanto loro. Anche se non se ne accorgevano, io ero stipato là sotto insieme a loro. E soprattutto il mio odio stava solo dentro di me, proprio al di qua delle mie labbra chiuse. Ma facevo quello che potevo per non farli ammalare, per non farli restare a digiuno e per non farli vivere nella sporcizia. In fin dei conti ero solo un bambino. Ma sembrava che non lo fossi. Nelle orecchie ormai sentivo le voci di quelli che poco prima urlavano nella cisterna dirmi: "Non sei un bambino!"

Non potevo saperlo... Non avevo idea di essere così disgustoso agli occhi di quella gente... Non avevo idea di somigliare tanto a uno di quei personaggi che popolavano i racconti di stupri che avevano sicuramente sentito da chi, come loro, si era messo in viaggio clandestinamente. Non sapevo che mi temessero tanto. Non sapevo di fare così paura... E tutto questo non sarebbe mai cambiato... Ormai di fronte a me avevo solo due alternative: lasciare per sempre quella casa, quella vita e fuggire lontano da quelle persone che mi vedevano come un mostro, oppure...

Mi alzai in piedi. In sette passi arrivai al muro che stava alla mia destra. Mi accovacciai e aprii il coperchio della cassetta nera all'altezza delle mie ginocchia. Anche se con difficoltà, feci ruotare al massimo la grande valvola rossa che trovai. Era la prima volta che veniva svitata. L'acqua corrente cominciò a percorrere le tubature che portavano alla cisterna, assordante come il corso furioso di un fiume che scorre in profondità. Poi, sempre in profondità, si sentì un rumore sordo. Il rumore della carne che colpisce il ferro. Guardai il lucchetto della botola che cominciava a essere percossa dai pugni. Era assolutamente fermo. Soltanto la botola tremava leggermente. O magari anche adesso ero io ad avere le allucinazioni. Laggiù chissà che urli stavano lanciando, ma io sentivo soltanto voci soffocate che sembravano provenire da un altro mondo, come se lo stomaco del capannone stesse brontolando. O magari ero io a fare quel rumore. Mi sedetti di nuovo sullo sgabello vicino al tavolo e cominciai a mangiare avidamente senza nemmeno preoccuparmi di sentire il sapore o guardare il cibo. Masticavo gettando di tanto in tanto un'occhiata al coperchio della cisterna e ascoltando l'acqua che la riempiva... In quel momento non stavo pensando a nulla.

Quando mi saziai, aprii una delle bustine di salviette profumate. Mi strofinai le mani e la bocca fin quando non le giudicai pulite. Infilai di nuovo nella bustina la salvietta sporca e la gettai nel sachetto ai miei piedi. Era un momento ideale per cominciare a fumare. Mi diressi verso il camion e aprii la portiera del guidatore, a cui era appesa una grande tasca piena di spazzatura e cianfrusaglie. Dopo aver rovistato per qualche minuto trovai quello che cercavo. Un pacchetto di sigarette in cui mio padre infilava sempre un accendino. Ne accesi una. Tossii e feci un'altra boccata. Rimisi a posto il pacchetto e chiusi la portiera. Andai verso il coperchio della cisterna. Fumai tutta la sigaretta tenendoci un piede sopra. Credetti di sentire le vibrazioni provocate dai pugni. Ritornai al muro e riaprii la cassetta. Pensai a mia madre, poi a mio padre, e richiusi la valvola. Non si sentì più nulla, né lo scroscio dell'acqua né le grida. Erano state prosciugate entrambe.

Mi chinai sulla botola e aprii il lucchetto. Il battito dei pugni cessò proprio in quel momento. O magari a me parve così. Sollevai il coperchio tenendolo per i due manici. Prima si sentì un grido, poi silenzio. Feci due passi indietro e lo posai a terra. Il passaggio rimase così totalmente aperto. Mi voltai e andai a sedermi sullo sgabello, questa volta però non rischiai di cadere perché sapevo che era instabile.

Nella mente delle persone nella cisterna c'era un mostro, là fuori. E io aspettai che quel mostro mandasse a farsi fottere tutta l'umanità di quella gente. Sentii delle voci. Prima una, poi tre e infine una decina. Si sovrastavano a vicenda creando un brusio che saliva come vapore fino al tetto del capannone. Sentii un pianto. Anzi, due... Poi un grido. E infine di nuovo silenzio...

Vidi dei capelli. Capelli di un nero profondo. Poi un viso, delle spalle, dita sottili coperte di segatura. Poi vidi un ginocchio. Un altro ginocchio e infine la ragazza più bella del mondo in piedi di fronte a me... Piangeva, ma dai suoi occhi non uscivano lacrime. Era come se scorressero dentro di lei, nel profondo. Un po' come il fiume di poco prima. Magari se le avessi poggiato l'orecchio sul petto avrei sentito il rumore delle sue lacrime. Ma non lo feci. Le mostrai il tavolo. "Mangia!" dissi "È per te". Mosse un passo, poi due. Esitò per un momento, poi raccolse velocemente il cibo e cominciò a farlo passare giù nella cisterna. In meno di un minuto tutto quello che c'era sulla tavola sparì dentro. Poi si fermò e mi guardò. Puntò gli occhi su di me. Tremava.

Fece due passi avanti e cominciò a sbottonarsi il vestito. Questa volta potei vedere le sue lacrime. Ormai stavano traboccando e le rigavano le guance. Guardai l'imbocco della cisterna col coperchio completamente aperto. Si doveva essere fulminata di nuovo la lampadina. Da laggiù non proveniva né luce, né una voce, né altro... A un certo punto si sentì soltanto qualcosa di simile a un singhiozzo che proveniva da sottoterra... Una sola sillaba che somigliava all'urlo soffocato di quella donna che tempo prima aveva visto morire il figlio neonato e a cui gli altri avevano tappato la bocca...

Quel giorno, sopra la testa di ventitré persone, qualche pezzo di polistirolo e qualche foglio di giornale, toccai una donna per la prima volta in vita mia. Quando stavo per eiaculare, come se mi avessero reciso la carotide, accanto alla botola aperta, lei mi spinse via per le spalle. Sapeva molto meglio di me com'erano gli uomini. Qualsiasi cosa avessi dentro, la sparsi sul pavimento del capannone...

Ci rivestimmo. Lei entrò nella cisterna, io chiusi a chiave il lucchetto. Poi cominciai a spazzare via la segatura con quello che c'era dentro... Non restò alcuna traccia... Il giorno dopo, mentre salivano sulla barca, osservai i loro sguardi. Tutti. Uno a uno. Anche dai loro occhi era sparita ogni traccia di quello che era successo. Evidentemente eravamo d'accordo. Loro pensavano che io fossi un mostro e io lo diventai. Dopotutto, ci avevano messo dieci minuti per decidere di offrirmi una di loro come vittima...

Al ritorno mio padre disse: "La cisterna è allagata!"

"Lo avevano detto, gli operai" dissi. "Avevano detto di metterla più vicina alla casa".

Ormai non ero più innamorato. Guardavo solo la strada. La strada che mi avevano mostrato quelle persone. A senso unico. Niente ritorno... Misi da parte le due magliette rosse con l'angelo per scambiarle con altre 'ragazze più belle del mondo'. Poi però capii che non servivano. Il mio dito indice era già la canna di una pistola. Bastava che indicassi quella che mi piaceva di più. Se per caso fosse stata sposata mi avrebbero offerto un'altra donna.

Così a quattordici anni mi fu tolto, pezzo dopo pezzo, il titolo di cavaliere. Ma questo non si venne mai a sapere, perché nessuno immaginava che avessi vissuto fino a quell'età come un cavaliere tra draghi e prigioni. Forse l'unico poteva essere Cuma, ma nemmeno lui contava. Perché lui, l'architetto di quelle rane origami, anche se fosse stato in vita, non avrebbe potuto saperlo. Non poteva conoscere la ragione per cui quel giorno non ero scappato via, lontano da quella casa, da quella vita e da quelle persone che mi credevano un mostro... Forse perché non mi chiamavo Felat. O magari perché ero un codardo... Vediamo, ma un mostro può essere un codardo? Certo che sì! Anzi, forse soltanto i codardi diventano dei mostri. Io ne ero la prova vivente. Era per questo che l'odore della segatura mi dava la nausea. Perché io ero la segatura, in carne e ossa. Se mi avessero sparso nel mondo come segatura, non avrei lasciato tracce... E lo avevo dimostrato. Mi sono gettato innumerevoli volte su quelle donne e non ho mai lasciato tracce.

Erano bastati cinque anni per trasformarmi in una creatura orrenda. Un ibrido tra mio padre, Aruz, Dordor e Harmin. E avevo anche superato la somma degli originali. Se non altro perché ero ancora un ragazzino. Avevo quattordici anni e ogni dolore che infliggevo per me era solo un gioco, non mi sembrava nemmeno reale. Tutto questo mi rendeva ancora più orrendo. Certo, se fossi stato in un altro settore del lavoro minorile, non avrei subìto la stessa trasformazione. Nel mio lavoro non c'erano strane sostanze chimiche che riducono i polmoni a un colabrodo, né sostanze volatili come l'acquaragia che inducono dipendenza senza che tu te ne accorga. Io ero nel settore dei servizi. In un tombino! Nella fogna del settore dei servizi. Mi occupavo della pulizia di una cisterna e facevo in modo che le persone non la intasassero. Forse è per questo che la capacità di empatia che dovevo avere anch'io, come tutti, alla nascita, non serviva a un accidente. Per me era assolutamente impossibile mettermi nei panni di quelle persone, per metà esseri umani e per metà merda. Questa capacità l'avevo già esaurita nel tentativo di capire le ragioni del comportamento di mio padre, di Aruz, Dordor e

Harmin. Rimanevano soltanto i miei due occhi che si guardavano intorno come proiettili. Di certo non avevo alcun interesse per i nomi e per le vite dei clandestini, né mi importava sapere che avessero sangue nelle vene o un sistema nervoso. Provavo solo rancore nei loro confronti. La loro più piccola reazione, il loro minimo sorriso per me era come un artiglio avvelenato che mi strappava le pupille. E più di tutto mi irritavano i loro sogni! Perché ero in grado di percepirli! E anche bene! Tutti quei sogni di una vita felice in un paese lontano! Quei sogni disgustosi che, indipendentemente dalla mia volontà, finivano per contagiarmi! Una volta avevo addirittura chiesto a mio padre: "Possiamo andare anche noi?"

Lo avevo implorato: "Facciamoci portare pure noi!"

Salire su una delle barche di Dordor e Harmin per rinascere non appena avessimo messo piede su un'altra terra. "Ti prego papà, andiamo anche noi!" gli avevo detto. Lui, guardandomi in faccia, mi aveva risposto: "Il nostro lavoro è trasportare chi deve viaggiare, non viaggiare anche noi!"

Me lo aveva detto come se mi stesse dicendo: "Il nostro lavoro è uccidere, non morire!"

Così coltivai i miei, di sogni, pieni del rancore che mi dava rimanere a Kandalı. Alcune volte sono diventati realtà. Anzi, divenivano spesso realtà, e ogni volta accadeva proprio quello che sognavo: quei clandestini, ormai a un passo dal mettere piede nella terra di destinazione, dopo viaggi su viaggi trascorsi come una tortura, venivano intercettati dalla guardia costiera. Sapevo che i miei sogni si avveravano guardando la televisione oppure le foto sui giornali.

Quando vedevo i fari delle motovedette che squarciavano l'oscurità puntati su quelle facce butterate, mi sentivo così bene da scoppiare a ridere. E mentre guardavo gli occhi dei clandestini, sbarrati come quelli di un coniglio nelle mani di un cacciatore, gridavo: "Avete visto? È stato tutto inutile! Adesso ve ne ritornate da dove siete venuti col primo aereo! Salirete per la prima volta su un aereo per tornare a casa vostra! Andate a farvi fottere e ricominciate tutto da capo!" Poi però all'improvviso smettevo di ridere. Mi ricordavo che sarebbero immancabilmente tornati da noi. "Fanculo!" dicevo "non è possibile liberarsi di loro! Perché non restano a casa loro questi? Perché non se ne stanno al loro paese? Perché?..."

Qualche volta capitava che ne scegliessi uno a caso per urlargli in faccia: "C'è la guerra nelle strade? Eh? La gente si uccide a vicenda vicino a casa tua? E allora esci e vai a combattere pure tu! Muori, resta ferito, mutilato, ma stattene lì! C'è la fame? Fai un figlio e mangiatelo! Oppure mangiati tu da solo! Ma non mi rompere i coglioni perché hai deciso di andare dall'altra parte del mondo! Tanto anche se ci arrivi che ti succede? Che ti fotteranno fino al midollo! Che ti aspetti? Pensi che la gente di là stia ad aspettarti per accoglierti a braccia aperte? Imbecille! Nel posto in cui vuoi andare non vali niente! Lo capisci? Proprio niente! Lo vedrai! Nessuno vorrà sedersi accanto a te sull'autobus! Nessuno vorrà rimanere solo in ascensore con te! Nessuno vorrà che i propri figli facciano amicizia con i tuoi! Nessuno vorrà essere salutato col tuo accento da imbecille che non riuscirai mai a correggere! Nessuno vorrà essere tuo vicino! Nessuno vorrà mai sentire o sapere niente della tua religione! Nessuno vorrà sentire la puzza della roba disgustosa che ti cucini! Nessuno vorrà che guadagni soldi! Nessuno permetterà che tu sia più felice o viva più a lungo di loro! Nessuno vorrà stare vicino a te quando ti metti in fila! Nessuno vorrà che tu possa mai votare in quel paese! Nessuno vorrà mai incrociare il tuo sguardo! Nessuno ti vedrà mai come un essere umano! Nessuno vorrà sapere come ti chiami! E se c'è chi te lo chiede è un pazzo oppure qualcuno che finge che gli interessi! Quella gente ti odierà così tanto che nel quartiere dove andrai ad abitare crollerà anche il prezzo del pane! Mettitelo in testa questo! Eppure stai ancora qui a rischiare la vita, ad abbandonare i tuoi figli, a lavorare come un mulo e sprecare i soldi che hai guadagnato per pagare la gente come noi! Questo significa... significa che sopporti qualsiasi dolore. Ed è qui che io entro in azione! Ti farò vivere cose che vorrai raccontare a tutti i figli di troia amici tuoi! Tutti quei circuiti di immigrati clandestini, no? Insomma quel mondo dove vi passate le notizie su chi, verso dove, da dove e per quanti soldi ti può fare emigrare! Quel mondo in cui vi raccontate balle tanto per dar fiato ai denti! Sarai sulla bocca di tutti! Tutti sapranno quello che ti è successo! Perché sarai tu ad andare a raccontare tutto piagnucolando! Forse ometterai qualche episodio per la vergogna! Quelli li terrai per te e ti spappoleranno il cervello! Insieme trascorreremo dei giorni tali che i tuoi racconti impediranno a chiunque abbia anche solo pensato di emigrare di mettere piede fuori di casa! O al limite, se ci sarà ancora qualcuno che vorrà farlo, cercherà di passare dal Polo Nord! E così anch'io... anch'io..."

Anch'io cosa? Da qui in poi cominciavano a mancarmi le parole... Perché, anche se fossi riuscito a mettere in pratica quei folli progetti, non avevo idea di cosa ne sarebbe stato di me. L'unica certezza era che la mia situazione non potesse essere peggiore di così. In verità tutte queste frasi facevano parte di un copione su cui lavoravo continuamente. Le frasi sull'odore nauseabondo del cibo e sulla religione, per esempio, le avevo aggiunte da poco. Quantomeno avevo cominciato a studiare. Leggevo qualsiasi cosa mi capitasse sui paesi dove tutte quelle persone avrebbero voluto vivere a ogni costo. Dovevo sapere a che cazzo somigliavano i paesi per cui quelle persone erano pronte a crepare o a lavorare per dieci anni come schiavi! E qualsiasi cosa imparassi entrava a far parte del mio discorso. Di solito cominciavo a parlare stando in piedi. Era un dettaglio importante, perché nella maggior parte dei casi i clandestini sedevano a terra, e così quella distanza tra noi faceva immediatamente capire loro chi fosse il padrone. Un altro dettaglio fondamentale era prenderli di sorpresa. Senza nessun preavviso! Cominciare a gridare quando meno se lo aspettavano! Oppure guardarli mostrando un sorriso da bambino per poi incominciare a urlare assicurandomi che rimanessero terrorizzati! Poi mi chinavo e avvicinavo il mio volto al loro. Mi piaceva tantissimo guardare qualcuno da vicino ed essere al tempo stesso l'unico a conoscere la prossima mossa. Violare quella che gli psicologi chiamano 'distanza sociale', quel minimo spazio di rispetto esistente tra gli uomini, era una sensazione fantastica! Dapprima evitavano di incrociare il mio sguardo, ma quando poi dovevano asciugare la saliva che finiva sulla loro fronte o sulle guance, anche se si paravano gli occhi con la mano, erano costretti a guardarmi attraverso le dita almeno per un attimo. Quanto a me, in quel momento non li vedevo nemmeno. Sapevo che di fronte avevo degli occhi, un naso e una bocca che appartenevano a una persona che aveva vent'anni più di me, ma non me ne rendevo conto. Ecco cosa intendo quando dico che nulla mi sembrava reale. Ero io l'unico essere reale. Solo io. Certo, tutto questo era segno che non fossi sano di mente, ma, in fin dei conti, la sanità mentale non era una delle qualità richieste nel mio lavoro. Era sufficiente che avessi tutti e cinque i sensi, e che i miei muscoli funzionassero. Pulivo una fogna! E visto che era questo il mio lavoro, nella mia fogna dovevo essere un dio! E lo ero... Ho fatto così tante cose che non vorrei mai ricordare, ma che devo raccontare per cancellarle dalla mia mente... E anche quello che ho fatto l'ho fatto per non *ricordare mai* altre cose... Ma vivere oggi per dimenticare ieri non mi è servito a niente. Al contrario... Le cose che volevo dimenticare senza riuscirci si sono accumulate una sull'altra. Forse bisognava prima dimenticare il domani... Dimenticare fino a credere che ogni giorno sorga un sole diverso... Dimenticare fino a essere certi che ogni giorno si veda un sole per la prima e l'ultima volta. Dimenticare al punto di dire: "Il sole di oggi sembra più grande, vero?" oppure "Il sole di ieri era più ovale, non è vero?" Occorre dimenticare tutto come se ogni giorno si vivesse per la prima volta... Gridare: “Crederò in qualsiasi religione in cui non ci siano dejà vu” e tacere. Con un solo pensiero nella mente: sarò lì, ovunque non ci sia resurrezione...

Quando vidi per la prima volta Dordor e Harmin mi parvero degli esploratori come Juan Ponce De León e James Cook. Sebbene in realtà facessero uno dei mestieri più infami del mondo, anche allora avevo capito che non somigliavano a mio padre né a nessun altro in quella trama criminale di cui ero soltanto un filo. All'epoca avevo solo nove anni. I loro discorsi, i loro comportamenti e le storie che raccontavano mi richiamavano alla mente quegli avventurieri dei libri per ragazzi che avevo cominciato a leggere da poco. Due avventurieri di un secolo in cui la pirateria non significava ancora aggrapparsi con le unghie e con i denti ai mercantili al largo della costa nigeriana...

Avevano assaporato il sale di almeno quattro oceani, quei mari in cui sei circondato solo dalle nuvole, e per qualche motivo si erano fermati in quella pozza d'acqua che è l'Egeo. Magari erano solo di passaggio e vedendo quel denaro facile avevano buttato via anni e anni della loro vita a fare la spola tra Grecia e Turchia, ripromettendosi di smettere a ogni viaggio. Sulla Dordor e sulla Harmin ho passato i miei giorni più belli, e questo accadeva quando mio padre preferiva non avermi tra i piedi e non c'era merce da consegnare. Sì, le barche avevano lo stesso nome dei loro capitani. In verità erano entrambi dei soprannomi che trasponevano in parole i rumori del motore delle imbarcazioni. Dordor aveva scelto quel nome perché la sua barca emetteva un suono tipo *dor-dor*! Forse mi ricordavano i marinai dei romanzi perché non avevo mai saputo i loro veri nomi.

Venivano a prendermi la mattina, specialmente in primavera, e mi riportavano a casa soltanto la sera. Entrambi amavano leggere e sulle loro barche c'erano sempre dei libri. Fumavano in continuazione. Certo, a quell'età non avevo ancora capito che quello che fumavano non era solo tabacco. Dalla mattina alla sera inspiravano il fumo grigio dell'hashish che si confondeva con quello delle nuvole, a volte stando zitti per ore, a volte raccontando un sacco di storie, come se avessero vissuto centinaia di vite. Sono stati loro a insegnarmi a nuotare. Ho imparato tutto da loro, a nuotare sott'acqua e a pelo d'acqua, lo scuba e la pesca con la fiocina. Avevano un anno di differenza. Dordor era il più grande. I loro parenti vivevano a Istanbul, a Heybeliada. Ma non li vedevano mai. Forse perché un tempo erano scappati di casa e non erano riusciti a perdonarsi qualcosa... Se Dordor toccava l'argomento, Harmin tagliava subito corto. Se uno diceva: "Chissà come sta la mamma?", l'altro rispondeva immediatamente: "Come papà!"

Leggevano spesso Jack London, ma non gli stessi libri che avevo letto io. Loro preferivano i libri che l'autore aveva scritto quando la sua *Zanna bianca* era marcita e caduta da tempo insieme a tutti gli altri denti. Non avrei mai voluto che arrivasse la sera, che facesse buio e mi riportassero a casa. Restiamo sempre in mare! Gettiamo l'ancora e tuffiamoci dove più ci piace! Non si erano mai sposati. Nessuna donna avrebbe mai condiviso la loro vita da lupi di mare. Non avevano più di trent'anni. Due ragazzi di strada cresciuti. Due grandi fiori cresciuti sull'acqua... Altri due fiori dopo Felat...

Sono riuscito a raccontarlo solo a loro... Solo a loro... Solo a loro sono riuscito a raccontare quello che mi aveva fatto uno dei clandestini, quando ancora non c'era la cisterna, mentre aspettavano la partenza nel capannone... O meglio sono riuscito a raccontare come, mentre uno era all'opera, tutti gli altri fossero rimasti a guardare senza far nulla...

Non sono soltanto gli innocenti a lasciare la terra in cui sono nati... Non c'è solo gente che fugge da *uomini cattivi*... Ci sono anche uomini cattivi che fuggono! Dal nostro capannone passavano anche uomini che nel proprio paese erano ricercati, condannati in contumacia a chissà quanti anni di carcere. Ladri, assassini, stupratori e pedofili... E io ero costretto a restare solo con loro...

Avevo dieci anni. L'età in cui avevo incominciato a vendere le bottiglie d'acqua... Porsi la mano per chiedere i soldi. Lui mi prese e mi tirò a sé. Gli altri risero. Tutti avevano una guancia gonfia come se tenessero un uovo in bocca. All'epoca pensai che fosse una malattia. Ma in realtà era *gat*. Una merda che in latino si chiamava *Catha edulis*. Una specie di anfetamina. Di quelle che ti trovi a masticare dalla mattina alla sera... Provai a scappare, a divincolarmi, a urlare, a mordere, a colpirlo... Ma non ci fu niente da fare.

Aveva gli occhi iniettati di sangue. Poi mi chiuse la cerniera, mi abbottonò i pantaloni e mi infilò in tasca i soldi dell'acqua. In lacrime, avrei voluto cercare mio padre per raccontargli tutto. Ma non lo feci. Pensai che fosse successo perché vendevo l'acqua. Mio padre si sarebbe arrabbiato se fosse venuto a saperlo... Quello mi mise in bocca una manciata di foglie. E così capii che non avevano un uovo in bocca. Lui masticò e i suoi occhi si fecero ancora più rossi. Masticai anch'io, ma non successe niente.

Per mezza giornata mi rimasero dei segni sulla fronte. Segni di dita. Aspettai che sparissero. Ma restarono lì, sotto pelle, infilandosi nella mia fronte. Non riuscii a sedermi per due giorni. E poi sanguinai in segreto...

Incredibilmente mi venne da raccontarlo a Harmin e Dordor. Riuscii a farmi capire? Forse non mi rendevo nemmeno conto di quello che dicevo. Magari stavo solo delirando...

Mi ascoltarono entrambi. Si guardarono tra loro e non dissero nulla. L'unica cosa che fecero fu chiamare mio padre per dirgli che non mi avrebbero riportato a casa quella sera e che sarei rimasto in barca. Ci restai addirittura tre giorni.

I clandestini nel capannone, al momento prefissato, scesero dal camion per salire sulla barca di Dordor, e passandomi davanti mi fissarono. Il giorno dopo, Harmin e Dordor tornarono con la barca vuota come sempre. Lo stesso giorno Aruz chiamò mio padre per dirgli che la merce non era stata consegnata in Grecia. Mio padre non seppe che dire. Chiese notizie a Dordor e lui rispose così: "Li abbiamo ammazzati tutti quanti. Comunque fatti dire il prezzo e lo pagheremo senza problemi".

Mio padre, ancora una volta, non seppe che dire, dato che né Harmin né Dordor gli spiegarono perché avevano agito così. Erano entrambi marinai, sapevano mantenere un segreto. Ancora oggi mi chiedo perché non abbiano raccontato la verità a mio padre. Probabilmente perché sapevano che non sarebbe cambiato nulla. Oppure perché non si fidavano del loro padre esattamente come io non mi fidavo del mio! Quando la notizia raggiunse Aruz, lui disse: "Questa è la prima e l'ultima volta! Se succede di nuovo una cosa simile non perdono! Che mi mandino i soldi!"

Dordor pagò il prezzo delle sei persone ad Aruz e lui risarcì le loro famiglie. Il problema era che il più vecchio di quelli che erano stati a guardare era di una tribù libica, cliente abituale del PKK per altri affari di contrabbando. Aruz, che credeva di poter convincere sempre tutti, non diede importanza al dettaglio e disse che la barca era affondata. E una settimana dopo diede ordine a Dordor e Harmin di affondare veramente la Dordor.

Ma i greci, che volevano escludere il PKK da un traffico di droga che avevano messo su con i libici, girarono il coltello nella piaga, giurando di aver visto la barca in perfette condizioni. Questo causò un groviglio di problemi che toccarono in prima persona Aruz e anche gli altri settori di traffici illeciti del PKK. Aruz riuscì a resistere alle pressioni per quattro anni. Quando si accorse che la diplomazia non serviva più e che la faccenda stava prendendo una china pericolosa, una notte chiamò Dordor: "Voglio bene a tutti e due... Facciamo affari insieme da tanti anni... Ma io non posso fare più niente... Adesso scegliete. Chi di voi due? Ne basta uno, scegliete voi".

Intendeva dire chi dei due avrebbe dovuto uccidere. In fondo era sempre un uomo d'affari, pensava di continuare a lavorare con quello che sarebbe sopravvissuto. Non so come abbiano fatto la loro scelta... Anzi, un'idea ce l'ho... Una notte, quattro giorni prima che Aruz mandasse i sicari con i coltelli, eravamo seduti in barca e Dordor, dopo aver fatto un tiro dallo spinello, volse lo sguardo alle stelle: "Lo sai che facevamo tempo fa? Quando passava una di quelle navi piene di turisti, salutavamo con la mano. Poi guardavamo per vedere chi rispondeva al nostro saluto, quante ragazze... Qualche volta salutavano soltanto quegli imbecilli dei mariti. Allora dicevamo che anche da quella distanza le donne capivano che non eravamo poi questo granché... Scommettevamo su chi ci salutava".

Forse avevano deciso così, chi sarebbe dovuto morire. O magari Dordor non aveva riferito a Harmin la conversazione avuta con Aruz e aveva tenuto per sé la pagliuzza più corta... E poi Dordor aveva aggiunto: "Hai presente come dice la canzone di Aşık Veysel, quella della taverna con due porte? Creano uno spiffero in questa vita! Per questo ho sempre freddo. Fammi andare a chiuderne una!"

Così andò a chiudersi dietro quella porta. Fu ucciso con sessantasei coltellate e le foto del cadavere furono inviate in Libia. Fu fotografato da diverse angolature in modo da poter contare le coltellate. L'accordo era questo, perché quel tizio che era stato a guardarmi mentre venivo fottuto aveva sessantasei anni.

Mio padre mi aveva detto qualcosa della faccenda, il resto lo avevo sentito da Harmin. Gli chiesi: "Perché non siete scappati?" Lui si mise a ridere. Non sapevo cosa dire. Era successo tutto per colpa mia... Volevo chiedere perdono, ma restai in silenzio. D'altronde poi se ne andò pure Harmin... a chiudere la sua, di porta. Di loro restarono solo i libri. Harmin li lasciò tutti a me. E poi restai io... E tutti quei cadaveri...

Questo stupro che hai subìto a dieci anni come pensi ti abbia influenzato, Gazâ?
E tu chi sei? Scherzavo! Non mi ha influenzato per niente.
Sei sicuro?
E poi non è mica successo soltanto a me!
Sì, però...
Senti, ti rivelo un segreto! Nessuno lo sa... A dieci anni tutti i bambini vengono stuprati.
Davvero?
Sì!
E poi che succede?
Compiono undici anni! Punto.
Va bene, però perché nessuno se lo ricorda tranne te?
Perché è una cosa sana!
Cosa, è sano?
Lo stupro... Non ci sono tutte quelle fasi che un bambino deve attraversare? Per una crescita sana, intendo... Lo stupro è una di quelle. Per questo nessuno se lo ricorda... Anzi, se uno non

se lo ricorda vuol dire che è perfettamente sano!
Però tu te lo ricordi.
Sei tu che continui a ricordarmelo, vaffanculo!
Ti stai prendendo in giro, Gazâ.
Non mi dire. Certo che mi prendo in giro! Ho qualche altra soluzione?
Questo significa che quello stupro ti ha segnato. E anche tanto. Accettalo, per favore.
Va bene, lo accetto... Ma solo perché hai detto per favore.
Ti ringrazio... Adesso come ti senti?
Come sempre.
Vale a dire?
Come il gat!
Prego?
Masticato! Come se mi stessero masticando. Sento che sarò masticato da un momento all'altro.
Allora c'è solo una cosa da fare...
E sarebbe?
Devi farti sputare.
E come?
Infliggendo dolore.
A chi?
A chi ti sta masticando.
Quello è morto. Lo hanno ucciso Dordor e Harmin.
I morti non masticano, Gazâ.
Eccome se masticano!
Credimi, non possono farlo. La bocca che ti sta masticando è di qualcun altro.

Non ci sono altre bocche.
C'è... C'è la cisterna!
La cisterna? Non dire stupidaggini! E sarebbe la bocca di chi?
Di tuo padre... È la bocca di Ahad.
Non ci avevo mai pensato.
Pensare è compito mio, Gazâ, non tuo.
E qual è il mio compito, allora?
Uccidermi.
Dici sempre così! Non dirlo più, per favore!
Va bene... Ma solo perché hai detto per favore.
Grazie... Adesso come ti senti?
Come sempre.
E vale a dire?
Come un origami a forma di rana!

Ci sono due possibilità nel traffico di esseri umani. Nella prima la merce, ossia gli uomini, vengono consegnati al committente e pagano il trasporto lavorando forzatamente nel paese in cui vanno. Nel secondo caso, il committente e la merce coincidono: dopo aver pagato in una soluzione il trasporto, vengono portati a destinazione e lasciati a se stessi! Con l'andare del tempo, la prima pratica si è diffusa sempre di più. La differenza di reddito tra le regioni del mondo le fa distinguere ormai con lo stesso criterio che si applica alla Terra e alla Luna, ossia: possibilità/impossibilità di vita, e questo basta a rendere la prima pratica sempre più appetibile. La prima pratica, oltretutto, consente di mettere su un commercio ancora più redditizio. Trasformare il migrante clandestino in lavoratore clandestino, impiegato nella produzione di merce contraffatta, è un incentivo eccezionale che garantisce profitto costante e male costante. Per ottenere un male costante bisogna pur fare qualche sforzo. Non ci si può mica affidare sempre alla natura umana! Comunque...

Il prezzo dei prodotti contraffatti è perfino più basso di quello della merce di importazione cinese. Proprio come nei pacchetti turistici *tutto incluso*, dove il vero guadagno deriva dalle spese fatte sul posto dai turisti, e di conseguenza il viaggio e in certi casi addirittura l'alloggio possono essere pressoché gratuiti, anche nell'immigrazione clandestina il prezzo che si paga sta diventando simbolico. È così che si spiega tutto l'afflusso di lavoratori senza stipendio da un continente all'altro, da Kabul a Marsiglia, da Islamabad a Napoli. Questo non fa che incrementare i passaggi dal nostro capannone. Le persone che migrano sognando la libertà hanno lasciato il posto a persone disposte a lavorare come schiavi per anni per poter mandare alla famiglia i soldi per comprare una mucca. Metà di queste ne sono consapevoli, l'altra metà parte con l'illusione di poter ottenere la propria fetta della torta. Ormai il traffico di clandestini sta diventando un vero e proprio commercio di schiavi.

Se poi si considerano le tecniche usate in questo commercio, in passato la violenza le sovrastava tutte. Ma, poiché procurarsi gli schiavi con guerre e complicati mercanteggiamenti costa tempo e fatica, nel mondo contemporaneo si punta tutto su un mezzo miracoloso: il libero arbitrio.

Per quanto i metodi violenti continuino a persistere e la coercizione sia la principale tecnica usata da chi investe il proprio capitale nella prostituzione e nel commercio di esseri umani, lo strumento più efficace rimane la persuasione. Certo, pure questa può essere classificata come una forma di violenza, ma in apparenza la faccenda è meno sporca.

Di conseguenza, il comportamento delle persone che entravano e uscivano dalla cisterna, oltre che dalla paura dell'aspetto illegale e oscuro della situazione, era segnato da un servilismo carico di sogni di mucche, tenuto conto che una mucca pesa mediamente cinquecento chili. In questo modo è nata una nuova generazione di migranti, ancora più rassegnata e remissiva, che ha cominciato a occupare molto meno spazio nella cisterna, come risultato positivo dell'equazione povertà = magrezza. Gente che porta con sé le provviste per timore di dover pagare il cibo, che non parla più come un tempo coi propri compagni di viaggio e, infine, che tende a fare continuamente calcoli meschini. In sostanza, ormai non c'è più alcuna differenza tra loro e gli schiavi dell'antico Egitto. Siamo riusciti a tornare indietro nel tempo! Dopo aver visto questa nuova generazione di migranti non ho più creduto all'ipotesi che le piramidi siano state costruite da extraterrestri.

Non ci era voluto molto per capire che le piramidi non erano state costruite *dagli* uomini, bensì *con* gli uomini.

Così, con il sostegno delle politiche macroeconomiche dei paesi membri del G8 e del G20, io, unico membro del G1, ero divenuto il faraone di quella cisterna. L'unica differenza tra me e il faraone-bambino Tutankhamon era che io non mi truccavo la faccia come un imbecille. E di certo non indossavo la gonna... In qualità di faraone la mia unica necessità era il denaro, abbastanza perché potessi costruire la mia piramide! Avevo raggiunto e perfino superato l'età per rubare i soldi a mio padre! Ma apportare dei cambiamenti alla cisterna senza dargliene notizia era impensabile. Quindi, prima di tutto dovevo convincere Ahad. Era seduto sotto il porticato e stava parlando al telefono. Con Aruz, ovvio. Attesi pazientemente che entrambi chiudessero il becco. Avevo saputo da appena due mesi che Harmin era stato ucciso dai parassiti che stavano sul dorso dell'ippopotamo a cui dava la caccia. Era arrivato di nuovo giugno, uno dei mesi che odiavo di più, perché i clandestini, come gli insetti, durante i mesi estivi si moltiplicavano. Quell'anno però ero meno triste del solito per la fine della scuola. Quello che mi premeva di più adesso era costruire il mio impero.

Alla fine mio padre riattaccò, come sempre mi guardò con quegli occhi che sembravano non vedermi e disse: "Che c'è?"

"La cisterna".

"Che è successo alla cisterna?"

"Ho fatto una lista. Guarda..."

Prese il foglio che gli avevo messo davanti e, non appena lesse la prima voce dell'elenco, disse: "Che è?"

Dovevo stare molto calmo. Se si fosse accorto del mio entusiasmo, avrebbe capito tutto. Se ne accorgeva sempre. Si accorgeva anche delle cose che non esistevano. Mio padre era come quegli animali selvatici che fiutano l'arrivo dei terremoti. Dietro quegli occhi azzurro freddo c'era un radar che sondava la mia anima. Mio padre era un'arma creata unicamente allo scopo di tormentarmi. Una meraviglia della tecnologia! Come uno di quei velivoli senza pilota! Comunque qualcosa in cui non c'era un briciolo di umanità! Ma questa volta mi ero preparato. Anch'io avevo le mie tecniche...

"Ti ricordi?" dissi. "Non dicevi che quest'estate arriverà ancora più gente e che dovremmo ampliare la cisterna? Visto che non è possibile, secondo me possiamo sistemarla così, perché in qualche modo ci entrano là dentro, il problema non è il numero. Finora al massimo ne sono arrivati un centinaio, e la cisterna li contiene tranquillamente. Piuttosto il problema è questo: quando il loro numero aumenta non ce la faccio a sbrigare tutte le faccende quotidiane. Se poi ci sono vecchi o neonati, non riesco proprio a fare niente. Lo sai, certe volte litigano..."

Fin qui stavo andando benissimo. E poi era davvero successo che un libanese avesse tentato di soffocare un suo connazionale con una busta di plastica a due passi da me. Poi era venuto fuori che entrambi venivano da Beirut. Uno era sciita, l'altro sunnita. I sunniti avevano fatto saltare in aria il mercato di un quartiere sciita e gli sciiti avevano fatto esplodere una moschea in un vicolo popolato da sunniti. Quei due pazzi, che andavano tenuti lontani come un militante dell'IRA da un membro del Fronte dei volontari dell'Ulster, per qualche disguido erano finiti nello stesso gruppo. Tutto questo naturalmente lo avevamo appreso dalla traduzione di Aruz per telefono. Dopo quel tele-processo sommario fu deciso che avrebbero continuato il viaggio con le mani legate fino a destinazione. Poi, ovunque fossero andati, si sarebbero potuti strozzare come più piaceva loro. In ogni caso, se anche non fossero riusciti a strozzarsi, lo avrebbero fatto i loro figli. Perché le guerre di religione sono come le mode: ritornano ogni vent'anni, almeno in Medio Oriente. In Occidente la gente ha già imparato a vestirsi nel modo più consono, e quindi gli occidentali versano il sangue per nobili ideali quali l'approvvigionamento di idrocarburi. E siccome è molto difficile lavare una macchia di sangue dai tappeti del Parlamento europeo o della Casa Bianca, gli occidentali non portano mai la guerra a casa propria. In fin dei conti, anche loro sono uomini e come tutti gli uomini gettano via la propria vita per uccidere i propri simili. Quindi si sussurrano: "Ci vediamo fuori!" e, una volta varcati i confini della civiltà occidentale, non hanno alcuno scrupolo a irrompere in casa d'altri. Lo stato di Israele è un caso a parte: convinto di essere il meridiano di Greenwich politico del mondo, pretende non solo che tutti gli altri regolino le ore e le stagioni in base alle sue, ma che indossino anche gli abiti adatti ai suoi climi. Israele esce dalla nebbia per lanciare stelle di David intorno a sé, come un ninja nevrotico in abiti neri in mezzo a un deserto.

Infine c'è la Turchia, una giovane ragazza depressa e bulimica, che se guarda la sua immagine riflessa a Oriente si vede obesa, se guarda la sua immagine riflessa a Occidente si vede scheletrica, e quindi non si trova a suo agio qualsiasi abito indossi. Mangia per vent'anni fino a strozzarsi e se ne pente. Poi, dopo vent'anni trascorsi a vomitare fino a farsi sanguinare la gola, ricomincia a strafogarsi. So che generalizzare è una tendenza malata, ma in fondo un popolo si generalizza quando diventa uno stato. Viviamo in un mondo organizzato apposta per non sfuggire alle generalizzazioni. Ormai è troppo tardi! Dobbiamo comprare e vendere all'ingrosso. Se ti piace un campione di tessuto grande quanto un palmo di una mano devi comprarli tutti, come nell'industria tessile. O meglio, come nell'industria delle ragnatele... Tutto, com'è comprensibile, ha a che fare col tessuto. Dalla benda sugli occhi della dea Giustizia fino alle bandiere, è tutta una questione di tessuto... Quell'espressione di pace sui volti degli indigeni dell'Amazzonia è dovuta proprio alla loro nudità. La tensione sul mio volto invece era dovuta al fatto che stavo parlando con mio padre che vestiva i miei stessi panni...

Continuai: "Però pensaci, se installiamo una telecamera... posso mettere un monitor nel capannone e seguire tutto da lì. Se succede qualcosa posso intervenire, o magari, che ne so, ti avverto. Certo, se mettiamo la telecamera ci vuole anche luce. Per quello bastano tre lampadine fluorescenti. Guarda, ho scritto qui sotto il prezzo di ogni cosa. E poi dico di mettere una parete divisoria al posto della tenda che usiamo come separé. Si può fare col cartongesso. Lo dico perché la maggior parte delle liti scoppiano a causa del bagno. Quello mi ha guardato, quell'altro mi ha guardato... Anche per questa faccenda ho preso le misure e ho calcolato il prezzo. Potremmo fare una parete divisoria per il bagno, più un'altra. Lì ci mettiamo una catena legata al muro. Così se qualcuno impazzisce, lo incateniamo e resta lì... Non c'è neanche bisogno del fabbro, posso sistemare tutto io. Ah, e poi un ventilatore... Puzza come una fogna là sotto. Mi è già capitato di scendere e trovarne uno svenuto. Quindi vai, occupati di lui e tutto il resto! Meno sono costretto ad andare in farmacia meglio è. Guarda, il prezzo del ventilatore è scritto qui. Col cavalletto. Ne bastano tre. L'obiettivo è non far ammalare nessuno... In realtà anche per questo sarebbe utile sistemare la questione del bagno. Magari potessimo fare l'allaccio alla fogna... ma è difficile. Possiamo benissimo continuare alla vecchia maniera... Insomma, guarda, per ampliare la cisterna dovremmo sborsare più o meno questa cifra. Mentre così ce la caveremmo con questa. Secondo me non c'è bisogno di sbattersi tanto. Basta che prendiamo questa roba... Che dici?"

Non diceva niente. Sì, avevo preparato per bene la mia presentazione, ma non era chiaro quale sarebbe stata la reazione di Ahad. Per quanto non gli importasse niente della mia istruzione, avrebbe perfino potuto dire: "Ah! È questo che fai al posto di studiare!" e magari poi mi avrebbe dato uno schiaffo. Per il momento si limitava a guardarmi. Lo faceva come se mi stesse vedendo per la prima volta. E forse era così. Mi vedeva per la prima volta. Restò a fissarmi... E infine parlò: "Bravo, ragazzo!"

Espirai lentamente dal naso per non fargli capire che avevo trattenuto il fiato. Il cuore ricominciò a battere a un ritmo normale. Poi accadde un vero miracolo: mi diede perfino una pacca sulla spalla.

"Puoi sistemare tutto tu, quindi?" mi chiese.

"Ci penso io! Tu non ti preoccupare. Il prossimo carico quando arriva?"

"Tra due settimane".

Il fatto che la mia proposta fosse stata accettata così facilmente mi aveva trasformato in un imbecille. Ed eccone la prova: "In due settimane renderò quella cisterna un paradiso! Un paradiso!"

Lui si mise a ridere. E anch'io. Il fatto che il figlio di quattordici anni nutrisse tanto interesse per il lavoro di suo padre, facendosi addirittura in quattro, doveva aver smosso qualcosa. Forse era la prima volta che era fiero di me da quando ero nato. Naturalmente non disse niente, ma in quel momento forse era così. Fossi stato al posto suo, io sarei stato orgoglioso. E in effetti, Ahad aveva già iniziato a tirare fuori delle banconote dalla mazzetta che teneva in tasca. Poi si fermò di colpo e chiese: "Come va la scuola?"

Ero così sorpreso dalla domanda che non lo presi sul serio.

"È finita, papà, sono iniziate le vacanze".

"Questo lo so! Ti ho chiesto com'è andata. Sei stato promosso?"

"Ho preso la lode, papà".

Sfilò altre due banconote dalla mazzetta. Stavo addirittura per essere ricompensato. Il mondo stava veramente iniziando a girare per il verso giusto! Per l'emozione avevo dimenticato che ero stato il primo della classe. Avevo addirittura dimenticato di dirgli che avevo vinto un premio, uno stupido libro intitolato *Robinson Crusoe*, perché ero lo studente di terza media con i voti più alti. Poi, rispondendo a un impulso meschino, pensai di raccontargli che il figlio del grande eroe Yadıgâr, sergente maggiore della gendarmeria, rischiava di essere espulso per come andava male a scuola. Ma non ci riuscii, e restò solo un pensiero.

"Bravo!" disse Ahad. Era la seconda volta che mi diceva bravo! Come se mi stesse risparmiando la vita. "Adesso in che classe vai?"

Com'era possibile odiare qualcuno a tal punto, eppure desiderare la sua approvazione? Com'era possibile ospitare due sentimenti contrapposti nello stesso corpo? Chi poteva immaginare la sofferenza che stavo provando in quel momento? La lotta che si era scatenata? Ma che guerra era? Disgustosa. Ecco perché avevo la nausea. E quando aprii bocca fu chiaro chi aveva vinto: "È il nono anno... Sarebbe la prima superiore".

L'odio non era riuscito a impossessarsi della mia lingua, così si era ritirato dietro le barricate per ritornare più forte di prima. Potevo sentire il rumore dei suoi passi. Cercava un posto da cui uscire e lo avrebbe fatto alla prima occasione. Sotto forma di uno scatto momentaneo oppure di mille imprecazioni. E sarebbero state rivolte ad Ahad o al primo malcapitato... In fondo tutto il mio odio si riversava sempre sulla stessa cosa: il domani. E il domani poteva aspettare. Avrebbe aspettato. E io con lui. Dopotutto ero un vero codardo. E l'odio è la vendetta dei codardi. In questo ero un esperto! Si perde il senno, si sprofonda in una poltrona e ci si odia a morte. E si è i primi, a morire. Di tumore al cervello! Il tumore della vendetta! Un tumore grande come un chicco d'uva! Per aver covato troppi sogni di vendetta... Vendette rimaste nell'aria... Vendette mescolate con l'aria che respiriamo! Un'aria piena di sogni di vendetta mormorati alle spalle... E un po' di ossigeno. Abbastanza per non morire. Per essere ancora utile a qualcosa...

Certo, la vita dell'uomo è sacra, ma solo nella misura in cui è utile a qualcosa. Quindi il valore della tua vita corrisponde al valore della cosa per cui ti rendi utile. In parole povere, se venisse fuori qualcuno in grado di eguagliare quel valore, quella vita non sarebbe più necessaria e potrebbe essere tolta di mezzo.

È tutto matematico. Semplice come una sottrazione. Se potessi sottrarre il mio odio da questa vita e vedere cosa resta, sarebbe la fine di tutta la storia. Perché resterebbe soltanto la vita quotidiana... E, forse, un po' di solfato di morfina.

"Sei cresciuto così tanto da andare alle superiori, ragazzo?" mi chiese.

"Non so..."

"Però sei cresciuto abbastanza per stare con quella ragazza!"

Che stava dicendo? Non avevo sentito bene!

"Dai, forza, non arrossire! Non ho intenzione di dirti niente, ma fai attenzione, si possono prendere malattie..."

Ancora non sentivo!

"Va bene, ragazzo! Fai conto che non ti ho detto niente! Visto che vuoi fare di testa tua, la prossima volta chiudi a chiave il capannone!"

Stavolta lo avevo sentito, perché nelle sue parole c'era un ordine. Era un riflesso condizionato.

"Lo chiuderò..."

Si mise a ridere... Quanto aveva visto? Aveva visto tutto? Ma in quel momento non dovevo pensarci. Lo avrei fatto dopo! Adesso dovevo ridere. Dovevo fare qualsiasi cosa facesse lui. Feci un sorriso. O qualcosa che gli somigliava...

"Non ce l'hai con me perché non ti ho fatto iscrivere a quell'esame, vero?"

Stava parlando dell'esame che mi avrebbe garantito una borsa di studio per uno dei migliori licei del paese. L'avevo sostenuto lo stesso, ma lui non lo sapeva. Non sapevo neanch'io cosa avrei fatto quando avrebbero pubblicato i risultati. Era possibile abbandonare Ahad? Potevo abbandonarlo?

"No, papà, come ti viene in mente?"

"Il figlio di Yadıgâr che ha fatto? È stato promosso? Si chiama Ender, vero?"

Ed ecco infine quella domanda! La domanda che mi fece dimenticare tutto il resto! In fondo era così semplice! In un attimo dimenticai di essere stato visto mentre stavo con la ragazza più bella del mondo e di ogni altra cosa! Era tutto sparito dalla mia mente! Non ci potevo credere! Era come se mi avesse fatto quella domanda con quel proposito! Raccontai di quanto Ender fosse stupido con un tale piacere che sputacchiai sulla lista che avevo mostrato a mio padre. Non c'era alcuna differenza tra me e Ahad. Non mi importava niente di niente, proprio come a lui. Mi ci voleva solo un po' di tempo per accettare questa realtà, tutto qua. Ci vuole tempo per abituarsi non solo al mondo esterno, ma anche a se stessi.

Presi i soldi e me ne andai. Sarei potuto salire sul primo autobus e scappare da qualche parte. Invece tornai con tutta l'attrezzatura. Le mani erano piene, la testa vuota. Poi le parti si invertirono e cominciai a lavorare come un elettricista con quarant'anni di esperienza. Mi feci in quattro e non presi neanche la scossa. Capii che ero elettrico io stesso. Se avessi avuto un cane l'avrei chiamato Tesla. O viceversa...

Per due settimane restai nella cisterna giorno e notte e alla fine, con la stagione della caccia, si aprirono le porte a tutti i miei desideri. Il mio terrario era pronto. Ed era situato proprio sotto un cammino delle formiche: la via della seta... Una questione di tessuto!

Proprio la mattina del giorno in cui sarei dovuto ascendere al ruolo di dio in quella cisterna, mi trovai di fronte Yadıgâr. Stavo tornando a casa dopo aver fatto spese in città, con le buste piene di provviste. Per essere precisi non me lo trovai di fronte. Accostò con la macchina blu su cui era scritto a grandi lettere "GENDARMERIA" e abbassò il finestrino. Di profilo, con la guancia ustionata nascosta, Yadıgâr sembrava perfettamente in salute. Diede un'occhiata alle buste e disse: "Che succede? Avete ospiti?"

Mentire era una delle cose che sapevo fare meglio.

"È per una famiglia povera di un villaggio vicino. Mio padre mi ha mandato a comprare questa roba per loro... Adesso dobbiamo andare a portargliela".

"Un bel pensiero" disse Yadıgâr. Poi restò in silenzio. Ma Yadıgâr aveva un modo di fare strano. Prima parlava, poi taceva, restando a guardare la faccia del suo interlocutore. Da uomo che parlava poco e guardava molto, era un campione nel mettere soggezione. O almeno così era per me. Dopotutto io avevo molto da nascondere. Che cosa voleva dire? Abbiamo pensato bene la bugia da dire? Tutto qui? La conversazione era finita? Potevo continuare a camminare? Il motore della macchina ancora acceso era l'unica cosa che mi dava speranza. Un motore acceso non mi avrebbe mai più trasmesso tanta forza. Proprio quando stavo per dire: "Mi saluti Ender" e proseguire per la mia strada, chiese: "In quale villaggio?"

"Non lo so, Yadıgâr amca" dissi "mio padre mi ha detto il nome ma adesso non me lo ricordo".

Nell'istante in cui mi dissi che la mia risposta era bastata, la mia fonte di speranza si prosciugò in un sol colpo. Yadıgâr girò la chiave e spense il motore. Significava che avremmo dovuto continuare a parlare.

"Diamone notizia anche alla prefettura. Magari possono inviare del denaro".

"Va bene" dissi "mi faccio dire il nome del villaggio e glielo faccio sapere".

Dopotutto la povertà distava la misura di un braccio. Anche di un avambraccio. Se ci fossimo messi a cercare una famiglia povera, di sicuro l'avremmo trovata ancora prima di allungare la mano. Non ci voleva niente a sbatterne una sotto il naso di Yadıgâr. Ma per adesso l'unica cosa che batteva era il mio cuore. Era come un animale selvaggio chiuso nella mia gabbia toracica. Le buste erano pesanti ma non volevo posarle a terra. Dopo essere stato abbandonato dal rumore del motore, erano le uniche risorse che mi restavano. Posare le buste avrebbe manifestato la volontà di continuare la conversazione, o almeno così pensavo.

Questa posizione scaramantica e infantile mi impediva di asciugarmi il sudore sulla fronte. Ormai Yadıgâr stava osservando le gocce, anzi, per essere precisi, la gocciolina che mi era colata sul naso passando in mezzo alle sopracciglia. In quel momento mi pendeva proprio dal naso. Fu Yadıgâr a parlare.

"Fa caldo".

"Yadıgâr amca, io vado, mio padre mi sta aspettando".

"Vieni, ti do un passaggio".

"Grazie, non occorre. È qua dietro".

Yadıgâr aprì la portiera e scese dalla macchina. Non avevo vie di fuga.

"Da' qua" disse, e sistemò le buste nel portabagagli. Rimasi come pietrificato, senza sapere che fare. Adesso ero io a parlare poco e guardare molto. Yadıgâr si mise al posto di guida e voltandosi verso di me disse: "Coraggio!"

Non c'era un dirigibile, con una scala che mi potesse portare fino in cielo, né tantomeno un cavallo a cui lanciare un fischio perché corresse in mio aiuto. Quelle decine di romanzi d'avventura che avevo letto erano tutti una menzogna! Ero io l'unica cosa reale! In verità mi sarebbe bastato un terremoto! Uno di quelli che radono al suolo qualche villaggio, uccidendo tre o quattro persone! Ma non arrivò neanche quello, e nessuno fu scosso a parte me. Forse lo era anche Yadıgâr, ma solo perché dopo essermi seduto accanto a lui avevo chiuso la portiera troppo forte...

Questa volta l'unica cosa che vedevo del suo volto era la guancia ustionata. Quanto velocemente può pensare un uomo? Qual è la velocità di un pensiero? Non ne avevo idea, ma cercavo di calcolare tutto nel più breve tempo possibile. Saremmo andati ancora un po' avanti, poi avremmo imboccato vicolo della Polvere e saremmo arrivati a casa. Forse una volta sceso dalla macchina avrei dovuto chiamare mio padre ad alta voce per avvertirlo del nostro arrivo. O forse avrei dovuto fingere di svenire, o raccontare che Ender aveva incominciato a fumare! Proprio mentre pensavo tutto questo, Yadıgâr cambiò strada. Fece un'inversione a U verso la città, proprio la direzione opposta. Mi girai verso di lui, ma ormai non era più interessato a me.

Stavo per dire: "Yadıgâr amca, casa mia non è..." quando lui mi anticipò: "Ho una commissione da fare. Sbrighiamo prima quella e poi ti accompagno".

Mi rilassai. L'animale selvatico che avevo nella gabbia toracica si era addomesticato, almeno un po'. Magari mentre sbrigava le sue faccende io avrei potuto chiamare mio padre da una bottega qualsiasi. Entrammo in città e passammo attraverso il mercato. Mi aspettavo che rallentasse, ma non lo fece. Superato il mercato, la nostra destinazione poteva essere soltanto la caserma della gendarmeria dall'altra parte della città. Fu quello che accadde: ci fermammo davanti al portone dell'edificio. Spense il motore. Prima mi fissò per circa mezzo minuto, poi scese dall'auto dicendomi di seguirlo. Dal momento che non potevo chiudermi in macchina fino alla morte, fui costretto a scendere.

Guardai un istante il piantone all'entrata della caserma scattare sull'attenti per fare il saluto militare a Yadıgâr. Era talmente terrorizzato da non riuscire a staccargli gli occhi di dosso. Salimmo i cinque gradini che conducevano al portone, e il piantone lo stava ancora guardando. Magari non avessi assistito a quella scena! La paura che si leggeva in quegli occhi si era sommata alla mia e sentii nuovamente il cuore battere all'impazzata. Non avevo altra scelta che seguire Yadıgâr, due passi davanti a me. Mi sentivo come se tutti mi stessero osservando: il piantone, gli altri due militari e il resto dei presenti.

Dopo aver attraversato un corridoio, salimmo per una scala che portava a un altro corridoio più breve. In fondo c'erano due porte di ferro. Yadıgâr tirò fuori dalla tasca una chiave e aprì quella di sinistra. Dato che mi stava davanti non potevo vedere cosa c'era. Yadıgâr si voltò e mi disse: "Entra".

Mi mise una mano sulla spalla e mi spinse dentro. A quel punto capii cosa c'era al di là della porta: assolutamente niente. Era una cella. Io mi ero fermato dopo due passi e Yadıgâr teneva ancora la mano sulla mia spalla. Girai la testa e lo guardai. "Aspetta qui" mi disse. Ero letteralmente senza parole, l'unica cosa che riuscii a fare fu porre la domanda più stupida del mondo: "Qui?"

"Io sbrigo una faccenda e ti vengo a riprendere. Tu aspettami qui. Intesi?"

Sarebbe servito a qualcosa se avessi gridato *Imdat*, aiuto? Sarebbe semplicemente arrivato un pazzo di nome Imdat a uccidermi? Nel momento terribile che stavo vivendo tutto mi sembrava possibile... Non riuscii a proferire parola. Yadıgâr invece si limitò a fare due cose: uscì dalla cella e chiuse la porta. Poi udii il rumore della chiave che veniva estratta dopo aver girato nella serratura...

Non so perché, ma la prima cosa che feci fu chinare il capo poggiandolo sulle ginocchia... Fu in quel momento che vidi la segatura intorno a me... Un altro pavimento cosparso di segatura... Mi sentivo come se ne fossi sommerso fino a soffocare. Sarebbe stato meglio così. Ma, a differenza di Dordor e Harmin, io ero condannato a calpestare esclusivamente la terra ferma. Non potevo immergermi da nessuna parte. O almeno, all'epoca la pensavo così... Non che importasse qualcosa. Ero veramente in una cella. E soprattutto non avevo idea del perché mi trovassi lì. Naturalmente pensavo che fossimo stati scoperti, che ci avrebbero strappato di bocca tutti i nostri crimini e che saremmo marciti in prigione per anni! Invece il mio unico desiderio era marcire fuori!

Nella cella c'era solo una panca di metallo, qualche scritta e qualche disegno inciso sul muro. Non c'era neanche una finestra. In quel momento mi accorsi della lampadina sopra di me. Somigliava a quella della nostra cisterna. Non ci avevo fatto caso, ma evidentemente Yadıgâr l'aveva accesa dopo aver aperto la porta. O magari era sempre stata accesa. La nostra vita era rovinata e io non potevo fare altro che guardare quella lampadina. "Va bene" mi dissi "va bene, calma!" e cercai di tranquillizzarmi camminando su e giù, ricordandomi quanti anni avessi. "Cosa vuoi che ti facciano?" mi dicevo. "Mettiamo anche il caso che finisci in tribunale... Quanti anni ti possono dare? Non hai nemmeno diciotto anni!"

Poi i miei passi accelerarono e fui colto dalla certezza che mi avrebbero fatto marcire in galera per il resto dei miei giorni. Mi avrebbero pure accusato di stupro! Ma non era neanche uno stupro! Semplicemente una ragazza mi si era offerta in determinate circostanze. O comunque mi era stata offerta da altri. Ma chi mi avrebbe ascoltato? E poi il crimine più terribile: tentata strage! Per aver aperto quella manopola! "Sì!" mi dissi. "Ti diranno che hai tentato di annegarli! Che li volevi uccidere!"

Mi sentivo come se dovessi essere punito per il solo fatto di essere nato! Poiché non c'era niente che mi potesse terrorizzare più di così, il battito del cuore iniziò a rallentare. E anche il ritmo dei miei passi. Dal momento che, per quanto camminassi, non potevo uscire da quella cella, la cosa migliore da fare era sedersi sulla panca. E così feci. Questa volta però cominciai a sollevare e abbassare le punte dei piedi come se fossero le punte di un trapano in grado di perforare il pavimento. Poi rallentarono anch'esse fino a fermarsi. Così restammo solo io e il battito del mio cuore.

Proprio in quel momento mi dissi: "Fanculo! Va' a farti fottere! Meglio così! Non sei scappato ma almeno ti stai salvando!"

Sì, nel mio cervello il vento stava cominciando a cambiare. Tutto andava a gonfie vele. Quello che stava succedendo era un vero miracolo! Tutto quello che avevo desiderato si stava realizzando. Mi sarei liberato per sempre di quel commercio nauseabondo di mio padre. Non avrei più visto tutte quelle facce. Era fantastico! Era questa la scala che mi avrebbe portato in alto, su un dirigibile! Non era esattamente come me l'ero immaginato, ma, se fosse andato tutto per il verso giusto, sarebbe stata una cella a salvarmi. A un certo punto mi venne il dubbio di essere sonnambulo. Ero forse andato a casa di Ender per raccontare tutto a Yadıgâr, rispondendo al desiderio inconscio di essere scoperto? No, no, leggevo troppi romanzi! Comunque! Non me ne fregava niente di come fossimo stati scoperti. L'importante era che essere scoperto mi avrebbe liberato da quella vita! Era veramente un intervento divino! Se solo non avessi incontrato Yadıgâr e fossi arrivato a casa... Che cosa avevo pensato! Cosa avevo pianificato! Tutti quei preparativi! Chissà cos'avrei fatto a quelle persone! Dovevo essere proprio impazzito! Come poteva essere successo? Ma adesso ero salvo! Il mitico Yadıgâr amca era davvero un eroe! Mi aveva protetto da me stesso impedendomi di rovinarmi la vita! Potevo restare quanto voleva in quella cella! Quanto voleva. Poi avrei raccontato tutto in tribunale. Tutto quanto: come mio padre mi aveva costretto ad aiutarlo. Avrei anche detto che mi aveva minacciato. Mi avrebbero creduto di sicuro. Avrei detto che mi picchiava. Sì, suonava logico. E poi non era neanche una bugia. Non mi picchiava più come un tempo, ma mi guardava sempre come se dovesse farlo da un momento all'altro. Se solo di recente mi avesse dato una bella dose di botte! Qualche livido sulle braccia mi avrebbe fatto comodissimo! O magari che so... delle bruciature di sigaretta! Lui non l'aveva mai fatto, ma chissà quante volte avevo letto di bambini che ricevevano questo trattamento.

E allora mi venne in mente che, come per magia, avevo in tasca il pacchetto di sigarette e l'accendino. Me n'ero totalmente dimenticato per l'emozione. Giusto qualche bruciatura! Sulle braccia, sulle gambe... Sarebbe stato magnifico! E se Ahad avesse provato a negare, il giudice avrebbe creduto a me!

Avrei detto: "Giudice amca, mio padre mi spegne le sigarette addosso!" Forse avrei dovuto dire 'signor giudice'? O fare come nei film, e chiamarlo 'vostro onorc'? No, amca era molto meglio. Senza dubbio! "Non so perché lo fa, giudice amca. Con tutti i portacenere che abbiamo in casa!"

Ormai stavo ridendo. Ogni cosa si era risolta. Tutto era venuto allo scoperto e quel capitolo era chiuso. Anch'io ero diventato creativo come Felat! Magari ci fosse stato un modo per raggiungerlo e raccontargli questa trovata! Secondo me anche Dordor e Harmin sarebbero stati fieri di me! Loro erano scappati dalla casa paterna e io avrei fatto sì che mio padre restasse in galera il più a lungo possibile. In fondo non era un modo come un altro per scappare lontano da lui?

"Mi ha costretto a fare tutto con la forza, giudice amca! Io voglio bene a mio padre, ma lui mi ha sempre detto di comportarmi male con le persone. Una volta, addirittura, con una ragazza mi ha costretto a... mi vergogno troppo... ed è pure restato a guardare! Ha aperto la manopola dell'acqua! Mi avrebbe annegato insieme agli altri. Sono stato io a fermarlo, a implorarlo di non farlo, perché era peccato. Guardi le mie braccia! Fuma un pacchetto di sigarette al giorno e la metà me le spegne addosso. Con tutti i portacenere che abbiamo in casa!"

Perfetto! Ogni parola era perfetta!

"Chiedete alla mia scuola, prendo sempre buoni voti. Ogni trimestre ho la lode! Mi aspetto un punteggio molto alto al test di ingresso per il liceo. Forse sarò tra i cento migliori! Non si sa. Permettetemi di iscrivermi alla scuola in cui sarò ammesso! Così andrò a studiare in un collegio! Ho pure le gambe piene di bruciature. Vuole che gliele mostri?"

"No ragazzo mio, non ce n'è bisogno. È tutto chiaro" avrebbe detto il giudice. "È chiaro che tuo padre non è un uomo. Certo figliolo, vai dove più ti piace! Ma prima devi farti curare queste bruciature!"

E io avrei detto: "Grazie, giudice amca. Non si preoccupi per le bruciature, ci sono abituato!"

Proprio in quel momento tutti i presenti nell'aula avrebbero cominciato a piangere e magari qualcuno si sarebbe alzato in piedi ad applaudire il mio coraggio. Ai loro occhi sarei stato un angioletto uscito sano e salvo dalla dimora di Satana... In fin dei conti non era così?

Ormai la cella non mi faceva più paura. Ridevo da solo. Mi sentivo così bene che mi era venuta voglia di guardare meglio le scritte incise sui muri. Non c'era fretta di farmi le bruciature di sigaretta. Me le sarei potute fare anche più avanti. Mi alzai dalla panca e con le mani in tasca cominciai a passeggiare lentamente osservando le pareti. Sulla prima vidi incise delle figure confuse. All'inizio non capii che cosa fossero. Poi, guardando meglio, capii che mi trovavo di fronte al disegno di un cazzo. Ed ecco che la magia che permeava quella cella si rivelò di nuovo, portandomi sulla punta della lingua le parole che mi avrebbero fatto ascendere al più alto grado di santità: "Infine, giudice amca... non so come dirglielo... ma quando avevo dieci anni... mio padre..."

"Non piangere ragazzo mio... Stai tranquillo... Adesso continua. Tuo padre?"

"Mio padre mi ha fatto delle cose bruttissime".

"Di che tipo?"
"Prima ha incominciato a toccarmi. Poi mi ha tolto i pantaloni, mi ha spogliato... Poi ha preso il mio coso... lo ha accarezzato... se l'è messo davanti alla bocca... e ha cominciato a baciarlo..."
Ecco, a quel punto sarei uscito da quel tribunale non a piedi, ma in volo! Non ci sarebbe neanche stato bisogno di raccontare il resto. Ma se avessero chiesto delle prove? Come potevo provare tutto ciò? Erano passati quattro anni ormai. Va bene, i segni delle dita di quel libico erano ancora sotto la mia pelle... Ma nessuno a parte me poteva vederli. E non avevo altri segni. Se avessi trovato qualcosa da infilarmi di dietro per farmi sanguinare... in quel caso... avrei potuto dire: "Lo ha fatto anche ieri!"

Che stai facendo, Gazâ?
Cerco di salvarmi la vita, vaffanculo!
Ed è così che la salverai?
Che ti frega!
Pensaci bene, è così che ti salverai?
Vieni tu a salvarmi allora!
Lo farei, se tu non mi avessi ucciso.
Di sicuro mi chiederanno anche di te! Che cosa posso dire?
Chi vuoi che mi conosca?
Sì, ma se ti trovano?
Il mio cadavere? Non dire assurdità. Non ti ricordi dove mi ha seppellito tuo padre? Chi vuoi che mi trovi in quel bosco?
Ha un buon profumo, la lavanda, non è vero?
Scusa, ma dal momento che non ho il naso...

Quindi che devo fare? Come esco da questa situazione di merda?
Dici troppe parolacce... Secondo me al momento non c'è niente che tu possa fare. Quindi stai calmo e resta seduto ad aspettare. Forse Yadıgâr aveva veramente una faccenda da sbrigare. Magari, una volta sistemata quella, torna a prenderti.
Cuma...
Dimmi.
Scusami.
Non ti preoccupare. Io sto bene. In questo periodo la lavanda ha un buon profumo.
Hai mai visto mia madre?
No.
Neanch'io... La sai una cosa?
Cosa?
La notte in cui mi doveva partorire è scappata di casa. Poi è andata al cimitero della nostra città.
Perché?
Per liberarsi di Ahad.
E lui che c'entra?
Dopo avermi partorito mi avrebbe seppellito... Al cimitero... Poi sarebbe andata via.
Chi ti ha raccontato tutto questo?
Mio padre... Ha trovato mia madre all'ultimo momento. Proprio prima che mi seppellisse... Mia madre stava perdendo molto sangue... Poi è morta.
Tuo padre ti ha detto una bugia, Gazâ. Non credo proprio che una storia simile possa essere vera. È

soltanto una favola che ti ha raccontato per farti sentire in debito con lui.
Anche secondo me.
Non ci credere.
Non ci credo, infatti...
E non ti spegnere le sigarette addosso. Non farlo. Non ti servirà a niente.
Ma l'ho già fatto, Cuma... Guarda.
Butta subito quella sigaretta! Buttala!
Secondo me tutti i bambini andrebbero seppelliti appena nati. Si risparmierebbero molti guai.
Gazâ, ti sei rovinato il braccio! Basta! Smettila!
Tanto vanno tutti in paradiso. Come te. Al corso di lettura coranica hanno detto a Ender che puoi pentirti anche all'ultimo momento. Qualsiasi cosa tu abbia fatto! Anche in quel caso c'è la possibilità che Dio ti accetti in paradiso.
Gazâ, ascoltami! Butta quella sigaretta!
Ma, per esempio, se ammazzi qualcuno, quello non riuscirebbe a pentirsi. Non ne avrebbe il tempo! Non sapeva che sarebbe morto. Oppure che ne so... succede tutto troppo in fretta. Magari ci sarebbe riuscito a pentirsi, non è vero? Forse Dio lo avrebbe perdonato! Magari qualcuno mi uccidesse... Ma dovrebbe essere questione di secondi! Se qualcuno mi sparasse alle spalle! Oh, magari andassi in paradiso... senza possibilità di pentirmi... Perché adesso lo so che anche se mi pentissi non servirebbe a niente... perciò io potrei entrare in paradiso solo

se qualcuno mi togliesse il diritto di pentirmi. Capisci? Non sono mica così stupido. Non fino a questo punto! Anche io ho le mie tecniche... E anche tu, immagino, altrimenti come faresti a sentire il profumo di lavanda senza naso! A dire il vero, credo che neanche tu sia andato in paradiso! Cosa mi hai detto l'altra volta? Va' e fai del male a quelle persone! Quella cisterna è la bocca di tuo padre, hai detto!

Gazâ!

Che c'è!

Non ho detto io queste cose.

E chi le ha dette allora?

Secondo te?

Le ho dette io? Veramente?

Parli da solo, Gazâ.

Va bene, vorrà dire che parlo da solo... Guarda in che stato sono le mie braccia! Perché non mi fanno male? Perché non sento niente? Perché mi sembra che non siano neanche le mie? Dimmelo! Significa che sono di qualcun altro, vero?

Va bene, Gazâ, va bene... sono di qualcun altro.

Di chi?

Di tua madre... sono le braccia di tua madre. Le stesse con cui ha scavato la buca per seppellirti... Va bene? Sei contento? Hai avuto quello che volevi. Hai saputo la verità. Come ti senti adesso?

Come sempre.

Cioè?

Come la collana con l'angelo di mia madre.

Come?
Mi sento come se fossi appeso al collo di mia madre per strozzarla.
Sul serio?
Ti sto dicendo che mi sento un angelo d'oro! Certo che sono serio!
Perché ti senti così?
Perché non ho ucciso mia madre per vendetta. L'ho uccisa per rimanere in vita. Lei mi voleva seppellire appena nato. Ma io nascendo le ho provocato un'emorragia! Che strano, eh? Il fatto che sia morta per mano del figlio che aveva pensato di uccidere... Certo, per uccidermi doveva farmi uscire da quella pancia, in un modo o nell'altro. Insomma, dovevo vivere, anche se solo per un attimo. Lei voleva che nascessi il prima possibile, quindi in realtà voleva che vivessi. Magari non ne era neanche consapevole. Ma lo ha desiderato così intensamente che alla fine sono nato! Sono venuto fuori gettandomi nelle braccia della vita! E quello che desiderava è accaduto. Il desiderio di far vivere suo figlio anche solo per ucciderlo si è realizzato almeno per una buona metà. E io ho vissuto... Se nascendo non le avessi provocato un'emorragia, sicuramente avrebbe trovato un modo per uccidermi. Forse mi avrebbe ucciso soffocandomi con un sacchetto quando non avevo neanche un mese di vita, come quel libanese. "O io o lei" ho detto, capito, Cuma? O io o lei! Come mio padre! Come tutti quelli che rimangono in vita!

Sicuramente anche nella tua famiglia c'è qualcuno così, ed è a lui che devi la tua nascita. Sei nato perché un tempo, da qualche parte, qualcuno ha detto: "O io o lui!"
Non essere triste... Sei in paradiso, lo so... In realtà anche io avrei potuto essere in paradiso in questo momento, ma non è andata così! Se solo mia madre fosse riuscita a seppellirmi quando ero in fasce! Quando non avevo nessuna colpa! Sarei stato spedito direttamente in paradiso, non è vero? Comunque, ormai... visto che dopo morto non potrò andare in paradiso, andrò in paradiso per morire! Forza, bruciamo un altro po' le gambe di mia madre!

Due notti. Trascorsi due notti intere in quella cella. Senza chiudere occhio. La porta si aprì quattro volte e, per quattro volte, pensai che sarei uscito. Ogni volta balzavo in piedi per correre verso l'uscita. Come i clandestini nella cisterna... Mi sbagliai tutte e quattro le volte, perché l'unica cosa che facevano era mettermi davanti un piatto con del cibo. Ogni volta una guardia diversa... Cercai di fare domande. Cercai di parlare, di gridare, di piangere, ma nessuno mi diede ascolto. Come facevo io nella cisterna... Quando la porta si aprì per la quinta volta, non mi mossi di un millimetro. Alzai soltanto lo sguardo. Di fronte a me c'era Yadıgâr. E mio padre...

"Forza" disse Yadıgâr. "A casa..."

Mi alzai e passai accanto a loro. Discesi la scala e attraversai il corridoio. Uscii dal palazzo e iniziai a correre senza aspettare che mio padre mi raggiungesse. Piangevo e non avevo alcuna intenzione di fermarmi. Avrei corso il più possibile. Mentre attraversavo il mercato, Ahad mi affiancò col camion e, dopo aver accostato, mi disse: "Sali". Mi fermai. Prima posai lo sguardo sul braccio e sul volto di mio padre che sporgevano dal finestrino aperto, poi sul marciapiede su cui mi ero pietrificato. Avevo il fiatone. Quando vidi la segatura sul marciapiede capii che non potevo correre da nessuna parte e salii sul camion.

Non ci dicemmo una parola durante il viaggio di ritorno a casa... Soltanto, a un certo punto, guardai mio padre. Non sapendo cosa pensare, mi accontentai di riflettere su quanto si somigliassero i nostri visi. Non so, forse non ci somigliavamo poi così tanto. Ma mi sembrava che avesse trascorso notti insonni come me. Anche lui era zuppo di sudore. In fondo, cosa poteva essere successo mentre io ero in quella cella? Chissà che cosa aveva provato. Forse si era veramente preoccupato per me. Magari lo avevano sbattuto in un'altra cella... Pensai che qualsiasi cosa ci fosse accaduta doveva essere così seria da non poterne parlare prima di essere arrivati a casa. Restammo in silenzio. Poi, una volta entrati in casa, chiesi: "Papà... ci hanno beccati?"

Rise mentre apriva il frigorifero per prendersi una birra.

"Ma che beccati, ragazzo..."

Io però non ridevo. E per la prima volta urlai in faccia a mio padre, anche se l'unica cosa che fui in grado di dire fu: "Papà!"

Rimase scosso come se lo avessi colpito. Si voltò e mi guardò. Ogni traccia di sorriso era scomparsa dalle sue labbra. Aprì la birra gettando il tappo sul tavolo della cucina. Ne buttò giù una sorsata e dopo essersi asciugato la bocca col dorso della mano parlò.

"Non c'è niente di cui aver paura... Semplicemente quel figlio di puttana di Yadıgâr vuole più soldi... Hai capito?"

Non avevo capito.
"Che soldi?"
Si voltò come per lanciare uno sguardo in lontananza, ma poiché l'unica cosa che poteva vedere erano le foto dei suoi parenti appese ai muri, guardò di nuovo me. Cacciò un sospiro e disse: "Avanti, siediti..."
Vicino al tavolo c'erano due sedie. Non essendoci nessun altro, erano sempre state sufficienti. Mi sedetti su quella più vicina. Lui si sedette su quella di fronte a me... Bevve un altro sorso di birra e cominciò a parlare tenendo lo sguardo fisso sulla bottiglia.
"Sei andato a mangiare le polpette".
"Ma quando? E dove?"
"A casa di Yadıgâr..."
"Da Yadıgâr? E che ne so... Ah, sì... Stiamo parlando di due anni fa, comunque".
"Erano buone?"
"Le polpette? E come faccio a ricordarmi..."
"Salime però è una bella donna... Se fosse solo un po' più magra... Comunque, com'era casa loro?"
Teneva ancora lo sguardo fisso sulla bottiglia che reggeva con entrambe le mani. Era chiaro che non guardava la bottiglia ma qualcos'altro. Qualcosa che io non riuscivo a vedere. Come quel verso che Rimbaud aveva scritto secoli prima e che io avrei letto anni dopo: "E qualche volta vidi ciò che l'uomo immaginò di vedere".
"Era una casa... Una casa normale..."
"Fammi un esempio... Com'erano i mobili? La televisione... le poltrone..."
Cosa vedeva mio padre in quella bottiglia?

"Sì, erano belle... Mi ricordo la televisione... Hai presente quelle con lo schermo grande? Ci abbiamo pure giocato alla playstation con Ender".

"Come ti sembravano? Erano felici?"

Perché mi faceva tutte quelle domande? A chi poteva importare?

"Sì... sembravano felici" dissi.

"Ecco. Glieli do io i soldi per comprare quella felicità. Tutta la merda che riempie quella casa l'hanno comprata con i miei soldi!"

Io però, con la mente, ero ancora in quella cella e non capivo perché ci ero dovuto rimanere tutto quel tempo. In fondo non ero altro che un ragazzino impaurito.

"E perché?"

"Perché altrimenti ci avrebbero già beccati, Gazâ... Da anni... Secondo te perché riusciamo a fare questo lavoro senza essere disturbati? Ci hai mai pensato?"

Finalmente il portone della caserma si era aperto e la mia mente era potuta ritornare nel cranio. Così riuscii a misurare in modo matematico la velocità del pensiero e capii che cosa intendeva mio padre.

"Dai le mazzette?"

"Come hanno fatto a darti la lode, ragazzo?"

Va bene... Yadıgâr mi aveva preso in ostaggio per ricevere più soldi. Questo potevo capirlo. In più lo aveva fatto utilizzando quella cella come la sua prigione personale, davanti a tutti i militari del comando provinciale della gendarmeria. Potevo capirlo. Significava che l'eroico sergente maggiore Yadıgâr non era soltanto un comandante della gendarmeria, era anche il lasciapassare che ci consentiva di portare avanti il nostro traffico criminale in questa graziosa cittadina. Anche questo potevo capirlo. Significava, tra le altre cose, che nessuno era un eroe. E lo capivo. Tuttavia non riuscivo a capire in nessun modo perché ero dovuto rimanere due notti in quella cella.

"E allora perché non gli hai dato i soldi e mi hai tirato fuori di lì?" chiesi.

Per la prima volta da quando ci eravamo seduti Ahad levò lo sguardo dalla bottiglia e lo posò su di me.

"La prima regola del commercio..."

"Quale sarebbe?" lo interruppi.

"È trattare... Abbiamo trattato..."

Questo certo non me lo aspettavo! E così urlai per la seconda volta in vita mia contro mio padre.

"Io resto lì per due giorni, seduto a terra come la gente nella nostra cisterna, senza dormire! E tu mi dici: 'Abbiamo trattato!'"

Improvvisamente mi accorsi che avevo alzato troppo il tono della voce e così, terrorizzato dalle possibili conseguenze, mi morsi la lingua e mentii: "E poi pensavo a te, tutto qua! Che fine ha fatto, pensavo! Hanno sbattuto dentro pure mio padre, mi sono detto!"

Rise come se stesse sospirando. Bevve un sorso di birra e poi, proprio quando poggiò la bottiglia sul tavolo, disse: "Perché, Gazâ? Perché eri in pensiero per me? Tu pensa solo a te stesso. Fottitene di me!"

Doveva essere di nuovo assorto a guardare quella cosa che io non potevo vedere, ma cominciavo a essere stufo di interrogarmi su quel qualcosa che restava sempre nell'oscurità. Provai un'ultima volta. Un'ultima volta.

"È mai possibile? Che vuol dire fottitene di me! Sei mio padre!"

Restò immobile come una statua, scrutando nel profondo dei miei occhi. Poi in quella statua si aprì una crepa da cui emerse l'immagine di Ahad sorridente, che scuoteva la testa e mi guardava come se non mi credesse per niente... Odiavo mio padre. Aveva accettato di farmi stare due giorni in quella cella per trattare, per dare meno soldi a quel bastardo di Yadıgâr. Due giorni infernali! Di sicuro non gliene importava niente!

Allora gli dissi: "Papà, io ho fatto quell'esame. Probabilmente avrò la possibilità di studiare in una scuola di Istanbul. Parto dopo l'estate..."

La voce mi tremava al punto che le ultime parole mi erano letteralmente cadute di bocca infrangendosi sulla superficie del tavolo. In verità confidavo in quel tavolo che ci separava. Alla sua minima mossa sarei potuto scappare. Ma lui non fece niente. Continuò soltanto a sorridere guardandomi in faccia.

"So tutto... L'altro giorno ha telefonato il preside. È stato lui a dirmelo. Ha detto che sei molto intelligente, un genio. Ha detto che loro in qualità di dirigenti scolastici faranno il possibile. Ha detto che hai un futuro promettente... se solo baderò alla tua istruzione. Ha detto che diventerai una persona importante!"

Mentre mi diceva tutto questo strabuzzai gli occhi almeno due volte. Giusto il tempo di rendermi conto che tutto quello che credevo di sapere era sbagliato. Ormai ero in un altro mondo. Su un altro pianeta, in cui però c'era ancora la forza di gravità. Di questo ero sicuro, perché non avevo ancora iniziato a levitare. Ma c'era ossigeno? Potevo respirare? Feci un tentativo.

"Quindi sapevi tutto?"

"Sì".

Ne feci un altro.

"Allora posso andare? Mi dai il permesso?"

"Certo che puoi andare... Aiutami soltanto per quest'estate e poi vai in quella scuola a studiare per bene".

Ormai ero sicuro di poter respirare. Anzi, c'era così tanto ossigeno da farmi girare la testa. E soprattutto, in questo nuovo pianeta, amavo mio padre.

"Perché allora mi hai detto di non fare quell'esame?"

"Per capire".

"Capire cosa?"

"Se mi somigli o no... Perché se fossi stato al tuo posto, io non avrei mai dato ascolto a mio padre. Non mi importava niente di tutto quello che diceva... E anche tu hai fatto lo stesso. Non è così?"

Forse era accaduto tutto nel tempo che avevo trascorso in quella cella. Mentre io mi spegnevo addosso mezzo pacchetto di sigarette, mi avevano prelevato dal mondo in cui vivevo per trasportarmi in un altro. Forse qualcuno aveva portato via quel mondo per sostituirlo con un altro, come si tira via una tovaglia da tavola. O magari il mondo aveva iniziato a girare più velocemente. E così era stato possibile cambiare la tovaglia. Forse eravamo tutti e due su quella nuova tovaglia e in quel momento stavamo promettendo di non insudiciarla mai più...

Non mi sarebbero bastati dieci anni per capire cos'avrei dovuto pensare. L'unica cosa che potevo fare era guardare mio padre. I suoi capelli, la sua fronte, le sue sopracciglia e i suoi occhi... Ma i nostri sguardi non si incontravano perché lui stava osservando il mio polso. Il polso destro appoggiato sul tavolo. Guardava una delle bruciature che la camicia a maniche lunghe aveva lasciato scoperte. Una vescica. E non si vedeva neanche benissimo, lo sapevo. Perché avevo seguito attimo dopo attimo la mia pelle che tentava di risorgere dopo essere stata trasformata in un campo di battaglia...

Dovevo pensare a cosa dire nel caso in cui avesse chiesto spiegazioni. Dovevo momentaneamente accantonare le parole che mi aveva detto poco prima e fare spazio tra i miei pensieri. E poi, certo, dovevo ritrarre il braccio dal tavolo. Il braccio destro. Proprio quando stavo per farlo, mio padre mise una mano sulla mia. Fu in quel momento che i nostri sguardi si incontrarono. Stava sorridendo. Sorrisi anch'io. Non ricordavo nemmeno l'ultima volta che mi aveva preso per mano. Forse quando mi aiutava ad attraversare l'unica strada della città. Anni fa... Forse, il motivo per cui mi stava prendendo la mano dopo tutto quel tempo era lo stesso: aiutarmi ad attraversare. Stavolta per portarmi verso un'altra vita...

Proprio mentre pensavo tutto questo e ci guardavamo negli occhi sorridendo, sentii un vulcano esplodermi nel polso. La lava si riversò ovunque e in pochi secondi il dolore mi avvolse tutto il corpo. Non riuscivo a respirare né a gridare. Mio padre stava premendo sulla vescica col pollice della mano sinistra talmente forte che stavolta furono i miei occhi a gonfiarsi di lacrime. Due palloni rigonfi d'acqua che esplosero immediatamente, facendomi scorrere le lacrime lungo le guance. L'unica cosa che potevo fare era afferrare il polso di mio padre per allontanarlo. Ma non riuscii a spostarlo di un millimetro. Tentai di alzarmi dalla sedia e di tirarmi indietro, ma fu tutto inutile, perché mio padre chiuse il capitolo ponendo l'altra mano sulla mia mano sinistra. Se qualcuno ci avesse visto da lontano si sarebbe trovato davanti un'immagine, una fotografia diversa da ciò che eravamo: un padre e un figlio seduti l'uno di fronte all'altro che si guardavano tenendosi le mani sul tavolo della cucina... Avevo visto innumerevoli volte la Terra ripresa da lontano. Nei documentari. Una sfera verde, azzurra e bianca sospesa nello spazio! Da lì non si vedevano mica i bambini che venivano stuprati! Da quella distanza non era possibile vedere gli uomini che si calpestavano durante le guerre, o che si strappavano la lingua in tempo di pace. Non si sentivano le urla, o le bugie che venivano dette di continuo. C'era solo una sfera che ruotava lentamente, silenziosamente, in pace. Si dice che l'importante sia da che punto di vista guardi il mondo. Bugia! Quello che conta è la distanza! Io, per esempio, in quel momento era come se guardassi la vita e tutto il creato con un microscopio. E tutto sembrava orribile. Una colonia di virus! Draghi e serpenti microscopici! Un esercito di microbi che strisciavano e si contorcevano convulsamente alla ricerca di carne! Forse se fossi riuscito ad aprire la bocca avrei potuto urlare. Ma ero solo un ragazzino con le mascelle serrate sul punto di pietrificarsi. L'unica cosa che ero in grado di fare era emettere un sibilo sottile come un capello. Lo sentivo che tentava di uscire tra gli interstizi dei denti. Fu allora che tuonò il cielo: "Io ti ammazzo! Dove credevi di andare! Chi volevi abbandonare! Hai idea di quello che ho passato per crescerti? Per occuparmi di te? Lo sai perché in questa casa non c'è una donna? Perché non mi sono mai sposato? Tua madre ti stava seppellendo, ragazzo! Ti stava seppellendo vivo! Non ho mai fatto entrare una donna in questa casa perché nessuno ti toccasse più o minacciasse la tua vita! E adesso ti svegli e mi dici che te ne vai! Io ti spacco la faccia! Tu non vai da nessuna parte finché qui hai un padre che ti ama alla follia!"

Ero stato ammesso tra i primi cento. Ero addirittura il quarantatreesimo della Turchia. Nonostante sapessero bene che i miei risultati non erano merito loro, tutti i miei insegnanti mi avevano fatto i complimenti, sentendosi orgogliosi del loro lavoro. I notabili della nostra cittadina, arretrata al punto di non sapere che era finita da un pezzo l'epoca in cui si faceva a gara per mostrare la propria umanità, promisero di raccogliere del denaro per consentirmi di continuare la mia istruzione, dandomi prova della loro quota di altruismo. Il prefetto mi regalò addirittura un orologio con quattro pulsanti di cui la metà non funzionava. La fotografia di quella cerimonia, svoltasi nel palazzo dell'amministrazione provinciale, fu pubblicata in prima pagina dal settimanale locale «Da Kandalı al mondo» in una cornice con i colori nazionali, rosso e bianco. Era appena più piccola dell'unica fotografia di Atatürk a Kandalı, pubblicata ogni anno per l'anniversario della liberazione della città. Conoscevo bene il luogo in cui era stata scattata, con Atatürk intento a parlare con gli abitanti della città. Era il villaggio di Naznur, a trenta chilometri dal centro. La stessa località della notizia che, a causa dell'articolo che mi riguardava, intitolato "La guerra santa di Kandalı", trovò nella pagina uno spazio grande quanto una scatola di fiammiferi. Nella strada per Naznur, da cui un tempo era passato Atatürk, si era ribaltato un rimorchio che trasportava dei lavoratori stagionali, causando la morte di cinque persone e il ferimento di altre sedici. In effetti, ogni anno, giungeva una folla variopinta di lavoratori stagionali. Lo scarso rilievo riservato alla notizia era dovuto al fatto che nessuno conosceva le vittime dell'incidente. I parenti di queste persone che pianificavano la propria esistenza a intervalli di tre mesi, i cui semi erano stati piantati in luoghi lontani, per germogliare a Kandalı e appassire su un rimorchio, vivevano altrove e non leggevano «Da Kandalı al mondo». Per cui era naturale che la notizia riguardante i morti e i feriti, le cui vicende non interessavano a nessuno se non al padrone del terreno in cui lavoravano, restasse al di fuori della cornice rossa e bianca. La questione faceva saltare i nervi praticamente soltanto al personale dell'ospedale statale di Kandalı, se non altro perché era noioso stare a guardare persone che cercavano di comunicare in quella lingua che chiamano curdo, senza riuscire a capirle. Inoltre i lavoratori stagionali, al contrario dei fiori che sbocciavano nei campi che coltivavano, puzzavano terribilmente, come se stessero marcendo. In realtà tutti marciscono ma loro, con un'aspettativa di vita di soli tre mesi, marcivano più rapidamente.

Di conseguenza l'interesse della città e del giornale si concentrò interamente su di me. Nella fotografia, alle spalle del prefetto, c'era Yadıgâr sorridente. Anche se non era proprio chiaro, stavo guardando lui. Lui guardava il capo provinciale della polizia, che a sua volta guardava il capitano del comando provinciale della gendarmeria. Questi guardava il sindaco, che a sua volta guardava mio padre, che evidentemente non aveva alcuna voglia di trovarsi lì. Ahad teneva lo sguardo fisso sul governatore come se avesse di fronte un rapitore di bambini a cui era pronto a tagliare la gola. In quella fotografia nessuno guardava me, perché il prefetto aveva lo sguardo rivolto all'orologio che mi stava consegnando. Il quadrante segnava le tre e un quarto, con entrambe le lancette rivolte verso il vecchio usciere fermo in un angolo. Quell'uomo che avevo appreso da mio padre essere l'usciere era venuto con gli occhi chiusi, dunque le sue palpebre rugose ponevano fine a quella lunga catena di sguardi. Una foto fantastica! Una scena memorabile! Anni dopo la rividi in un libro. All'epoca naturalmente non ero in grado di cogliere la somiglianza con l'affresco di Leonardo da Vinci...

L'ultima cena... L'ultima! Doveva chiamarsi così non perché era stata l'ultima cena della vita di Gesù, bensì perché era Gesù stesso la pietanza principale. Per la prima e ultima volta! Perché era stato Gesù a essere masticato e ingoiato dal primo all'ultimo boccone, in modo che non restasse niente di lui e il Creatore si manifestasse... Ma il Creatore non si fece né vedere né sentire. Con le pance piene e le anime affamate i dodici apostoli presero le ossa che avevano davanti, le misero in una ciotola e le diedero ai cani, ma neppure questa volta il Creatore si manifestò. Proprio mentre pensavano di aver ucciso inutilmente la loro gallina dalle uova d'oro sentirono una voce. E allora il Creatore parlò: "Ci sono uomini in questo luogo?"

Gli apostoli si entusiasmarono così tanto che dopo essersi guardati gridarono in coro: "Sì!"

"Bene, quindi c'è qualcuno che crede nell'uomo?" domandò il Creatore.

Non seppero cosa rispondere e volsero lo sguardo verso gli animali che stavano rosicchiando le ossa di Gesù.

"I cani!" gridarono.

Dopodiché calò il silenzio e il Creatore parlò di nuovo: "Visto che sono solo i cani a credere nell'uomo... vorrà dire che diverranno rabbiosi e tra loro saranno gli illuminati".

A quel punto i cani cominciarono ad abbaiare furiosi e fuggirono, con la schiuma alla bocca, lasciando soltanto una ciotola col teschio e tre ossa di Gesù... I presenti che erano stati testimoni di tutto questo, per nascondere l'accaduto, dissero: "Racconteremo un'altra verità!"

Soltanto Giuda si oppose e disse: "No, io non sarò complice di una simile menzogna!" e dopo aver preso la ciotola con gli ultimi resti di Gesù, abbandonò la tavola. Mentre Giuda avanzava in quella che poi sarebbe stata chiamata la marcia del pentimento, i restanti undici apostoli inventarono un'altra storia. In questa non si faceva menzione del fatto che avevano divorato Gesù, né delle parole del Creatore. Al contrario, in questa versione Gesù avrebbe invitato gli apostoli dicendo: "Questo è il mio corpo, questo è il mio sangue". Nessuno lo avrebbe mangiato e soprattutto in questa storia sarebbe stato Giuda il traditore, alzatosi dalla tavola per recarsi al Sinedrio a denunciare Gesù! Così Gesù sarebbe stato crocifisso e nessuno avrebbe saputo che quella sera era stato divorato dagli apostoli. A questa storia sarebbero stati aggiunti altri dettagli per renderla convincente. Come i denari che Giuda avrebbe intascato per il tradimento: trenta! Gli apostoli, temendo che Giuda spifferasse l'accaduto, raccontarono ovunque questa menzogna che loro chiamavano *un'altra verità*. In realtà Giuda non aveva voglia di dire una parola. Ogni volta che apriva bocca veniva colto dal rimorso. E d'altro canto chi gli avrebbe creduto? Uno contro undici! Non aveva alcuna possibilità. Non reggeva più il peso di quello che aveva vissuto e le menzogne che venivano dette sul suo conto. Così al primo albero di fico che trovò sul suo cammino si fermò e seppellì la ciotola con i resti alla sua ombra. Poi si impiccò al ramo più robusto... Un cane giunse ai piedi dell'albero e cominciò a scavare il terreno finché raggiunse le ossa e abbaiò rabbiosamente. Poi ne arrivò un altro ancora. I contadini che assistettero alla scena scavarono una buca più profonda e la ricoprirono con delle pietre. Ma, poiché non riuscirono a tenere a freno la lingua, raccontarono, anche se sussurrando, della ciotola maledetta che rendeva i cani rabbiosi e di Giuda, responsabile della crocifissione di Cristo. La storia nei secoli si scolpì come una statua, passando da un orecchio all'altro. Chi mai avrebbe voluto che il proprio villaggio fosse ricordato per una ciotola maledetta? Ecco perché innanzitutto fu dimenticato il luogo in cui era stata seppellita. Poi scomparve dal racconto il nome di Giuda. Anche soltanto ricordare il suo nome divenne peccato, e restò solo una ciotola che apparteneva a Gesù. Infine non si menzionarono più le ossa e il teschio che conteneva. Dopotutto c'era una ragione stilistica: iniziare il racconto con "C'era una ciotola!" era sicuramente più facile che con "C'erano un teschio e tre ossa in una ciotola!"

Del resto la fortuna della storia era legata alla possibilità di ricordarla facilmente. Infine, poiché la parola 'maledetta' faceva paura ai bambini, fu sostituita con 'santa'! E la ciotola divenne una coppa o un calice. Dopotutto chi l'aveva seppellita era morto da un pezzo e non c'era nessuno in grado di smentire la versione più in voga. Così, per accaparrarsi una ciotola sepolta e ricoperta di pietre per la salvezza di una generazione, quelle successive avrebbero perfino condotto delle guerre chiamate Crociate... Sempre in suo nome. Una ciotola con delle ossa. Anche inconsapevolmente avrebbero divorato tutto ciò che restava di Gesù per sentire ancora una volta la voce del Creatore... Chissà cosa sarebbe accaduto se Lui avesse parlato di nuovo. Le risposte alle sue domande sarebbero cambiate, dopo così tanto tempo? Non erano più solo i cani a credere nell'uomo? Che senso aveva mettersi alla ricerca del santo calice per conoscere la voce dell'Onnipotente? Cercare un teschio e tre ossa! Mentre uscivo dal palazzo del governo di me non era rimasto altro! Un teschio, tre ossa e il vuoto, tutto qui. Un Gazâ riempito di vuoto o un vuoto contenuto in un Gazâ...

Certo, mi si era aperta un'opportunità eccezionale, con la popolazione di un'intera città pronta a spingere per farmi varcare la soglia che mi avrebbe permesso di ricevere l'istruzione che meritavo. Ma non lo feci, e rimasi in quella tana di vermi chiamata Kandalı, immobile come un albero di mille anni. In verità, una volta che il preside aveva diffuso il punteggio col quale ero stato promosso e tutta la città era venuta a conoscenza della vicenda, la situazione era sfuggita al controllo di Ahad. Insomma, sarei potuto scappare... Ma non riuscii a farlo. Perché mio padre aveva detto che mi voleva bene... Schiacciando la ferita che avevo sul polso! Se Ahad mi voleva bene, non importava che io non volessi bene a me stesso... Non riuscii ad abbandonarlo... O forse non ero mai voluto partire, allontanarmi da quella cisterna... Avevo soltanto giocato con la prospettiva di poter partire... Perché in fondo io, mio padre e la cisterna eravamo la Santa Trinità! L'unica vera Trinità! Io e mio padre eravamo un insetto a otto zampe. E strisciavamo lungo le pareti umide della cisterna. Parlavamo la stessa lingua dalla nascita. Una lingua che serviva soltanto a raccontare la cisterna e che nessuno capiva a parte noi. Le altre persone potevano essere state create oppure scaraventate sulla terra da qualsiasi buco bianco del sistema solare, ma noi eravamo tutta un'altra cosa. Noi, gli unici esseri viventi frutto dell'evoluzione. Solo noi! E la cisterna era l'evoluzione!

Mentre gli altri avevano diverse prospettive, noi ne avevamo solo una, eravamo i primi, i tramite e gli ultimi. Vivevamo in un luogo in cui si entrava trattenendo il fiato. Fuori dall'universo. Nella cisterna... Le nostre madri generandoci avevano dato fuoco al mondo. Eravamo proiettili che volavano in quella cisterna per bucare la carne di chiunque incontrassimo sul nostro cammino. Il nostro unico obiettivo era la nostra esistenza. Il nostro nome era Racconto. Un racconto di due uomini e una cisterna.

La passione del settimanale «Da Kandalı al mondo» per la mia storia non arrivava al punto di pubblicare il capitolo intitolato "Abbandono". Più esattamente fece del suo meglio per non parlarne, perché tra quelli che avevano promesso di contribuire concretamente alla mia istruzione c'era anche il direttore del giornale. Per cui, se avessero insistito sulla faccenda, gli sarebbe toccato scucire un po' di grana! Senza contare che gli abitanti di Kandalı erano famosi non tanto per dimenticare, ma piuttosto per ricordare male! Dopo non molto tempo tutti credettero che io fossi partito per Istanbul e continuarono a crederlo. Quando mi vedevano per strada pensavano che somigliassi a quel ragazzo che era partito per Istanbul...

Quanto a me, tornai nella mia cisterna e appesi al muro un grande orologio, facendo in modo che scattasse di un minuto ogni centocinquanta secondi. Un marchingegno che rallentava lo scorrere del tempo di una volta e mezzo. Sui polsi dei clandestini non c'erano vesciche da tormentare, ma orologi, e io li requisivo ogni volta che scendevano dal camion. Di solito non avevano telefoni. Per paura di essere rapinati, con loro portavano soltanto pochi soldi riposti in tasche appositamente cucite nelle pieghe dei vestiti. A me non interessavano i loro soldi. Io mi occupavo del loro tempo. Mi adoperavo affinché dessero testate al muro dopo aver guardato quei minuti che non passavano mai. Soltanto così avrebbero potuto capire il dolore che mi aveva inflitto Ahad con il suo pollice. Visto che non riuscivo a mettermi nei loro panni... avremmo provato a fare il contrario. E non solo questo, saremmo andati oltre... Mi avrebbero insegnato cos'è l'essere umano e io avrei condiviso con loro il mio dolore. Dal momento che mio padre aveva detto di amarmi... l'unica strada per salvarci era questa. Oppure avremmo potuto suicidarci insieme, e chiusa la faccenda. Io e tutti quei clandestini. Ma tutte le religioni in cui credevano proibivano il suicido! Ero al corrente dei loro calcoli meschini. Non ero mica così stupido! Non fino a quel punto! Ma forse... lo ero veramente, perché non ero scappato sul primo autobus con l'orologio che mi aveva regalato il prefetto... Sì, ero così stupido! Anche perché, al posto di quell'orologio, l'unica cosa che portavo sempre con me era la rana che mi aveva fatto Cuma. Ormai, tra l'altro, neanche saltava più quando la schiacciavo dietro. L'unica cosa che faceva era parlare con me imitando la voce di Cuma. O forse era la mia immaginazione, e a parlare era l'immagine sul pezzo di carta che Cuma aveva piegato e ripiegato. Un disegno che aveva fatto lui stesso. Raffigurava qualcosa di simile a una montagna, o a una collina, o a una roccia. Come la superficie di un muro liscio con due nicchie. E in ognuna di esse c'era una statua.

Con le tre parole di turco che sapeva, Cuma mi aveva detto: "Io casa!" e io non avevo capito niente. Avevo pensato che fosse pazzo. E, dopo averlo visto mimare la grandezza delle statue aprendo le braccia, mi ero convinto che mi stesse prendendo in giro. Statue gigantesche scavate nella roccia e lui che abitava in un buco di quella montagna rocciosa! Si era accorto che non avevo creduto a una sola parola di quello che mi aveva raccontato e aveva iniziato a ripiegare la carta per fare l'origami... Come potevo saperlo? Come potevo sapere che in un paese chiamato Afghanistan, nella regione di Hazarajat, c'era un fiume chiamato Bamiyan e che le persone vivevano nelle gallerie che i monaci buddisti avevano scavato nella roccia millecinquecento anni prima? E come potevo sapere che la gente che ci abitava da sei secoli si svegliava ogni mattina guardando due statue di Buddha alte rispettivamente cinquantatré e trentacinque metri? Come potevo sapere che il più grande era il Buddha Vairocana, che incarna il concetto di vuoto, e che tutto questo si poteva comprendere facilmente osservandone il *mudra*, ossia la posizione? E come potevo sapere che il Buddha più piccolo era chiamato Sakyamuni, poiché Buddha discendeva dalla famiglia dei Sakya? E chi poteva sapere chi era veramente a parlare con me? La rana o uno dei due Buddha? Chi poteva saperlo? Ogni volta che guardavo le statue raffigurate in quel disegno pensavo sempre a Dordor e Harmin... Lo facevo inconsapevolmente... Non avevo idea del perché mi venissero in mente quando guardavo quel disegno. Forse perché erano come due colonne poste ai miei fianchi per proteggere la mia infanzia dalla vita. Come se in un lontano passato avessero impedito che la vita mi crollasse addosso... Forse c'era un altro motivo per cui pensavo a loro...

"Sai cosa?" aveva detto una volta Harmin mentre eravamo seduti sulla barca. Il sole stava per sorgere e il cielo si tingeva man mano di diversi colori. "Un circolo vizioso non sparisce mai. Si può solo espandere e poi si fa dimenticare. Perché? Perché ciò che chiami circolo, non è altro che un normale cerchio. Percorrerlo richiede tanto tempo che non sei neanche in grado di capire se passi due volte dallo stesso punto. Alcune volte poi il cerchio si allarga tanto che non ti basta una vita intera per fare il giro completo. Lo percorri galoppando come un cavallo cieco. Credi di andare dritto, di andare avanti. Addirittura esali l'ultimo respiro in pace credendo di essere andato avanti! E devi per forza essere cieco! Altrimenti ti accorgi di girare in tondo. È per questo che i vecchi hanno la vista danneggiata, capisci? In modo che non capiscano di passare nello stesso punto. La cecità non è altro che una difesa naturale contro il girare in tondo. Insomma, una reazione meccanica! Come la vita stessa... Forse è per questo che è così noiosa! È soltanto una reazione. Ti spiego, guardati intorno! Tutto è contro la vita! Quello che mangi, quello che bevi, che ne so, quello che respiri... tutto! Ecco, la vita non è altro che una reazione a tutto questo! In primo luogo alla morte, ovviamente! Lo insegnano anche a scuola. Qual era la legge della fisica? A ogni azione corrisponde una reazione, non è vero? Sai cosa significa? Che nella natura c'è dell'ostinazione! È tutto un fatto di ostinazione. Specialmente vivere. Per questo la vita è noiosa come la partita di una squadra di parassiti convinti che poter giocare sia già una consolazione, come il gol della bandiera. Non è necessaria una speranza o uno scopo, per restare in vita. Basta sapere di dover morire. Sei in vita perché sei in pericolo. Sei in vita perché muori ogni secondo. Tutto qui. Il significato della vita non è che questo: paura della morte! Mi capisci?"

All'epoca non avevo capito niente. Come potevo capire cosa mi voleva dire Harmin? Avevo tredici anni. Forse dodici.

"Quindi se vuoi vivere realmente la tua vita" continuò "se vuoi avere uno scopo, prima devi scrollarti di dosso la paura della morte! Prima devi gettare via la paura della morte che ti appiccicano addosso non appena nasci e tutti quei significati della vita che ti offrono a buon mercato! Soltanto allora sarai libero! Soltanto allora potrai scoprire il significato vero della vita. Adesso mi devi fare una promessa".

"Va bene" dissi.

"Non devi mai avere paura della morte. Perché è quella l'unica cosa al mondo capace di renderti cieco!"

"Prometto. Non avrò mai paura".

Si mise a ridere. Poi si arrotolò un'altra sigaretta.

"E sai come farai a non avere paura?"

"No" dissi.

Mi mostrò il tatuaggio che aveva sul polso: *Dead to be free*. Ma non sapevo l'inglese. Non ancora.

"La vita contempla la morte, Gazâ. Si dice che chi

ben comincia è a metà dell'opera, no? Nascere non è altro che questo. La prima metà di morire. Accettalo e basta. Non ti dico di crederci, perché non c'è niente da credere. È la natura... Basta vedere che hai già cominciato a morire, e accettarlo. Il resto vien da sé".

"E tu?" domandai. "Non hai paura di morire?"

"Io? Io sono l'unico imbecille che ha paura anche di mettere un piede a terra. Posso soltanto starmene seduto su questa barca! Hai presente i fiori di loto? Somigliano un po' ai tulipani. Galleggio su quest'acqua come loro. Anche Dordor... Anche lui resta fermo... E almeno non facciamo altre cazzate!"

Il fatto che mi venissero in mente Harmin e Dordor ogni volta che guardavo il disegno di Cuma non si spiegava soltanto con la loro statura da giganti. C'erano anche i fiori di loto a ricordarmeli... Ma avrei imparato soltanto anni dopo il motivo per cui quei fiori galleggiavano sull'acqua e perché si trovavano nelle mani del Buddha. Solo in seguito avrei saputo di come il loro significato variasse a seconda del colore, simboleggiando il lungo viaggio dall'erudizione all'illuminazione, sino alla pace dello spirito. E avrei scoperto che tra loro, naturalmente, saltavano le rane, in grado di trattenere il respiro per entrare e uscire dagli abissi della vita. Creature capaci di restare immobili come se fossero fatte di carta umida... Ci avrei messo un po' a imparare tutto questo. Imparavo a spizzichi e bocconi, e così ci voleva più tempo. Ma in fin dei conti non avevo fretta. Nel luogo in cui ero diretto nessuno poteva far tardi. Neanche se avesse voluto farlo di proposito. Perché chi sa dove sta andando non è mai in ritardo. Se fosse un luogo in cui si può giungere in ritardo o in anticipo, sarebbe inutile anche solo mettersi in viaggio. Se ci fosse stato Harmin al mio fianco mi avrebbe detto: "Soltanto quelli che hanno paura della morte prendono un appuntamento. Soltanto loro vanno a un appuntamento con degli scopi prefissati. Devono diplomarsi assolutamente in quattro anni, se poi in sei anni non trovano un lavoro impazziscono, altri dieci anni e trovano il modo per comprarsi una casa e cinquant'anni dopo vanno all'altro mondo in uno degli almeno dieci modi possibili!"

Se Harmin fosse stato al mio fianco, dall'altro lato ci sarebbe stato Dordor, che avrebbe aggiunto con un grido: "Sei venuto al mondo con un appuntamento? Fanculo! Ma quale appuntamento! Ma quale fare tardi! O presto! Se hai una strada davanti percorrila e basta! Altrimenti fermati! Conosci il fiore di loto?"

Magari avrei detto: "Mi ha spiegato Harmin cos'è". Allora lui mi avrebbe puntato lo sguardo in faccia, poi avrebbe fatto un tiro dallo spinello e infine avrebbe detto: "E ora ascoltalo da me! Ormai mi sono incuriosito! Chissà come te lo racconterò..."

Guardai trentatré persone distribuirsi nei diversi punti della cisterna e abbandonarsi al suolo. Si sedettero con la schiena contro il muro. Solo uno restò in piedi. Era un uomo giovane con la montatura degli occhiali rotta, tenuta insieme dal nastro adesivo, sarà successo in chissà quale passaggio. Ci trovammo uno di fronte all'altro. Alzò il dito indice come si fa a scuola per chiedere la parola.

"Io so turco".

"Anch'io" risposi. Lui si mise a ridere. Io no. "Che c'è?" gli domandai.

"Quando andiamo via noi?"

Quantomeno era in grado di pronunciare qualcosa che somigliava a una frase.

"Come ti chiami?"

"Rastin".

"Venite tutti dall'Afghanistan?"

"Sì. Ma popoli diversi. Tagiki, pashtu..."

"Tu sei in grado di capirti con tutti, giusto?"

"Sì".

"Bene, allora tu sarai il mio interprete".

"Va bene... Dimmi allora".

"Non ora. Per adesso è tutto. Torno più tardi".

"Quando andiamo via?"
"Non lo so, Rastin".
"Il tuo nome?"
"Gazâ".
Si mise a ridere e disse: "Gazâ? Sei un *mujahid?*" Mi tese la mano. Evidentemente intendeva stringere la mia. Sottoterra! Io ero in imbarazzo! Ce la potevo fare, così la tesi e ci stringemmo la mano come due persone qualsiasi che fanno conoscenza in un giorno qualsiasi. Per abitudine dissi perfino: "Piacere". Lui rise di nuovo.
"Niente morte, non contento".
"Cosa?"
"Quando *mujahid* muore, allora è contento".
Me ne sarei andato, ma lui continuava a tenermi la mano. Non riuscivo proprio a capire le persone che facevano così. Quelli che non mollavano le mani che riuscivano a stringere, come se le stessero aspettando da tutta la vita. Per di più l'uomo che mi stava davanti, che in base a ogni logica avrebbe dovuto essere stanco da morire, stava ancora lì a guardarmi come per convincermi che ciò che aveva detto poco prima fosse una battuta molto spiritosa. Proprio quando ero sul punto di ritrarre la mano domandò: "Tu sei studente?"
"Sì" mentii.
"Io pure studente. Università di Kabul. Diritto".
Nel momento in cui sentii quelle dita magre rilassarsi ritrassi la mano. Lo feci un po' di colpo perché lui rimase con la sua ancora tesa. Ma non me ne importava. Tanto non potevamo essere amici.
"Adesso ti do i secchi e li distribuisci, Rastin".
"Secchi?"

"Sì, non c'è il bagno, quindi ci sono i secchi. Capito?"

Quel sorriso che aveva piantato in viso si cancellò istantaneamente. Proprio mentre pensava di avere un'occasione per socializzare, riportare d'improvviso l'argomento alle budella e alla merda, che esemplificavano perfettamente la sua situazione, aveva aperto una voragine nella sua dignità di uomo, grande almeno quanto quei secchi. Ormai ero in grado di comprendere certi sentimenti. Così come percepivo il bruciore della sua vergogna. In quindici anni non avevo mai messo piede fuori da Kandalı, ma da me erano passati uomini che provenivano da almeno tre continenti. C'era anche chi era venuto a pestarmi i piedi, ma ormai li riconoscevo tutti. Ne avevo visti di ogni tipo. Questo Rastin, con molta probabilità, stava lasciando il suo paese per motivi politici. Normalmente era ai tipi così che venivano rotti gli occhiali. Poteva essere stato qualsiasi poliziotto a farlo. Per farlo smettere di leggere tutti quei libri. Ma Rastin si rianimò immediatamente.

"Ho capito, secchi! Tu raccogli gli escrementi per test!" disse, e si rimise a ridere.

Non risposi nemmeno e uscii scuotendo la testa... Chiusi a chiave il lucchetto della botola e mi misi alla scrivania. Mio padre aveva abbandonato i lavori di carpenteria e il tavolo di ferro nel capannone era divenuto il mio ufficio. Dal monitor che vi avevo sistemato sopra osservavo la cisterna e prendevo appunti sul gruppo. Accanto avevo addirittura messo un computer con una stampante. Nella sua memoria erano registrati centinaia di file che contenevano informazioni sulle centinaia di persone transitate dalla cisterna... Prima avevo classificato i gruppi in base al loro tempo di permanenza. C'erano quattro gruppi principali: Due, Sette, Quattordici e Più di quattordici giorni. Perché quello che incideva di più sul loro comportamento era la durata della permanenza. Ossia la durata della loro esistenza nella cisterna... Tra il secondo e il quinto giorno non si notava nessun cambiamento di rilievo. Ma al settimo giorno, quando cominciavano a pensare di averne davanti ancora altrettanti, tutto cambiava velocemente. Un altro fattore importante era la proporzione tra uomini e donne. Avevo altri tre file sotto le categorie: A maggioranza maschile, A maggioranza femminile ed Equivalente. I gruppi a maggioranza femminile erano pazienti e straordinariamente resistenti alle condizioni avverse. Con i gruppi a maggioranza maschile, invece, le probabilità che mi offrissero spontaneamente la donna che volevo scoparmi si moltiplicavano sorprendentemente. C'è da dire che anche il numero di persone era un fattore chiave. Per questa ragione avevo altri quattro file denominati: Cinque, Quindici, Trenta e Più di trenta. Spezzare o piegare la resistenza di un gruppo di cinque persone era difficilissimo. Ma con un gruppo di trenta persone era possibile istigarli a linciare uno di loro in meno di tre ore. E mentre un gruppo di più di trenta persone poteva inviarmi la donna che volevo senza opporre alcuna resistenza, un gruppo di cinque avrebbe affrontato la morte pur di non farlo. Inoltre avevo file registrati sotto la dicitura: Nazioni, Gruppi etnici, Età media, Grado di istruzione, Professioni, Quantità di cibo consumato e Resistenza alla sete, insieme a tante altre che riguardavano qualsiasi caratteristica dell'essere umano che potesse essere misurata. Ormai infatti avevo a mia disposizione la cosa più importante: il tempo. Avevo abbandonato la scuola. La mia carriera scolastica era stata soffocata dalle braccia di mio padre e dalle mie mani, perché avevo iniziato a frequentare un'altra scuola. Una scuola in cui a ogni lezione si studiava l'umanità, e soprattutto in cui potevo leggere tutti i libri che volevo. Anche se in verità non mi interessavano più i romanzi d'avventura. Ogni volta che andavo nella libreria della città rovistavo tra gli scaffali a cui nessuno si avvicinava cercando i libri che nessuno apriva. Cercavo con ansia gli scrittori presenti tra i libri oscuri di Harmin e Dordor e, ogni volta che ne trovavo uno, mi avventavo come un vampiro a divorare tutte le sue opere, dando fondo a ciò che restava del denaro che mio padre mi dava come stipendio.

Naturalmente c'erano anche altre persone che leggevano libri in cui erano nascoste teorie sul comportamento umano. Ma io ero l'unico ad avere un laboratorio pieno di cavie sotto i miei piedi. C'era una sostanziale differenza tra leggere su carta stampata le possibili reazioni di un adulto immerso in una folla di fronte al caldo in aumento e assistere con i propri occhi all'esperimento. Una differenza grande quanto la realtà!

Avevo quindici anni e non avevo né scrupoli né amici.

Ender, appena una settimana dopo essersi iscritto alla scuola privata, che il padre gli aveva potuto garantire grazie alle mazzette, era stato sospeso perché chiedeva il pizzo ai suoi compagni di classe. Il mese successivo si era acceso una sigaretta durante la lezione e aveva appiccato un piccolo incendio senza alcun motivo apparente. Infine, tre mesi dopo, aveva dato un pugno a un insegnante ed era stato espulso. Di tanto in tanto lo vedevo camminare su e giù lungo l'unica via della città insieme ad altri ragazzi rimasti piantati a Kandalı come dei cactus. Ender ormai non rideva più da solo. Anzi, non rideva più e basta. Sembrava impegnato ad aggiudicarsi il ruolo da protagonista di un immaginario cartone animato che si poteva intitolare *La mafia di Kandalı*, sempre con le sopracciglia aggrottate, come se fosse appena uscito da una rissa o si stesse preparando per un'altra. Il bello era che una volta avevo sentito Yadıgâr dire a mio padre: "Tutto quello che faccio è per mio figlio!"

Questa frase mi ricordava qualcosa... Ma Yadıgâr era serio. Sì, magari aveva ottenuto tutto quello che aveva illegalmente, compresi i suoi gradi, ma in verità il suo unico desiderio era che Ender potesse crescere e costruirsi una vita in cui non dovesse prendere ordini da nessuno. E per questo desiderava che il figlio potesse assumere l'antibiotico di cui lui stesso non aveva potuto beneficiare: *una buona istruzione*. Anche se il solo pensiero dava la nausea a Ender!

Yadıgâr in fondo era solo un illuso, perché l'obbedienza era una condizione che non esisteva solo nelle gerarchie militari. Anche i capi di stato talvolta prendevano ordini da altri capi di stato di pari grado soltanto in teoria. Di conseguenza, nonostante tutte le lacrime e le notti sudaticce di Yadıgâr, l'unica prospettiva di carriera che sembrava aprirsi a Ender era far parte della mafia di Kandalı.

Ender però ignorava un particolare: la mafia di Kandalı era suo padre. E poi, certo, Ahad e io... Forse c'era anche qualcun altro, ma in quel momento non mi interessava. Eppure, quando di tanto in tanto lo incontravo per le vie della città, non riuscivo a spiegarmi come quel ragazzino, che quando era mio compagno di banco era un perfetto imbecille, potesse essere divenuto uno di quei tizi in camicia nera. Questa sua trasformazione aveva ispirato un altro tema di studio. La spiegazione del comportamento di Ender, vestito a lutto, che brandiva il *tespih* come una frusta davanti a chiunque, poteva risiedere soltanto in una disperata ricerca di potere. Un tentativo di dimostrare di essere il più forte in ogni situazione. Sentirsi forte e incutere paura con allusioni alla violenza. Se si fosse sentito abbastanza potente, avrebbe potuto smettere di odiare se stesso e ritenersi responsabile del trattamento ricevuto a scuola. Adesso sarebbero stati i ragazzi che riconoscevano Ender come leader a provare queste frustrazioni. Adesso Ender avrebbe potuto dire che il sole girava intorno alla terra e nessuno avrebbe osato contraddirlo, perché la condizione essenziale per accettare il monopolio del potere di qualcun altro è negare. Negare la propria persona e la realtà. E soprattutto negare i difetti del leader. Di conseguenza, l'unico modo per considerare Ender un idiota senza dirgli nulla era essere uno dei suoi scagnozzi. Sì, la faccenda era semplice. Ma non finiva qui, perché tutto ciò si legava a un altro tema: il desiderio di dominio dell'uomo. Il desiderio di regnare su altri uomini o di divenire un'autorità di qualsiasi sorta... Perché in alcuni uomini è un desiderio insignificante, mentre in altri un impulso incontenibile? Perché alcune persone si sentono dei poveri figli di puttana fin quando non riescono a esercitare questo dominio? Il desiderio di dominio è un virus? È dovuto a un difetto nel sistema immunitario della società? Dominare crea dipendenza? Se è una droga, chi la spaccia? Quanto costa un grammo? Per ottenere lo stesso effetto è necessario aumentare la dose? E infine, quel giocattolo chiamato uomo, perché si prende così sul serio e si dibatte come un pesce fuor d'acqua perché anche gli altri lo prendano sul serio?

Probabilmente la risposta a tutte queste domande è da ricercarsi nella paura della morte di cui mi aveva parlato Harmin. Diventare un'autorità non è altro che un modo per sentirsi immortale...

È un argomento che merita riflessione e lunga ricerca. In fondo le persone come Ender sono ovunque.

Ovunque, da chi esercita il dominio su una sola persona a chi lo esercita su milioni di individui. Gente pronta a cogliere la minima occasione. Ci passano accanto ogni giorno, quei piccoli tiranni che traggono la propria forza dalla debolezza altrui, nascosti dietro un cespuglio e magari disposti anche a morirvi, nell'attesa dell'attimo propizio. Possono essere perfino quelli più vicini a noi. Nostri familiari, amici, chiunque. Come si fa a riconoscere un dittatore? Non certo vedendolo camminare per strada! Oppure accovacciato in una cisterna...

Il gruppo di trentatré persone a cui apparteneva Rastin era entrato nella mia vita proprio mentre ero impegnato in queste riflessioni. In verità l'arrivo di quelle persone era già un fatto insolito, perché era febbraio. Dovevano avere molta fretta, per non aspettare l'estate, quando le tariffe erano un po' più economiche. Contrariamente al turismo legale, i mesi autunnali e invernali erano considerati 'alta stagione' per i viaggi clandestini. Se non altro perché era più difficile attraversare le montagne coperte di neve e le strade ghiacciate si trasformavano facilmente nella via più breve verso la morte. Se avevano deciso di mettersi in viaggio nonostante questo, dovevano sapere qualcosa di tanto importante da dimenticare tutto il resto.

Mio padre era andato in città per quattro giorni per incontrarsi con gli uomini di Aruz. Dovevano discutere degli scafisti che avevano sostituito Dordor e Harmin: una banda di incompetenti che creavano problemi in continuazione. D'altronde c'era da aspettarselo. Era difficile trovare due fiori di loto che per anni avevano solcato in lungo e in largo quell'acquario chiamato Mar Egeo come Dordor e Harmin! Comunque...

Io e il gruppo di trentatré persone della cisterna saremmo rimasti soli per quattro giorni, e oltretutto sapevo che le operazioni di imbarco non sarebbero iniziate prima di due settimane. Lo avevo sentito dire a mio padre. Ciò significava che avevo delle cavie a disposizione per almeno quindici giorni. Finalmente avrei potuto iniziare lo studio scientifico più rigoroso al mondo! Prima di tutto avevo bisogno di un titolo. Aprii un nuovo file nel computer e lo intitolai *La forza del potere*.

In realtà il mio progetto era molto semplice. Avrei concepito la cisterna come un paese. I clandestini ne sarebbero stati gli abitanti. Avrei giocato con le condizioni di vita lì dentro, magari a qualcuno avrei concesso qualche privilegio osservando le reazioni a tutto ciò. Esistevano centinaia di videogiochi simili, lo sapevo. Ma gli altri ragazzini continuavano a giocarci solo perché non avevano una cisterna piena di gente a loro disposizione. Quei ragazzini non avevano idea...

Per prima cosa bisognava trovare un capo. Nella vita fuori da quella cisterna, ossia nella realtà, c'erano diversi modi per sceglierne uno. Nel mio caso avrei potuto fare in modo che fosse il più forte dal punto di vista fisico. Il problema era che portarli ad aggredirsi o addirittura a uccidersi avrebbe potuto causare una diminuzione della merce che mio padre non mi avrebbe perdonato. Quindi lasciai perdere... O forse avrei potuto fare in modo che fosse il più ricco a divenire il capo. Ma non potevo affidarmi neanche a questo metodo perché, dopo tutti quegli anni, avevo imparato che i clandestini portavano con sé somme di denaro molto scarse che più o meno si equivalevano... Dunque mi restava quello che era forse il metodo più interessante: le elezioni. La democrazia! Era questa la scelta più logica. In fin dei conti la relazione tra il capo e i subordinati chiusi in una stessa gabbia rendeva la condizione umana quasi identica a quella degli animali.

In una dittatura viene aperta d'improvviso una gabbia da cui esce un leone. In democrazia invece l'uomo ha la libertà di scegliere quale animale rimarrà chiuso dentro con lui. Carnivoro? Erbivoro? Onnivoro? Caccia da solo o in branco? Un esemplare di una specie in via d'estinzione? Addomesticabile? Scegliere implica rispondere a questi interrogativi. Naturalmente ci sono sempre una gabbia, un animale e una porta chiusa con un catenaccio, ma questo, oggi, non si può cambiare. Sono le opzioni praticabili nel mondo attuale!

Inoltre, se in una dittatura l'animale resta nella gabbia fino alla morte, in democrazia può regnare per un determinato lasso di tempo. La gente dal canto suo può contare i segni dei denti sul proprio corpo, misurare quanti chili di carne gli sono stati strappati e valutare se vale la pena di continuare a vivere in gabbia con lo stesso animale...

Sì, avevo deciso. Quelli giù nella cisterna avrebbero avuto il diritto di scegliere il proprio capo. Anzi, forse loro meritavano la democrazia molto più di tutte le altre persone in superficie, nella vita reale. Se non altro la cisterna era una gabbia vera e propria, e quella gente era consapevole di essere rinchiusa fra quattro mura che trasudavano umidità. Le persone in superficie invece non erano consapevoli di niente. Non si accorgevano neanche di vivere in una gabbia! Quando guardavano una cartina vedevano soltanto delle linee. Rosse linee di confine. Anzi, poiché erano abituati a quelle linee al punto da non rendersi conto di vivere in gabbia, erano capaci di morire, resuscitare e morire di nuovo soltanto per proteggere quei confini. Proteggere quella gabbia con delle targhette appese al collo che testimoniavano l'appartenenza a quel paese era addirittura una questione d'onore.

Forse avevano ragione. Dopotutto ormai era rimasto ben poco che rendesse dignitosa l'umanità. Per esempio, era troppo tardi per fare dell'onestà una questione d'onore. Se le regole biologiche mutassero, provocando un'emorragia cerebrale ogni volta che si pronuncia una bugia, l'umanità si estinguerebbe in un lampo restituendo la terra ai dinosauri! Allo stesso modo, è impossibile fare della giusta condivisione delle risorse una questione d'onore. Mai nessuno dirà: "Se su questa terra rimarrà una sola persona affamata mi ucciderò! Non accetto di rassegnarmi a un'esistenza così miserabile!"

E neanche i bambini possono essere resi agli occhi dell'umanità una questione d'onore. C'è mai stato qualcuno che abbia detto: "L'ho visto, signor giudice! Fa lavorare i bambini, così l'ho ucciso, è una questione d'onore!"?

O, pur ammettendone l'esistenza, c'è mai stata una legge che ha contemplato lo sfruttamento del lavoro minorile come un'attenuante per l'assassino dello sfruttatore? Di conseguenza se si vuol parlare di questioni d'onore, occorre qualcosa di più realistico. Per esempio le donne e la loro verginità! Ecco una questione d'onore realistica! Oppure una faida! O una disputa religiosa! O una critica della moralità! O ancora, uno spostamento dei confini della gabbia in cui si vive! Queste erano tematiche molto più logiche e non creavano nessun danno all'economia globale.

La storia umana, compreso lo scoppio della Terza guerra mondiale e tutta l'immondizia che ne deriverà, avrà più a che fare col metano e con tutta una serie di argomenti che non hanno nulla a che vedere con l'onore. Anche se a un'entità extraterrestre con le rotelle a posto quei confini risulterebbero claustrofobici, non c'è nulla da fare. Sì, quei confini sono claustrofobici come quando si è in tre in un piccolo ascensore, eppure ci sono vari modi per dimenticare di trovarsi in un ascensore. Andare su e giù, per esempio. È così che le persone rinchiuse in quei confini trascorrono il tempo. Andando su e giù in uno di quegli ascensori angusti che chiamano 'Patria', magari riuscendo qualche volta a sbirciare gli altri ascensori non appena si aprono le porte...

La situazione della gente nella cisterna naturalmente era peggiore. Loro erano sempre al piano interrato e non potevano andare in nessun posto.

Li osservavo nel monitor. Stavano seduti senza scambiarsi una parola. Soltanto Rastin era in piedi, dritto come una statua. Dopo essermi interrogato su cosa stesse osservando, capii che guardava la telecamera più vicina a lui, agitando la mano in quella direzione. Poi andò a sedersi in un posto rimasto libero. Tirò fuori dalla tasca carta e penna, e cominciò a scrivere.

Mi somiglia, vero?
Non saprei.
Secondo me sì... Guarda, sta lì a scribacchiare delle cose. Significa che ogni cinque anni passa un Cuma.
È possibile... Cuma?
Sì?
Perché stavi scappando?
Lascia stare.

Ti avrebbero ucciso, vero?
Ti ho detto di lasciar perdere.
Era lo stato che ti voleva uccidere?
Lo stato è soltanto una parola, Gazâ. Sono le persone che uccidono.
Ti volevano uccidere però, vero?
Tu vuoi pensare che sono morto mentre cercavo di sfuggire alla morte. Solo per colpevolizzarti. Per provare ancora più rimorso. Avevi solo dieci anni, Gazâ! Eri ancora un bambino. Non pensarci più.
Ma non ci penso infatti, lo sento soltanto...
Non mi piacciono i giochetti che fai con quelle persone.
Lo so.
Allora non farli... Guarda come sono stanchi. Chissà quanta paura hanno...
Nessuno è più stanco e impaurito di me, Cuma! Nessuno!
Ah, è così? Pensa a tua madre! Hai mai avuto così tanta paura da voler uccidere il tuo bambino?
Ricordami ancora una volta questa storia e io apro la valvola e faccio crepare questa gente affogata!
Mi ricordo anche quando volevi dare da mangiare agli uccelli legando delle briciole di simit alla coda del tuo aquilone... Che evoluzione... Non è vero?
Non te lo puoi ricordare, Cuma. Quello è successo prima che ti uccidessi. Adesso sta' zitto e guarda! Guarda e impara come si fa una frase completa con lo stato che dici essere soltanto una parola!

Gazâ! Andiamo via noi?"

"No, Rastin. Aspettiamo ancora il via libera. Ma c'è una faccenda più importante. Dovete scegliere un portavoce".

"Portavoce?"

"Sì, dovete avere un capo".

"Perché?"

"Perché da questo punto del viaggio in poi dovrete prendere alcune decisioni. Siete un gruppo numeroso. Non si può chiedere a ognuno di voi quello che vuol fare. Quindi trovate uno di cui vi fidate in modo che possa parlare a nome di tutti. Così sarà lui a trattare, capito?"

"Ma siamo arrivati in Turchia. Niente problemi".

"Lo so, ma è adesso che iniziano i veri problemi! Il vero viaggio inizierà quando salirete sulle barche. In ogni caso fa' come vuoi... Io lo dico per voi. Le persone che incontrerete fino alla vostra destinazione non sono come noi, Rastin. Lo sai che significa pericolo?"

"Sì".

"Allora diciamo così: c'è tanto pericolo!"

E così abbandonai la cisterna con gli occhi di Rastin che mi fissavano come due punti interrogativi.

Quando mi sedetti alla mia postazione aveva già iniziato a discutere con gli altri.

Usare la parola pericolo era stata la mossa giusta. Il modo migliore per spingere all'azione le persone dando meno informazioni possibili è convincerle dell'incombenza di un pericolo ignoto.

Probabilmente Rastin non aveva capito nulla di ciò che avevo detto, ma di certo aveva pensato che la faccenda fosse seria. Nel gruppo c'era un uomo che sembrava il più anziano. Era a lui che si rivolgeva la maggior parte degli sguardi. D'altronde venivano da una zona governata dalle tribù, ragion per cui credevano che la saggezza corrispondesse alla quantità di rughe sul volto di una persona. In verità, conoscevo bambini più piccoli di me, che lavoravano tutto il giorno nei campi, e avevano il viso simile a pelle di coccodrillo. Avere delle rughe sulla faccia non serve a niente. Invecchiare non è altro che l'ultimo stadio della malattia chiamata vita. La terza età è una fase in cui, nella maggior parte dei casi, si è già smarrita la ragione e si è appestati dalla tristezza dovuta alla sensazione di non poter più essere a proprio agio su questa terra. Gli anziani sono persone giunte alla piena consapevolezza di esser state fregate, consce di essere fuori tempo massimo per tutto. Una società diretta da persone simili può soltanto marcire tra lamenti e recriminazioni.

Il vecchio afgano parlava lentamente dal posto in cui era seduto e tutti stavano ad ascoltarlo. Poi Rastin attirò la mia attenzione agitando le mani verso una delle telecamere. In realtà lo avrei sentito anche se mi avesse chiamato, ma naturalmente lui non poteva sapere che le telecamere avessero un microfono. Così come non poteva sapere che avrebbe udito la mia voce dagli altoparlanti nella cisterna. Forse è per questo che quando parlai tutti saltarono per la sorpresa. Dissi: "Che c'è?"

Lo avevo detto quasi urlando, ma Rastin aveva afferrato al volo la situazione e fece una prova per averne conferma.

"Gazâ? Puoi sentire?"

"Sì, Rastin... Avete scelto?"

"Gli altri non capiscono. Che pericolo c'è?"

"Questo potrò dirlo soltanto alla persona che sceglierete. E a te, naturalmente. Perché sarai tu a tradurre. È meglio non spaventare gli altri, giusto?"

Non appena Rastin riferì le mie parole al gruppo nella cisterna fu come se un'onda l'avesse attraversata. Tutti cominciarono a parlarsi addosso. Nessuno sentiva o capiva niente. Lo potevo vedere benissimo, non c'era bisogno di sapere il pashtu per riconoscere la disperazione e la paura. Dato che aleggiava qualcosa di oscuro che poteva influenzare il destino di tutti, erano bastati pochi secondi perché il panico saturasse la cisterna come un gas letale.

Naturalmente tutto dipendeva dalle condizioni in cui si trovavano. Stavano vivendo una situazione fuori da ogni legalità e oltre ogni immaginazione, così reagivano molto più rapidamente rispetto a gente che passava la vita tra casa, lavoro e scuola. D'altronde erano sospesi tra il loro punto di partenza e la loro destinazione. Si erano lasciati alle spalle tutto quello che potevano permettersi di perdere. Ormai avevano solo i loro corpi. Il loro unico bene di valore erano loro stessi. In una situazione simile, non servivano più i valori morali che conoscevano, né le decisioni che potevano essere prese con i normali parametri della logica. Quando l'unico desiderio di un essere umano è spostarsi da un punto all'altro a qualsiasi costo, si sgretolano tutte le norme sociali e psicologiche. Per esempio, la preoccupazione per il futuro è mille volte superiore a quella di un popolo qualsiasi con le sue piccole ansie quotidiane.

Per questo ogni mia mossa otteneva la reazione desiderata.

L'anno prima, quando ero ancora uno studente, ero stato mandato al torneo cittadino di scacchi a tempo, in qualità di campione della mia scuola. Avevamo solo tre secondi per ogni mossa. Ero arrivato in finale. Mi ero trovato davanti uno studente della scuola privata che a ogni mossa si girava per guardare suo padre. Il padre era emozionato almeno quanto il figlio. Non so perché, ma mi feci deliberatamente sconfiggere. Alla fine l'uomo abbracciò suo figlio. Forse l'avevo fatto soltanto per assistere a quell'abbraccio.

Comunque... stavo di nuovo giocando a scacchi, ma con le persone della cisterna, con le loro reazioni istantanee. Poi una donna sulla quarantina che fino a quel momento non aveva attirato la mia attenzione, con in braccio un bambino di sette o otto anni, si mise a gridare mettendo tutti a tacere. Poi disse qualcosa indicando Rastin. Con ogni probabilità voleva che fosse lui a parlare. Rastin parlò per cinque minuti, poi tacque e indicò l'uomo anziano. Dopodiché nella cisterna si videro alzare dieci braccia. Le elezioni erano iniziate!

Un uomo di mezza età che avevo supposto essere suo figlio, poiché aveva accettato di defecare nello stesso secchio del vecchio, contò le braccia alzate. Poi disse qualcosa a Rastin, che dopo una lunga frase indicò se stesso. Si alzarono altre ventuno mani nella cisterna. La madre dell'unico bambino presente nella cisterna diede uno schiaffetto al braccio che aveva alzato, poiché non aveva ancora l'età per votare. L'uomo anziano durante le votazioni era rimasto immobile, guardando fisso di fronte a sé. Rastin, dal canto suo, non aveva esitato ad alzare la mano per votare se stesso. Avevo sempre trovato spregevole che qualcuno votasse per se stesso. È una delle due cose peggiori al mondo. L'altra è un indiano che gioca a cricket.

"Gazâ! Mi senti?"

Rastin era rivolto alla telecamera. Stavo per dire: "Sì, Rastin", quando l'uomo accanto al vecchio afgano si alzò in piedi e cominciò a gridare. Ormai ero certo che fosse suo figlio! Non ci voleva neanche molto per capire contro chi stesse urlando, ossia le ventuno persone che avevano votato per Rastin. A un certo punto non riuscì a trattenersi e fece per assalirlo, ma alcuni si misero tra loro. Soltanto che anche gli altri sostenitori del vecchio avevano cominciato a protestare. Naturalmente si erano alzati anche i sostenitori di Rastin, fino a poco tempo prima nient'altro che persone ordinarie. In pochi secondi scoppiò una rissa in cui non era chiaro chi picchiasse chi. Era strano, perché in realtà non poteva neanche essere definita un'elezione. Inoltre non sapevano nemmeno a che cazzo servisse la persona scelta. Avevano votato uno di loro ignorando perfino il motivo per cui l'avevano fatto. Ma poiché non era stato scelto il proprio candidato, avevano iniziato a nutrire rancore verso *qualcuno*. Stavano vivendo la prima fase della democrazia: credevano nella regolarità dell'elezione, ma siccome non era andata come volevano, non ne accettavano il risultato. Alla fine, quando entrò di nuovo in azione la donna sulla quarantina, togliendosi dalle braccia il bambino e urlando di dolore come se le stessero staccando i seni, tutti si placarono, anche se solo per un attimo. La donna aveva questa caratteristica: prima lanciava un urlo stridente, poi iniziava a piangere, man mano che piangeva la voce si affievoliva e quando si sedeva restavano soltanto i singhiozzi. Era una tecnica abbastanza efficace. Dopotutto aveva anche un accessorio portentoso: il bambino. Lo spingeva lontano da sé quando si alzava, per poi riprenderlo tra le braccia quando si sedeva, stringendoselo al petto. Il bambino nel frattempo non si toglieva dalla bocca la mano destra e guardava sua madre. Sembrava un animale impagliato. Forse era solo un nano che imitava un bambino. O magari era il marito e non un nano che imitava un bambino. Non si capiva bene, da dove stavo... Non mi curavo dei dettagli. Dal monitor con i riquadri delle sei telecamere, l'unica cosa che mi interessava era che la tranquillità, che regnava nella cisterna fino a mezz'ora prima, era stata spazzata via dalla politica. D'altronde la politica è come una materia estranea che si intrufola nel corpo umano, innaturale come un chiodo di platino. È il più grande ostacolo al naturale funzionamento della società. È contraria alla natura umana. Ma d'altro canto è l'uomo stesso a essere contro natura. Quindi non c'è molto da fare.

Rastin, vedendo le proteste rispetto ai risultati dell'elezione, guardò la telecamera di fronte. Tutto l'accaduto sembrava non interessare l'uomo anziano, ma, dalle occhiate dei suoi sostenitori, si capiva chiaramente che non avrebbero perdonato Rastin. Lui intanto non riusciva a guardare la telecamera il tempo necessario per iniziare a parlare, perché ogni tre secondi lanciava occhiate inquiete in direzione degli oppositori, timoroso di essere assalito da un momento all'altro. Si tranquillizzò quando le proteste si ridussero a mormorii e scuotimento di teste.

"Va bene, Gazâ. Sono io il capo... Dimmi... Qual è pericolo?"

"Allora, Rastin, mi raccomando di non riferire agli altri quello che ti sto per dire. Prima ti racconto come stanno le cose, cerchiamo una soluzione e poi vediamo. Intesi?"

"Va bene".

"Le persone che devono farvi entrare in Grecia vogliono più soldi, perché ci sono troppi controlli via mare, capisci? Più rischi, più soldi!"

"Ma noi abbiamo dato soldi a Kabul. Dicevano che bastavano".

"Lo so. Ma pare che dobbiate pagare più soldi".

"No, Gazâ. Niente soldi".

Il fatto che mi chiamasse sempre per nome cominciava a innervosirmi. Non so perché.

"Sei sicuro che nessuno abbia soldi?"

"Sicuro! Ci hanno detto che era meglio partire senza soldi".

"Bene, allora possiamo fare così. Siete trentatré persone, avete pagato ottomila dollari a testa, giusto? Adesso vogliono altri duemila dollari a testa. Insomma, in totale ognuno deve pagare diecimila dollari. In questo momento c'è un buco di sessantaseimila dollari. Trattando riuscite a risparmiare seimila dollari, ma resta quello che devono dare sei persone. Quello che avete pagato finora basta solo per ventisette persone. Di conseguenza solo ventisette persone continueranno il viaggio. Perciò dovete scegliere quali saranno le sei persone che resteranno qui. O meglio, sei tu che devi scegliere, perché se racconti tutto questo agli altri di sicuro scoppia il pandemonio. Ma se tu mi dici chi deve restare diremo loro che passerà una seconda barca a prenderli e poi li rimanderemo in Afghanistan. Hai capito tutto quello che ti ho detto?"

Ero sicuro che Rastin avesse capito tutto quello che gli avevo detto. Sapevo dai racconti di molti afgani transitati per la cisterna che all'università di Kabul c'era un dipartimento di lingua e letteratura turca. E sapevo che molti studenti, indipendentemente dalla facoltà di appartenenza, frequentavano un corso di turco o quantomeno imparavano qualche parola. Ma il turco di Rastin era il migliore che avessi mai sentito. Forse era già venuto in Turchia in passato, magari ci aveva pure vissuto. Ma tutto questo non mi interessava. Avevo quindici anni e tutto il mondo girava intorno a me. Come una mosca! E se continuava a girare era soltanto perché avevo deciso di non ucciderlo e schiacciarlo con la mia mano!

"Non capisco io! Gazâ?"

Rastin cercava di darmi a bere che aveva dimenticato il turco in meno di quattro secondi, ma le gocce di sudore che luccicavano sotto la lampadina della cisterna mi dicevano il contrario.

"Devi scegliere sei persone. Loro restano qui e poi ritornano in Afghanistan. Altrimenti dovete pagare sessantaseimila dollari. Hai capito adesso?"

"Sì" disse Rastin. Era sul punto di scoppiare a piangere.

"Non potete dare duemila dollari a testa?"

"No, no, troppi soldi. Nessuno ha soldi. Non c'è un altro modo?"

"Un modo ci sarebbe... Magari possiamo fare così. Io so come lavorano queste persone. Lavorano anche col traffico di reni. Ognuno può essere venduto anche a ventimila dollari. Se scegli tre persone possiamo sistemare tutto".

Man mano che ascoltava, gli occhi di Rastin si sgranavano sempre di più, superando quasi la montatura rotta dei suoi occhiali da vista.

"Un attimo! Un attimo! Che dobbiamo dare?"

"Ah, non conosci quella parola? Vuoi che prenda il dizionario e te lo dica in inglese?"

"No! Lo so, lo so! Rene! Ma no! Gazâ!"

"Va bene, allora l'unica soluzione che mi viene in mente è questa: scegli due donne da dare agli scafisti e voi continuate il viaggio. Però mi raccomando, quelle giovani, non quella col bambino".

Rastin stava per svenire.

"Non è possibile! Non è possibile! No!"

"Allora vado a dirlo a mio padre. Tornate tutti indietro. Va bene?"

"Gazâ! Gazâ!"
"Dimmi, Rastin".
"Do io. Basta un rene?"
Avevo capito bene? Era in grado di fare un tale sacrificio? E per di più per un gruppo di persone dove uno su tre avrebbe voluto farlo a pezzi! Dovevo fare la mia mossa in meno di tre secondi. Con quella frase era come se la scacchiera fosse divenuta grande quanto il tetto del capannone e mi fosse caduta in testa. Ma non ero ancora morto!
"Va bene! Uno da te. Ma ne mancano altri due".
Rastin, senza fiato dopo la sua dimostrazione di eroismo, aveva gli occhi di tutti gli altri clandestini puntati addosso. Sapendo che l'argomento li riguardava da vicino, si erano sforzati all'inverosimile per cogliere qualche parola conosciuta nelle frasi che ci eravamo scambiati. Ma non avevano capito nulla e quindi erano impazienti. Il figlio dell'uomo anziano non riuscì a trattenersi e cominciò a parlare. Di sicuro stava chiedendo che cosa avessi detto. Rastin probabilmente stava cercando di convincerlo ad aspettare qualche minuto, prima di raccontare tutto. L'uomo, invece, convinto che tutta la sua famiglia avesse subìto un'umiliazione perché suo padre non era stato scelto come capo, voleva subito una risposta. Subito! E gliel'avrei data io la risposta che cercava, senza bisogno di ricorrere al pashtu.
"Rastin, ascoltami!"
Rastin stava tenendo a bada l'uomo che ormai si era avvicinato e gli parlava con fare scontroso puntandogli una mano sul petto. Poi disse: "Dimmi Gazâ!"

"Adesso aprirò il coperchio e ti getterò una chiave. Nel vano sul retro c'è una catena assicurata al muro con un lucchetto. Aprilo, legaci quell'uomo e chiudi la porta".

Rastin, sempre intento a tenere a distanza l'uomo, soffocò il vocio che si era levato nuovamente con un grido: "Non serve!"

"Fa' come vuoi..." dissi.

Il mio primo espediente per indurre la prima incarcerazione nella mia cisterna-paese era andato a vuoto. Rastin, guardando tutti i presenti, probabilmente cercava di convincerli che per il momento era necessario mantenere la calma. Ma il figlio del vecchio parlava ininterrottamente, come se stesse recitando a memoria una cantilena. Senza sosta. A un certo punto Rastin disse qualcosa che lo zittì improvvisamente, facendolo rimanere a bocca aperta. Poi pronunciò ancora qualche breve frase e la gente nella cisterna restò letteralmente pietrificata. Doveva aver raccontato la faccenda dei reni, il debito di sessantaseimila dollari. Fossi stato in lui non sarei riuscito a resistere così tanto, avrei raccontato tutto subito. Ma Rastin aveva la stoffa del leader. Si vedeva che aveva dimestichezza con le situazioni di crisi! Quando smise di parlare, l'uomo che fino a qualche attimo prima sbraitava, andò silenziosamente a sedersi accanto a suo padre. Rastin guardò la telecamera più vicina e disse: "È tutto a posto. Non c'è nessun problema".

"Hai raccontato tutto?" chiesi.

"No".

"E quindi come l'hai fatto stare zitto, quello?"

"Ho detto che tuo padre è morto. Ho detto che tu sei pazzo! Che siamo in prigione! Io parlo con il bambino e libero tutti, ho detto. Capito?"

Ecco, questo non me l'aspettavo. Rastin non era soltanto un leader, era pure un vero avvocato! Non so se avesse una laurea in legge, comunque non ne aveva bisogno. Inventare in pochi secondi la storia della prigionia a opera del bambino impazzito per la morte del padre era più difficile che scrivere una tesi sull'intero corpus del diritto romano!

"Gazâ?"

"Sì?"

"Non aprire la porta!"

"Va bene!"

"Se apri, loro attaccano!"

"Va bene, Rastin".

"Adesso canta..."

"Che cosa?"

"Una melodia!"

"Che cosa?"

"Canzone! Canzone!"

"Una canzone?"

"Tu sei pazzo. Canta canzone!"

Sorrisi. Sul muro che avevo di fronte a me c'era un calendario con i versi più famosi di Mehmet Akif Ersoy. In fin dei conti anche l'inno nazionale era una canzone! Cominciai a cantare. In quel momento vidi nel monitor decine di facce rivolte verso di me. Trentadue persone, compreso il vecchio, guardavano le telecamere e io mi sentii veramente un pazzo. Ero convinto di essere pazzo almeno quanto lo erano loro. L'unico che non credeva che fossi pazzo era Rastin.

Per questo, forse, fu l'unico a non voltarsi verso le telecamere. Scostava la segatura sul pavimento con la punta del piede e probabilmente si stava chiedendo a chi avrebbe dovuto far asportare gli altri due reni. Quando finii la seconda strofa dell'inno nazionale, Rastin farfugliò qualcosa. Una frase breve. Forse era una sola parola. Tutti cominciarono ad applaudire! Ormai eravamo realmente in democrazia! Il capo pensa di governare raccontando bugie, il popolo crede che tutte le leggi emanate siano per il proprio bene, e tutto quello che può fare lo speaker della radio, unico mezzo di comunicazione del paese, è fingersi pazzo!

Quel giorno non parlai più con Rastin. Mi limitai a osservarlo. Girava tra i gruppetti formatisi nella cisterna dicendo qualcosa. Poi, a un certo punto, si avvicinò a una telecamera e mi chiamò. Io non risposi. Chinò il capo e si allontanò. Era così provato dal senso di responsabilità che gravava sulle sue spalle che si accasciò sul pavimento. O magari stava solo facendo finta di dormire per non essere disturbato. Quanto agli altri, dovevano essere intenti a escogitare una fuga dal proprio stato di prigionia. Le donne piangevano. L'uomo anziano e i suoi sostenitori fissavano il vuoto davanti a loro, gli altri invece si lasciavano andare in battibecchi più o meno aspri. Nel frattempo, l'unico bambino nella cisterna canticchiava il motivo dell'inno nazionale.

Il giorno seguente, la prima cosa che feci fu sedermi alla scrivania e aprire il microfono.

"Rastin!"

Ansioso di risentire la mia voce, lui si alzò di scatto e disse: "Sì?"

Gli altri invece cominciarono a sorridere in direzione delle telecamere, nel patetico tentativo di compiacere il bambino pazzo che li teneva prigionieri.

"Adesso la situazione è questa: mio padre ha parlato con quei tizi. Basta un solo rene. Quindi non c'è bisogno che tu scelga altre due persone. La faccenda è sistemata. Non so dove faranno l'operazione, quasi sicuramente da qualche parte in Grecia. Secondo me puoi raccontare la verità a tutti. Puoi dire che ti ho detto una bugia, che ti ho preso in giro dicendoti che mio padre era morto... Adesso parlerò un altro po', come se ti stessi raccontando tutto, tu fai finta di sentire la faccenda dei sessantaseimila dollari per la prima volta... Va bene? Io continuo a parlare... Ma anche tu fa' qualche domanda".

Rastin tuttavia non parlava. Guardava solo la telecamera. Nella lente destra dei suoi occhiali c'era una crepa che non avevo notato prima. Forse si era rotta di notte, non avendo retto la stanchezza degli occhi. O magari durante la zuffa del giorno prima. Proprio mentre riflettevo su questo, Rastin si voltò e tornò a sedersi dove stava prima. Di nuovo la cisterna fu attraversata da un'onda e tutti attorniarono Rastin. Era così pressato dalla calca e assillato da quel coro straziante che iniziò a gridare con un tono che non mi sarei mai aspettato da lui. Non riuscivo a capire che stesse facendo. E non ero il solo, nemmeno gli altri ci capivano qualcosa. Rastin stava gridando così forte che quel coro spaventoso cessò immediatamente. Poi lui si prese la testa tra le mani e chiuse gli occhi. La folla intorno a lui si disperse lentamente. Ancora non capivo che cosa stesse cercando di fare.

"Rastin!" lo chiamai, ma non alzò nemmeno il capo.

Quel giorno, nonostante avessi cercato di parlargli

più volte, non mi rispose e rifiutò perfino le provviste di cibo che gli altri gli offrivano. Si limitava a guardare le persone che lo circondavano. Quelle persone che mangiavano, parlavano, passeggiavano e recitavano le preghiere rituali. Per farle arrivare a destinazione avrebbe dato via il suo rene... Probabilmente si stava chiedendo se ne valesse la pena. Il capo guardava il suo popolo e si domandava: "Ne vale la pena per queste persone?"

Nel frattempo gli altri, di fronte al silenzio di Rastin, alla sua rinuncia a trattare con il bambino pazzo, si mettevano davanti alle telecamere e recriminavano. Un gruppo tentò di forzare la botola della cisterna, ma il buon Ahad doveva aver previsto giorni così, perché aveva fatto installare non un semplice tombino, ma qualcosa di solido quanto il tumulo di una bara! Non avevano alcuna possibilità. Specialmente la donna che agitava suo figlio davanti alla telecamera! Chissà cosa stava dicendo per convincermi... Per un attimo pensai che stesse minacciando di tirare il collo al bambino se non avessi aperto la botola. Ma mi sbagliavo. Con ogni probabilità cercava di mostrarmi quanto fosse magro e malato suo figlio. Doveva essere così, perché lo sollevava quasi con un braccio solo e poi lo allontanava dalla telecamera stringendoselo al petto. Poi sul mio canale televisivo personale dopo il documentario "Suppliche", fu la volta di "Minacce". In questo campo il figlio dell'uomo anziano era sicuramente il migliore. Era così fuori di sé che iniziai a pensare che avrebbe dovuto realmente trascorrere gli ultimi giorni della sua vita chiuso nella cisterna. Ogni particella del suo viso tremava per la rabbia. Le sopracciglia, le guance, la barba, tutto. Desideroso di venirmi il più vicino possibile, tirava pugni che si infrangevano sotto la telecamera. Probabilmente colpiva il muro. Ma dopo essersi reso conto che questa dimostrazione di odio non serviva a nulla, tornava a sedersi accanto al padre, gli metteva una mano sulla spalla e ricominciava a gridare da seduto. L'unico che non si avvicinava alla telecamera era Rastin. Ormai era l'unico a non parlarmi. Quanto a me, stavo a guardare. Non volevo interferire. Aspettavo solo la prossima mossa di Rastin...

Verso sera accadde una cosa insolita. Rastin chiese un barattolo con del cibo all'uomo che aveva accanto. L'uomo rifiutò. A quel punto Rastin glielo strappò di mano in modo così brusco e sicuro che l'uomo non poté far nulla se non alzarsi e allontanarsi. Dopo aver finito il barattolo, Rastin prese una bottiglia d'acqua dalla donna che sedeva alla sua sinistra. La donna prima guardò Rastin versarsi in testa la bottiglia, poi si volse verso gli altri. Tutti le fecero come segno di lasciar perdere. Dopo aver svuotato la bottiglia, Rastin si asciugò la bocca col dorso della mano, poi, senza neanche alzarsi, puntò lo sguardo verso la telecamera e gridò: "Gazâ! Sei lì?"

"Sì!"

"Tu spegni queste luci?"

"Mi stai chiedendo se posso spegnerle da qui?"

"Sì".

"Vuoi che le spenga?"

"No".

Rastin si alzò in piedi e disse qualcosa a tutto il gruppo. Stava indicando i neon sul soffitto. Poi, con lo sguardo rivolto alla telecamera, disse: "Spegni! Accendi!"

Io a quel punto mi alzai in piedi e pigiai due volte l'interruttore delle luci della cisterna. Non capivo che diavolo stesse cercando di fare. Ma almeno in questo modo il tempo passava più velocemente...

Quando tornai alla scrivania, vidi i clandestini sorridere, dare delle pacche amichevoli sulle spalle di Rastin, come se gli stessero facendo i complimenti. Fu in quel momento che capii! Rastin stava dimostrando di essere in grado di controllarmi, di essere in grado di relazionarsi con me... In quel modo stava dando prova di essere l'unica persona in grado di comunicare con me. Risi. Mi chinai verso il microfono e chiesi: "Vuoi che faccia qualche altra cosa?"

"No" disse "parla con me".

"Vuoi che parli? E di cosa?"

"Tu parla".

"Va bene... Dove hai imparato il turco?"

"All'università di Kabul. Io dovevo andare all'università di Istanbul per il Master Degree. Capito?"

"E perché non l'hai fatto?"

"Destino!"

"Parli molto bene però!"

"Grazie".

Andò accanto al figlio dell'uomo anziano, lo fece alzare e disse: "Guarda".

"Sto guardando, Rastin".

Ne fece alzare un altro dello stesso gruppetto e disse loro qualcosa. Prima i due scossero la testa e si rimisero a sedere. Ma stavolta quasi tutta la cisterna cominciò a inveire e a gridare contro i due uomini. Loro prima si guardarono l'un l'altro, poi guardarono la telecamera e iniziarono a togliersi la camicia. In quell'istante Rastin gridò: "Gazâ! Per te!" e così i due uomini, ormai a torso nudo, cominciarono a picchiarsi...

Sì, era chiaro! Rastin, facendomi parlare, era riuscito a far credere che avessi impartito qualche strano ordine e loro, pronti a tutto pur di uscire da quella cisterna, non avevano potuto rifiutare di sottoporsi a quella crudeltà.

Certo, bisognava tenere in considerazione anche la pressione esterna! Bene, ma perché Rastin si comportava così? Probabilmente lo sapevo già. Forse aveva trovato la risposta al dilemma che lo teneva assorto. Valeva la pena sacrificarsi per queste persone? No! Ma ormai stava per farsi asportare un rene come lasciapassare per i sogni di quelle trentatré persone, se si contava anche il bambino! Adesso era il momento della vendetta! O meglio, doveva iniziare a riempire già da ora il vuoto che avrebbe lasciato quel rene...

I due uomini si stavano picchiando come se dovessero distruggersi, e Rastin assisteva con un volto che aveva perso la sua normale espressione. Era come se stesse facendo combattere due cani. Due cani umiliati fino a mordersi, ma dalle cui fauci non usciva altro che sudore e bava...

Tutti gli altri spostavano il loro sguardo dalle telecamere ai due combattenti, applaudendo e facendo il tifo.

Sei consapevole di quanto sia spaventoso tutto questo?

Eh?
Guarda queste persone! Guarda in che condizioni sono!
Io non ho fatto niente! Sta facendo tutto Rastin.
Hai detto che gli avrebbero asportato un rene.
Sì, però non gli ho detto di far picchiare quelle persone. E poi ormai è tardi. Fin quando non si decide a raccontare la verità agli altri, non posso far nulla. Altrimenti quelli mi uccidono.
E allora digli di raccontare tutto! È così che si fonda uno stato, secondo te?
Si fa proprio così, lo sai? Perché tutto sta nel non sporcarsi mai le mani...
Bravo! È proprio un grande successo sfruttare le condizioni in cui si trovano queste persone per ridurle in questo stato. Complimenti!
Cuma!
Che c'è?
Ti ricordi che non ho acceso l'impianto di aerazione? In realtà non è stata una dimenticanza. Semplicemente non mi andava di farlo. Mi rompevo terribilmente a camminare fino al capannone. Tutto per dispetto a mio padre! Mi aveva detto che era rimasta una persona nel vano del camion. Quindi mi aveva detto di svegliarmi presto per accendere l'impianto d'aerazione. E io mi ero pure alzato presto... Ma non mi sono mosso dal letto. Sono rimasto lì a guardare quel soffitto bianchissimo e credimi, Cuma, non esiste niente di più orribile di quel soffitto! Né le cose

che si fanno a vicenda queste persone, né quello che io faccio fare loro! Non c'è niente di più orribile di quel soffitto.
C'è però una cosa che non è orribile, Gazâ!
E sarebbe?
Il fatto che Rastin abbia accettato di dare via un rene per quella gente!
E quindi? Semplicemente si è creduto un essere umano per un attimo. Pure io mi credevo così, un tempo... Non è il caso di sopravvalutarlo.

Il terzo giorno dentro la cisterna, Rastin perse completamente il senso della misura e gli ordini che venivano impartiti a mio nome si fecero sempre più violenti. Scelse due persone a caso, le fece sedere davanti alla telecamera e le fece schiaffeggiare a vicenda. Dopo essere rimasto a guardare per un po', ne fece aggiungere una terza. Nel giro di qualche minuto erano in dodici a schiaffeggiarsi, formando una catena di uomini che si schiaffeggiavano a turno, da sinistra a destra...

Naturalmente c'era anche chi voleva rifiutarsi di fare una cosa così stupida, ma Rastin non ebbe neanche bisogno di insistere per convincerli. Ogni volta gli trovavano qualcuno disposto a eseguire le azioni richieste al posto dei 'rivoltosi'.

Gli esclusi dalla catena, in un certo senso, venivano esiliati dal resto del popolo. Nessuno parlava o condivideva il cibo con loro perché si erano sottratti ai propri obblighi sociali. Gli esclusi sedevano in disparte a covare rancore, ma poi, quando vedevano le guance di quelli che avevano preso il loro posto arrossarsi sempre di più, non riuscivano a resistere e imploravano di poter essere reinseriti nella catena.

Questa volta però erano quelli che avevano preso il loro posto che facevano a gara per continuare a sacrificarsi.

"Rastin!"

Fermo a breve distanza dal centro della catena, intento a seguire con lo sguardo gli schiaffi, Rastin, sentendo il suo nome, sollevò il capo.

"Che c'è?"

"Quanto durerà tutto questo?"

"Noi quando partiamo?"

"Non lo so, ancora non abbiamo notizie..."

In verità non gliel'avrei chiesto, ma lo feci: "Rastin, come funziona? Siccome ti sacrifichi per queste persone, le devi punire?"

Rispose immediatamente, come se si aspettasse questa domanda.

"No. Io do rene. Per me. Per loro. Per partire. Nessun problema. Io faccio a loro questo perché io vado via da casa. Per colpa loro. Capito? Io vado via da Afghanistan per colpa di afgani. Questi sono afgani. Casa mia è l'inferno. Io a Kabul ho combattuto sempre per loro. Guerra! Per loro! Ma inutile! Come si dice gente? *People*? Persone, gente di Afghanistan?"

"Popolo?"

"Sì, io combattuto sempre per il popolo. Ma quando io ero in prigione, niente popolo! Molti amici sono morti. In prigione. Hai chiesto perché non sono andato a Istanbul. Perché io ero in prigione! Capito? Sempre per popolo! Per questi qua! Ma quando ce n'era bisogno, niente popolo! Non ti preoccupare, questa è solo una piccola punizione. I miei amici invece sono morti. Capito?"

Forse avevo capito. Ma c'era ancora una cosa che non mi tornava.

Gli chiesi: "Ma quelli che hanno ucciso i tuoi amici e ti hanno imprigionato non erano queste persone. Giusto?"

"Peggio!" disse "questi sono stati zitti!"

Nel frattempo Rastin vide un uomo che si rifiutava di far parte della catena: si avvicinò al suo orecchio e cominciò a gridare. Così la mano che era rimasta sospesa in aria colpì la guancia e la catena riprese il suo corso. Allora capii in quale nido di vespe avevo ficcato il naso. E così restai a osservare uno studente universitario, pronto a dare tutto ciò che possedeva per il suo popolo, punire delle persone per essere stato costretto ad abbandonare il proprio paese.

Guardai la punizione di quelle persone colpevoli di aver continuato a condurre la propria vita quotidiana facendo finta di non vedere né sentire nulla, mentre Rastin e i suoi compagni sacrificavano la loro vita in carcere.

Dopo un po' mi alzai dalla sedia, lasciando Rastin con la sua vendetta che non avrebbe mai consumato fino in fondo. Non si sarebbe mai vendicato veramente, perché nessuno gli era mai andato a dire: "Va' in carcere e crepa per noi!"

Era questo il punto che Rastin mancava di considerare. Gli eroi svolgono il proprio ruolo per se stessi, non per il popolo, che invece è codardo e astuto. Non era possibile trovare un'intesa tra loro. Ma il fatto che Rastin adesso si stesse prendendo la sua rivincita sul popolo indicava che non era così stupido. Era un vero capo. Abbastanza eroe e abbastanza uomo del popolo.

E questo suo misto di coraggio e astuzia lo rendeva un tipo di uomo tra i più pericolosi.

La sera del terzo giorno Rastin mi fece aprire la botola per porgermi i secchi pieni e riaverli vuoti, dopo aver fatto sistemare le trentadue persone della cisterna nell'angolo più lontano dall'unica via di fuga. Aveva fatto credere a tutti che fossi armato, ma questo non gli impediva di prendere e distribuire i panini che avevo preparato. Poiché le scorte dei clandestini si stavano esaurendo, quei panini arrivarono come una benedizione; i clandestini li baciarono. In ultimo appresero da Rastin una notizia: era riuscito a convincere il bambino pazzo che li teneva prigionieri a mettersi in contatto con gli uomini del padre! Ciò lasciava intendere che ben presto avrebbero ripreso il viaggio. A quel punto Rastin divenne il Creatore stesso, in quella cisterna. Il vecchio, suo figlio e il suo seguito dimenticarono totalmente i recenti dissapori e divennero i suoi più accaniti sostenitori. Tutti lo adoravano. Addirittura, a un certo punto, nel vano che avevo predisposto come bagno, mentre gli altri dormivano, vidi una delle donne più giovani inginocchiarsi davanti a lui, abbassargli i pantaloni e aprire la bocca. Io guardavo la donna, Rastin la telecamera. Rideva... Il giorno dopo venimmo a sapere che una donna del gruppo era incinta di quattro mesi. Promise che se il figlio fosse stato maschio si sarebbe chiamato Rastin. Bene, quindi se lui era il Creatore in quella cisterna, io chi ero? Esisteva in teologia qualcosa come il Creatore del Creatore?

Insieme a tutti questi sviluppi, anche Rastin stava cambiando, come se non nutrisse più il rancore dei primi giorni. Il rapporto che aveva istaurato con il suo popolo era divenuto più meccanico e le torture che infliggeva a mio nome si erano fatte più rare. Soltanto una mattina, chissà per quale motivo, fece frustare un uomo, forse per ribadire la sua autorità. Ormai nella cisterna si era formato un vero e proprio stato. Un piccolo stato che viveva, agiva e lavorava. Rastin assegnava diversi compiti al suo popolo. Per prima cosa faceva pulire la cisterna almeno tre volte al giorno. Poi faceva fare ginnastica ogni mattina e ogni sera, permettendo a quelli che sudavano di più di rinfrescarsi con l'acqua di un secchio che io calavo giù. Leggeva ad alta voce passi dell'unico libro che aveva con sé e faceva discutere i temi suggeriti dalla lettura. Dopo ogni discussione nasceva sempre qualche piccolo battibecco, che Rastin seguiva mettendosi in disparte con il volto sorridente. Mentre il popolo della cisterna si azzuffava per delle stupidaggini, Rastin sceglieva un'altra donna da portare nel bagno per spiegarle minuziosamente cosa dovesse fare con la sua lingua. In sostanza aveva modificato la direzione da cui proveniva la violenza. Ora non arrivava più direttamente dal bambino pazzo, ma dal popolo stesso. E Rastin trovava sempre un modo per mettere gli uni contro gli altri. A questo scopo utilizzava soprattutto la luce o la temperatura. Diceva che io avessi ordinato: "O le luci o i ventilatori!" e poi mettendosi da parte lasciava la scelta al popolo. In tal modo metteva quelli che volevano leggere il *Corano* tutta la notte contro quelli che impazzivano per il caldo. Però stava ben attento a non creare conflitti tra tagiki e pashtu, perché sapeva che una lite del genere, nella migliore delle ipotesi, si sarebbe potuta concludere con uno o due omicidi. Di conseguenza non faceva mai leva sul fattore etnico, ma si concentrava sui problemi comuni, creando fronti che si diversificavano a ogni lite. Per esempio utilizzava lo stesso stratagemma della temperatura e della luce con l'acqua e il cibo, minacciando di aumentare l'una a discapito dell'altro. Naturalmente la scelta spettava sempre al popolo. In tal modo il popolo si sentiva padrone delle proprie azioni e non dubitava minimamente della buona fede di Rastin. Semplicemente, chi voleva più cibo si azzuffava con chi voleva più acqua. Rastin non faceva altro che servirsi di normali espedienti per evitare di essere messo in discussione. Nel mondo esterno miliardi di persone vengono governate esattamente nello stesso modo. Anche a loro vengono poste delle domande, viene chiesto di partecipare a delle elezioni e vengono distribuiti dei questionari con domande del tipo: Dove vorresti essere in questo momento? Cosa facevi in passato? Chi è la donna più bella della tua città? Normale o dietetica? Ben cotta o al sangue? Il problema è che la carne di cui si chiedono informazioni per la cottura non è altro che la loro! In realtà a quelle persone viene chiesto: Come volete che vi cuciniamo? Eppure, dal momento che a loro sfugge questa verità, rispondono con l'orgoglio di chi ha la possibilità di scegliere: "Ben cotta!"

Di certo, qualcuno risponde: "Al sangue!" e il loro desiderio è esaudito. Col sangue...

Rastin tuttavia, insieme a questo espediente, utilizzava anche un altro mezzo che poteva essere definito un'innovazione nel campo della scienza politica. Il figlio del vecchio, acerrimo nemico di un tempo, ormai era il suo principale collaboratore. Rastin gli sussurrava all'orecchio gli ordini che diceva di ricevere da me, e lui a sua volta li sussurrava a un altro. Così, mentre gli ordini circolavano, passando da un orecchio all'altro, nessuno parlava direttamente con Rastin e all'interno della cisterna prendeva forma una struttura gerarchica non piramidale, ma *a spirale*.

Al centro c'era Rastin, e subito accanto a lui il suo primo collaboratore. Accanto a questo un altro, e così via. Quindi gli ordini che partivano da Rastin si diffondevano in modo circolare. Ai margini di quella spirale a volte c'era l'unico bambino del gruppo, altre un uomo di mezza età magro quanto il bambino... Le donne naturalmente non erano incluse nella spirale, perché non contavano nulla. Anche la donna che urlava col bambino in braccio non era che una nullità. Soltanto quando gli ordini le riguardavano direttamente, chi era ai margini della catena li trasmetteva anche a loro.

Il sistema politico nella cisterna, iniziato come una democrazia, si era trasformato in una dittatura. Una dittatura che aveva superato il classico schema piramidale. Ogni uomo rispondeva alla persona più forte che aveva accanto a sé. E al vertice, o meglio, al centro, c'era il capo. Dato che trascorrevano le giornate seduti a spirale, si guardavano in faccia, ma comunicavano soltanto con due persone, un superiore e un sottoposto. Nelle strutture piramidali c'erano sempre delle classi dominanti formate da individui che si consideravano pari. Classi di mille o qualche volta soltanto tre persone. Nella struttura a spirale ogni persona era una classe a sé. Forse occorreva dare un altro nome a quel sistema. Ultra-dittatura o qualcosa del genere. Perché ogni uomo era un dittatore per il suo sottoposto. A eccezione del bambino e dell'uomo di mezza età macilento, ognuno era un dittatore di vario livello. Tutti facevano parte della spirale, del sistema. Così sembrava che non ci fosse alcuna gerarchia. Forse Rastin aveva optato per questa tattica perché il popolo non si rendesse conto di essere in un'ultra-dittatura. Se non altro perché il capo era al suo stesso livello. Insomma, il capo era 'uno del popolo'! Inoltre, visti da lontano, mentre sedevano insieme, sembravano un gruppo coeso in cui era impossibile rintracciare la minima gerarchia. Se per esempio Rastin mi avesse chiesto uno sgabello per sé, tutto sarebbe stato diverso. Con lui seduto sullo sgabello, trenta centimetri più in alto di tutti gli altri, la dittatura sarebbe venuta allo scoperto. Rastin invece si era ostinato a promuovere una gerarchia a spirale di sua invenzione, che avrebbe meritato un corso di quattro ore alla settimana alla facoltà di scienze politiche. Naturalmente, come tutti i sistemi, aveva le sue pecche. Per esempio, le richieste dai margini della spirale verso il centro si perdevano o giungevano distorte. Oppure accadeva che un ordine partito dal centro si modificasse completamente quando raggiungeva l'esterno. Ma in fondo stavamo sempre parlando di un'ultra-dittatura. Era naturale che gli ordini del capo e le richieste del popolo subissero delle distorsioni nel passaggio da un orecchio all'altro. Paragonato alla comunicazione tra me e mio padre, lo scambio di informazioni nella cisterna era praticamente telepatia!

Nel frattempo Ahad era tornato e mi aveva subito chiesto: "Ci sono stati problemi?" E io avevo risposto: "No". In fondo cos'altro potevo dire? Lui non avrebbe capito o, in ogni caso, io non sarei stato in grado di spiegarglielo...

Il giorno in cui festeggiavamo la fondazione del paese chiamato Cisterna, quando passai davanti al monitor, vidi le donne radunate con le facce al muro e gli occhi bendati. Non ci volle molto perché capissi cosa stesse succedendo. All'altro capo della cisterna c'era l'uomo magro, totalmente nudo, che veniva percosso da decine di calci e pugni. Il tutto stava accadendo così rapidamente che non avevo idea di cosa fare. Vidi Rastin che assisteva impassibile, come sempre. Aprii il microfono e urlai più volte: "Ora basta!", ma lui non mi ascoltava. Era come se non sentisse, ma io non potevo permettere che la merce calasse. Quello che stavo vedendo non era una delle dimostrazioni di autorità di Rastin che toglievano il respiro, né gente che si schiaffeggiava o si prendeva a cinghiate. L'uomo era stretto nell'angolo e veniva preso a calci così forti da farlo crepare veramente.

Dovevo trovare un modo per fermarli. La prima cosa che mi venne in mente fu di togliere l'elettricità. Soltanto allora Rastin tornò in sé e disse: "Va bene, Gazâ! È finita!"

Quando ridiedi la corrente, vidi l'uomo magro tentare di riprendersi, steso sul pavimento, circondato dal proprio sangue. Gridai a Rastin: "Perché l'hai fatto?"

Lui era calmissimo.

"Non sono stato io!" disse e indicò tutti gli altri. "Sono stati loro!"

"Loro non fanno niente se tu non glielo ordini!"

Prima scosse lentamente la testa un paio di volte, poi disse: "Invece sì. Lo fanno..."

Ordinò ad alcuni picchiatori di raddrizzare l'uomo e di pulire il sangue sul pavimento. Quelli che fino a un attimo prima l'avevano picchiato riducendolo a un rottame obbedirono e lo sollevarono di peso.

"Racconta!" urlai. "Che è successo?"

Prima lui disse: "Niente", ma poi raccontò quel 'niente'... Tutto era cominciato quando l'uomo magro aveva detto che la prossima volta che avessi aperto il coperchio mi avrebbe sopraffatto e disarmato. "Sistemo il bambino e gli prendo la pistola! Così finisce questa tortura!" aveva detto. Gli altri, però, giudicando rischiosa un'azione del genere e credendo che Rastin avesse in pugno la situazione, gli dissero che qualcuno sarebbe venuto a prenderli a breve e che avrebbero ripreso il viaggio. Dopodiché l'uomo magro diede loro dei codardi. In tal modo aveva commesso un crimine imperdonabile in un'ultra-dittatura e aveva subìto la giusta punizione per la sua calunnia!

Non c'era molto che potessi dire. Restai a guardare quella gente. Osservai quell'uomo fatto rivestire e gettato in un angolo come un sacco, e gli altri che gli voltarono le spalle non appena riaprì gli occhi. Vidi le donne indifferenti a tutto quello che succedeva e studiai la spirale che circondava Rastin. Poi rivolsi nuovamente lo sguardo all'uomo magro. Mi sembrò che anche lui mi stesse guardando. O forse stavo sognando. In fondo non avevo più voglia di guardare la realtà. Stampai l'articolo che avevo scritto sullo stato-cisterna e spensi il computer. Spensi il monitor e l'ultra-dittatura restò sottoterra...

Trascorsi i due giorni successivi a fare correzioni e aggiunte all'articolo con una penna... Ma il terzo giorno, quando fui costretto a riaccendere i monitor, la prima cosa che vidi fu il corpo immobile dell'uomo magro. Gli avevano coperto il volto con la giacca e lo avevano sistemato di fronte a una telecamera perché potessi vederlo. Non feci in tempo ad aprire il microfono e pronunciare la prima sillaba per chiedere se l'uomo stesse dormendo che Rastin si parò davanti a una telecamera e disse: "Morto!"

Per un secondo pensai di domandare: "Ne sei sicuro?" ma rinunciai. Pensai di dire: "Fanculo!" ma rinunciai anche a quello. Avrei voluto dire che ero il quarantatreesimo miglior studente della Turchia o che mia madre mi voleva seppellire appena nato, ma non dissi nulla. Per un attimo avrei perfino voluto chiedere: "Dov'è Felat?" ma non accadde. Così restai in silenzio, mi alzai dallo sgabello e andai verso la botola. Mi sedetti sulle ginocchia e aprii il lucchetto con la chiave. Stavolta, al posto della ragazza più bella del mondo, uscì il corpo senza vita dell'uomo magro. Alla fine era stato esaudito il suo desiderio di uscire! Lo tirai fuori tenendo sollevato il tombino di due spanne e andai a chiamare mio padre. Stava bevendo birra.

"Che c'è?"

Poiché non riuscivo assolutamente a trovare le parole giuste, dissi soltanto: "Vieni! È successa una cosa".

Si alzò e cominciò a camminare verso il capannone, un passo avanti a me. Ero alla sua sinistra e guardavo il movimento della sua mano.

Un tempo, camminando sul marciapiede dell'unica via della città, facevo un gioco. Mi avvicinavo alle donne che camminavano davanti a me e facevo in modo che mi urtassero il pacco con la mano. Non era neanche difficile. D'altronde poteva succedere, e a volte alcune mi chiedevano anche scusa. Io, a quel punto, con l'entusiasmo suscitato da quel breve contatto, dicevo: "Non fa niente!" e continuavo per la mia strada. Quello che invece avrei voluto fare mentre camminavo dietro mio padre era toccargli la mano. Magari stringergliela ed entrare nel capannone mano nella mano. Volevo credere che chiunque fossi e qualsiasi cosa facessi, lui non avrebbe smesso di stringerla. Ma non accadde.

Quando mettemmo piede nel capannone, la prima cosa che mio padre vide fu il volto dell'uomo con le labbra violacee rigonfie in modo abnorme. Cominciò a imprecare guardando prima il cadavere, poi la punta del suo piede, infine me!

D'altronde era compito mio sorvegliare la merce. Ed era stata mia l'idea di piazzare le telecamere! Significava che era solo colpa mia! Gli avevo fatto fare tutte quelle spese per niente! All'improvviso mi venne in mente Dordor.

"Pagherò il prezzo!" dissi, e soltanto allora Ahad smise di gridare. Trasse qualche respiro e si grattò la testa. Forse stava calcolando per quanti mesi mi avrebbe dovuto tagliare lo stipendio. Stava cominciando a grattarsi la barba lunga di una settimana, quando di colpo si fermò. Doveva aver finito di fare i conti. Era arrivato a marzo. Per questo la voce era fredda. Non perché fosse un mostro.

"Va' a seppellirlo" mi disse indicando gli alberi.

La sepoltura dell'uomo magro mi prese due ore. Un'ora per scavare la fossa, un'ora per coprirla. Anni fa anche mio padre aveva sepolto così Cuma. Quando gli avevo domandato: "E se viene qualcuno?" lui mi aveva risposto: "Non aver paura, noi qui non seppelliamo morti, copriamo buche!" Forse era proprio così. Scavare e riempire buche era un lavoro di due ore. Se avessi pensato anche solo per un attimo che stavo seppellendo una persona, il lavoro sarebbe durato secoli. Per di più, qualcuno che doveva andare sottoterra a causa mia... Forse era per questo che mio padre era rimasto tutto sommato calmo. Perché quell'uomo non era morto per mano sua. Perché non era come me, che ero il vero responsabile della sua morte, nonostante non l'avessi ucciso in prima persona... Non ero stato io a uccidere l'uomo magro. Per quanto fossi responsabile, non ero tra quelli che lo avevano picchiato o che avevano assistito al suo pestaggio. Io ero la stessa cosa che non aveva fatto andare Rastin a Istanbul per il master: il destino! Io ero il destino! Ero la somma delle condizioni di vita di quelle persone. Uno zero gigantesco, in grado di fagocitarci tutti! Uno zero grande quanto l'anello di Saturno! Per questa ragione non sarei stato io a sentire la voce di quell'uomo per tutta la vita. Sarebbe toccato a Rastin! Ormai anche lui aveva il suo Cuma. Un uomo magro in grado di resuscitare dopo la morte e di rendere infernali tutte le isole deserte del mondo. Perché era stato lui a farlo ammazzare di botte! I timpani e le anime di quella gente erano persi da tempo. La voce di quell'uomo, rimbalzando da un orecchio all'altro, prima o poi avrebbe trovato la strada per raggiungere Rastin. Sapevo tutto questo perché mi ricordavo di come avessi ucciso Cuma, di come non mi fossi alzato dal letto soltanto perché ero arrabbiato con mio padre. Tra me e Rastin non c'era alcuna differenza. Non era intervenuto per salvare l'uomo magro solo perché odiava il suo popolo. Per farlo sprofondare, con una sola mossa, in un baratro di colpevolezza. Ma Rastin si era sbagliato. Perché in quella cisterna il senso di colpa poteva cogliere solo lui. Altrimenti quella gente non sarebbe rimasta in silenzio, mentre Rastin e i suoi compagni venivano messi in prigione. Anche restando in silenzio avrebbero comunque potuto aprire la bocca per vomitare lungo le strade su cui avevano condotto un Rastin ammanettato! Avrebbero potuto fare almeno questo. Ma non ho mai sentito parlare di un vomito collettivo in Afghanistan. Significava che la voce dell'uomo magro avrebbe tormentato soltanto Rastin. Perché non aveva altri da tormentare. In fin dei conti, gli spettri sanno tutto. Sanno chi non è altro che un muro di carne e chi un essere umano. Per questo attraversano il corpo di certe persone e sussurrano alle orecchie di altre tutto quello che sanno.

Bozza 1

①

LA FORZA DEL POTERE

La crisi come fonte di energia

La crisi come presa elettrica della politica?? È una merda! Per niente scientifico!

Introduzione

Al mondo ci sono due tipi di informazioni: quelle che cerchi di trovare e quelle che ti trovano. Se un'informazione arriva a una persona, è stata creata sicuramente per commercializzare qualcosa. Sarà una menzogna politica abbastanza elaborata per essere spacciata per verità, o magari un telefono di nuova generazione. Inoltre, le informazioni che trovano te strisciano per terra, si sporcano e puzzano di merda. Di conseguenza valgono soltanto le informazioni che ti sei procurato con fatica. Sono le uniche affidabili. Le informazioni ricavate dall'esperienza della cisterna possono essere accettate come vere appunto per questo. Il Ricercatore, per raccogliere le informazioni in questione, ha dovuto fare uno sforzo straordinario. Detto questo, tra di esse ci sono anche informazioni fluttuanti, una varietà di informazioni la cui esattezza e spendibilità cambia continuamente nel tempo. Per esempio, le informazioni relative alle persone sono fluttuanti. In special modo quelle relative alle cerchie vicine, ossia gli amici, i componenti della famiglia ecc. Perciò il Ricercatore, isolando le informazioni fluttuanti, è andato a verificarne la correttezza, comparandole con quelle ricavate da altre fonti, ossia dai mezzi di comunicazione di massa.

Le principali informazioni ricavate dai mezzi di comunicazione di cui si avvale questo lavoro provengono dal giornale «Da Kandalı al mondo». Oltre a esso vi sono centinaia di siti web e canali televisivi. Infine, poiché il Ricercatore crede che un lavoro scientifico vada supportato dall'osser-

Taglia! Non è scientifico!

Non è per niente scientifico! Trova un altro verbo

Vantati entro i limiti della scientificità!

Hai detto che ci sono due tipi di informazioni? (Specifica che è un sottotipo)

L'uomo è per un altro uomo un'informazione fluttuante!

Taglia, non dilungarti!

Non essere pigro, contali!

vazione personale, non ha mancato di inserire nell'articolo le proprie opinioni.

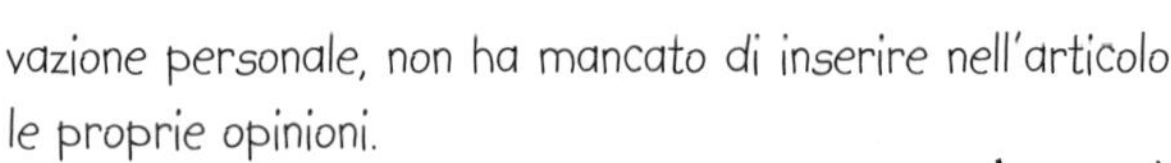

ARTICOLO

Scritto in punti per avere un taglio scientifico. → Taglia!

1. Un leader, che in tempi normali intrattiene un rapporto di comunicazione con il popolo, ogniqualvolta sopraggiunga una crisi si chiude in se stesso e, per non essere messo in discussione in futuro, inizia a nascondere informazioni alle persone che guida. Questo comportamento serve anche per evitare il panico, salvaguardare l'ordine pubblico e quindi la propria autorità.

2. Il leader, che in condizioni normali si concepisce come parte di un insieme istituzionale, con la pressione della crisi e la chiusura in se stesso inizia a percepire il proprio ruolo dirigente come un obbligo. Di conseguenza, inizia a considerare il tempo e il lavoro che ha dedicato alla cura del popolo fino a quel momento come un sacrificio. Con il prolungarsi della crisi, questo senso di sacrificio che si accumula nell'animo del leader si trasforma in un aspro rancore. Così il minimo screzio con il suddetto popolo, per cui prima era perfino disposto a 'dare un rene', fa esplodere il suo rancore, che spesso sfocia in una vendetta nei confronti del popolo 'ingrato'.

3. In ogni caso, finché lo stato di crisi permane, il popolo continua a vedere nel leader il proprio unico salvatore, restando indifferente alle sue reazioni dispotiche e al suo crescente autoritarismo.

3.

4. La crisi si trasforma così in una seduta di psicoterapia in cui tutti i lamenti, le grida, le offese e i traumi in apparenza ascrivibili al leader vengono pagati dal popolo.

5. Durante la crisi la relazione del leader con il suo popolo si basa sulla soddisfazione e sulla sessualità. Il popolo invece tende a vedere nel leader una figura paterna e familiare. Di conseguenza, nei periodi di crisi la relazione tra leader e popolo è un incesto. Ossia contro natura per definizione.

6. Lo stato di crisi che legittima l'estrema autorità del leader è una fonte di potere alternativa. Per avvalersi di questa fonte nel modo più efficace possibile, è essenziale che il leader instauri un regime di 'crisi permanente'. A questo scopo è sufficiente alimentare dei piccoli conflitti interni. La sottile linea che distingue il conflitto interno dalla guerra civile è il confine che segna la possibilità di far persistere la crisi. Il leader acquisisce un'autorità straordinaria nella misura in cui riesce a far avanzare il suo paese lungo questa linea sottile, alimentando conflitti interni senza che sfocino in guerra civile.

7. Il potere acquisito da un leader si quantifica in base al numero di aeroporti, università, stadi, piazze, strade, dighe, ponti e nuovi nati che portano il suo nome mentre è ancora in vita.

8. La paura della morte, che è alla base della vita del leader, è controbilanciata dalla certezza che il suo nome continuerà a vivere dopo di lui. E così la seduta di psicoterapia si conclude in modo positivo.

Nota 1:

Come si evince da quanto detto sopra, il principale compito del popolo è quello di sottoporre a terapia ogni leader da cui è guidato, assicurandogli una morte serena. Questo può essere definito ospedale popolare. In cambio, il leader fonda un ospedale statale che rende dei servizi al popolo. Individuare coloro che si sottraggono al proprio ruolo nella terapia del leader e dichiararli traditori della patria, alimentando un nuovo conflitto interno, può essere utile al prolungamento dello stato di crisi.

Nota 2:

Il sistema di difesa di un paese, considerando le morti di massa come il naturale risultato di qualsiasi catastrofe globale, è organizzato in modo tale che il leader possa ipoteticamente restare l'ultimo cittadino in vita sulla terra. In questa prospettiva la permanenza della razza umana sarà assicurata tramite l'accoppiamento tra i leader del mondo. ???
Di conseguenza, i capi non dicono mai "O lui o io!" bensì "O tutti voi o io!"

Non c'è osservazione, non c'è esperienza, non è scientifico! Non fare illazioni!

Fonti:

«Da Kandalı al mondo»
Centinaia di siti web
Decine di canali televisivi
Cisterna
Trentatré cittadini afgani
Un Gazâ ~~dell'età~~ di quindici anni

Contali! Non dimenticare il sito del comune

Non puoi essere ricercatore e fonte contemporaneamente!

Schema della struttura gerarchica a spirale

COMANDO →
RICHIESTA ←---

Stavo riflettendo seduto sotto il porticato. Mentre guardavo il punto del giardino in cui avevo seppellito l'uomo magro, mi domandavo se avesse o no una famiglia. Anche se in realtà conoscevo già la risposta! Perché, visto il luogo da cui proveniva, doveva avere almeno nove fratelli, sei figli, e doveva essere nonno di tre nipoti e zio di quarantasei. Di conseguenza non serviva a niente considerare che probabilmente i suoi genitori non erano più in vita. Era cresciuto in una terra in cui gli uomini nascono a mucchi e muoiono a dozzine, e il suo unico desiderio era andare in una terra in cui un uomo può nascere e morire solo. Ma il suo viaggio era terminato a Kandalı e qui le persone vengono sepolte non appena nascono. O quantomeno, quelli come me... Alcuni nascono morti. Come l'uomo magro... Era uscito dal ventre della cisterna per essere seppellito subito dopo.

"Gazâ!"

Mi girai e vidi mio padre che mi veniva incontro.

"Sei riuscito a sistemare la cosa, papà?" domandai.

"Sì, tutto a posto. Paghiamo e chiusa la faccenda".

Cosa dovevo dire? Naturalmente dovevo ringraziare! Certo!

"Grazie, papà".

"Lascia stare... E con questo sono due, figlio mio! Perché ce l'hai tanto con questi afgani?" disse ridendo. Avevo sentito bene. Aveva proprio detto questo: con Cuma, adesso erano due! Non si rendeva nemmeno conto di quello che stava dicendo. Figlio di puttana! L'unica cosa che avrei dovuto fare era raccogliere la pala che avevo ai miei piedi, alzarmi di scatto e spaccargli la faccia! Non c'era nessuno che mi potesse fermare! Mi stavo chinando verso la pala, quando cominciai a sentire un ronzio nelle orecchie.

Non farlo, Gazâ! Lascia stare... Non farlo.
Cuma?
Non farlo!

Avrei potuto uccidere mio padre in quel momento, in quel giardino, sotto quel portico, in quel terreno dov'era già seppellito un morto. Invece mi limitai a guardarlo in faccia. Con lo stesso sguardo che rivolgevo alle immagini della cisterna che mi giungevano dal monitor. Senza emozione. Perché Ahad era già sottoterra, con tutto il resto. Con gli insetti che divoravano i cadaveri. Con tutti gli afgani che avevano linciato l'uomo magro, e anche con Rastin! Con tutti quelli che mi avevano mandato le ragazze, con tutti loro. Lo guardai in faccia per fargli capire che era già sottoterra! Ma figuriamoci se poteva capirlo. Stava ghignando. Evidentemente si era rasserenato. Forse aveva ricevuto una buona notizia da Aruz. Ma com'era possibile ricevere buone notizie da Aruz? Esisteva un angelo della morte propizio?

"Domani andiamo a Derçisu, la mattina. Deve arrivare della merce. Duecento! Dai che ti è andata di nuovo bene! Non c'è bisogno di tagliarti il salario. Che inverno benedetto!"

Adesso era tutto chiaro! Duecento nuovi arrivi avevano cancellato tutto. Non esistevano più né l'uomo magro né il suo cadavere nel giardino. Stava arrivando una coltre di segatura fatta di duecento persone. Dovevamo essere felici, giusto?

"Non fare il muso lungo, forza! Quel che è fatto è fatto! Vada a farsi fottere!" mi disse.

Stava per andarsene quando si fermò.

"E sai che ti dico? Questi vanno via stanotte". Mentre diceva 'questi' indicò il tratto di terra in cui era sepolto l'uomo magro e poi continuò: "Falli salire sul camion per le undici. Tra le undici e mezzo e mezzanotte partiamo".

"Va bene, papà" dissi, e poi mi voltai per evitare di soffermarmi su quella porzione di terreno che aveva indicato...

Quindi per Rastin e il suo popolo era finalmente arrivato il momento di partire... Bene, ma come avrei fatto? Nel passaggio verso il camion avrebbero sicuramente visto mio padre. Lo avrebbero rivisto andando dal camion alle barche e si sarebbero ricordati di lui. Era inevitabile. E, peggio ancora, cosa avrebbero fatto quando avrebbero visto me, sfilandomi davanti uno a uno, una volta che avessi aperto il coperchio della cisterna? Sarebbero mai potuti passare come se niente fosse davanti al bambino pazzo che aveva reso i loro giorni un inferno? E Rastin? Avrebbe accettato di continuare un viaggio che si sarebbe concluso con l'asportazione di un rene? Forse era il momento giusto per scappare di casa! Il momento giusto per piantare lì tutto e chi s'è visto s'è visto! Ma non ne fui capace... Invece andai al capannone e accesi monitor e microfono. Restai per un po' a guardare le persone nella cisterna. Erano sedute come al solito, il popolo intento a discutere e il leader a sfogliare il suo libro.

"Rastin!" dissi "stanotte partite!"

Erano due settimane che aspettava questa notizia, ma non sembrava per nulla entusiasta. Si limitò a chiudere il libro e a guardare la telecamera che aveva di fronte.

"Rastin, ho detto che partite! Alle undici apro il coperchio e voi salite sul camion. Dopo mezz'ora circa si parte".

Rastin istintivamente guardò l'orologio appeso al muro.

"Non guardarlo quello" dissi "non funziona".

"Lo so!"

"Come?"

"L'orologio va lento! Rotto!"

Quindi aveva capito tutto... Comunque non aveva alcuna importanza.

"Tu dici bugie!" mi disse.

"Che dici, Rastin?"

"Tu sei veramente pazzo!"

"Rastin, non dire stupidaggini, ti sto dicendo che partite. Come facciamo adesso? Loro vedranno mio padre, capiranno che non è morto!"

"Tu avevi detto che l'orologio andava bene. Invece è rotto! Dici bugie!"

Perché si era messo a parlare dell'orologio adesso?

Sì, avevo ritirato tutti gli orologi da polso dei clandestini e li avevo lasciati solo con l'orologio a muro, ma a chi importava?

"Va bene, ho detto una bugia! Lo ammetto! L'orologio è rotto! Contento? Adesso però dimmi come dobbiamo fare!"

"Stasera vieni e apri il coperchio" disse.

"E che dirai agli altri?"

"Rene!"

"Che cosa?"

"Dirò che non darò il mio rene e basta. Perché tu sei bugiardo".

"E cosa c'entra questo, adesso?"

"Io pensavo... Quella gente vuole reni, vuole organi. Qui muore un uomo e nessuno viene. Tu non dici niente a loro! Significa che nessuno vuole reni. Nessuno vuole duemila dollari. Sei bugiardo! Perché? Perché, Gazâ? Non dirmi niente, lascia stare... Perché anche io sono bugiardo, Gazâ. Sono peggio di te. Perché io ho voluto la morte di quell'uomo. Ho voluto che lo uccidessero. Così voi prendevate il suo rene e il mio restava... Ma non è venuto nessuno... Capito? Ma questo resta segreto. Segreto tra me e te! Non dirlo a nessuno. E io non dico niente di te".

Scoppiai a piangere. All'improvviso! I clandestini prima si guardarono l'un l'altro, poi si rivolsero alle telecamere come se potessero vedermi. I singhiozzi dovevano rimbalzare da un muro all'altro. Una cisterna riempita dal mio pianto! Era esploso come una crisi! Una crisi cardiaca! Man mano che piangevo, però, la crisi passava. Riuscii perfino a osservarmi dall'esterno. Gazâ che osservava Gazâ in lacrime! Di conseguenza, se avessi voluto, mi sarei potuto calmare, ma non lo feci, perché se avessi smesso di piangere sarei stato costretto a parlare. Avrei dovuto dare una risposta a Rastin. Ma non sapevo cosa rispondergli. Mi sentivo vuoto. Non ero in grado di rispondere a nulla. Proprio a nulla! Forse, sforzandomi, avrei potuto accampare dei pretesti tecnici, dicendo di aver ricevuto la notizia della morte dell'uomo magro troppo tardi, o qualcosa del genere. Magari dal punto di vista medico avrei anche avuto ragione. Ma mi ero stufato di cavarmela a furia di mentire! Avevo esaurito la mia scorta di bugie. Ma mi mancava anche la forza di dire la verità. Anzi, sembrava che Rastin fosse più forte di me. Aveva avuto la forza di confessare la responsabilità della morte dell'uomo magro, ma, al tempo stesso, la debolezza per aver voluto far morire un altro per salvare il suo rene... Non c'era niente da dire... Sia io che Rastin eravamo finiti! Quella cisterna era stata la fine per entrambi.

"Va bene" disse Rastin. "Va bene... Vieni stasera, apri il coperchio e poi vattene. Noi entriamo nel camion. Per tuo padre, non ti preoccupare, nessuno lo guarderà..."

Mi uscirono soltanto tre sillabe sussurrate tra le labbra.

"Va bene".

Stavo per andarmene, quando Rastin mi disse: "Dimmi una cosa, Gazâ!"

"Che cosa?"

Mi sbatté in faccia tre domande che si infransero su di me nonostante il cemento armato che ci separava.

"Quegli uomini non vogliono soldi, non è vero? Il mio rene rimane al suo posto, vero? Dico bene?"

Aprii la bocca... Ma giuro che non ero io a parlare.

"No, Rastin. Quando arriverete in Grecia ti asporteranno il rene! Mi dispiace!"

"Bugiardo!" gridò. "Perché piangi, allora?"

Questa volta ero io a parlare. In verità non stavo proprio parlando, ma la voce che cantava l'inno nazionale era la mia.

"Non temere, la bandiera rosso cremisi mai sbiadirà..."

Qualcuno nella cisterna iniziò ad accompagnarmi: era il bambino! Applaudiva, sorrideva e di tanto in tanto canticchiava e gridava. Poi anche un altro si unì al nostro coro: un leader di nome Rastin. Ma dalla sua bocca usciva sempre la stessa parola: "Bugiardo! Bugiardo! Bugiardo!"

A un certo punto, in preda alla rabbia, afferrò uno dei secchi e lo lanciò contro una telecamera, rompendola. Era talmente fuori di sé che non aveva pensato che il secchio potesse essere pieno e lo sollevò sopra l'unico bambino presente nella cisterna. Ormai però era tardi, perché il getto di merda aveva imbrattato in un istante muri e persone. Tutti portavano le mani ai volti insozzati, ma Rastin non si rendeva conto di cosa avesse gettato per aria. Si guardava intorno a destra e a sinistra, ma non riusciva a concepire che il secchio fosse reale, anche se aveva tutto sotto il naso e sulle lenti macchiate dei suoi occhiali! Se avesse ripreso fiato per tre secondi, se ne sarebbe accorto subito, perché ovunque voltasse lo sguardo poteva vedere la stessa cosa: merda...

Né io né il bambino facemmo caso a tutto questo, e chiudemmo l'esperienza dello stato-cisterna così come l'avevamo iniziata: con l'inno nazionale.

I fari illuminavano la strada stretta tra due file di alberi e noi avanzavamo nella notte. La luce del camion era come un ventaglio che spazzava l'asfalto. Gli alberi, le loro sagome confuse, erano illuminati per metà, come spettri che apparivano solo per un attimo. Qualche volta sembrava che quegli spettri volessero allungare le mani per fermarci. Sentivo il rumore dei rami che sfregavano sul tetto del camion. Ma nessuno di quei rami era abbastanza forte da fermarci e farci invertire la rotta. Al nostro passaggio, anche il più robusto si spezzava come un fiammifero e noi sgusciavamo tra quegli arti spogli. Eravamo le uniche cose vive in quel bosco morto di marzo. Aprile lo avrebbe fatto risorgere, ma fino a quel momento non sarebbe stato altro che un cadavere. E come in ogni cadavere c'era un enorme verme: la strada che stavamo percorrendo. Ci portava sul dorso mentre avanzava strisciando come un verme. Eravamo dentro un mostro dagli occhi fiammeggianti che bruciavano qualsiasi cosa guardasse. Il cambio delle marce strideva così forte che non riuscivamo a sentire neanche la radio. Così mio padre la spense e accese una sigaretta. Poi si girò verso di me e chiese: "Tu fumi?"

In quel momento sentii dentro di me mille voci gridare: "Sì!", ma non le ascoltai.

"Ma che fumo, papà? No".

Quel mattino avevo seppellito un cadavere sotto i suoi occhi, ma ancora non riuscivo a pensare di fumare una sigaretta davanti a lui. Non c'era alcuna logica in questo comportamento: insieme a quel cadavere, dovevo aver seppellito anche il mio senso logico, che evidentemente era già morto da un pezzo...

"Accenditene una. Prendila e fuma!" mi disse porgendomi il pacchetto. Lo guardai in faccia. Stava sorridendo. Era una trappola? Se avessi allungato la mano, avrebbe accostato col camion e mi avrebbe spezzato il braccio? Vedendo che ancora esitavo mi disse: "Lo so che fumi. Prendi, accenditene una".

Sapeva tutto! Sempre! Doveva essere questo il suo lavoro: sapere i fatti miei! Seguirmi! Starmi sempre alle calcagna! Il suo unico compito era raccogliere informazioni su di me. Era un servizio segreto che si chiamava AHAD. Un'organizzazione segreta! Sicuro!

In verità anni dopo, un po' per scherzo e un po' sul serio, avrei appreso che questa mia teoria paranoica non era poi così infondata.

In un libro di storia si diceva che alcuni ufficiali arabi dell'esercito ottomano avevano fondato, all'inizio del Ventesimo secolo, in Siria e in Iraq, una società segreta per dare seguito ai loro sogni di indipendenza. Il nome di quest'organizzazione, il cui compito era svelare i segreti militari ottomani agli ufficiali inglesi per innescare la rivoluzione araba, non era altro che *El-Ahad*! Significava che non ero pazzo, quella notte, a pensare che l'unica occupazione di mio padre fosse tenermi d'occhio. O quantomeno non così pazzo!

Presi una sigaretta dal pacchetto e la accesi. All'inizio mi tremava un po' la mano, ma poi riuscii a dominarmi. Avevo rimesso l'accendino dentro il pacchetto per restituirlo, quando mio padre mi disse: "Puoi tenertelo".

Naturalmente non gli dissi: "Ne ho già un pacchetto pieno" e me lo misi in tasca. Aspettai sempre mio padre, prima di fare un tiro. Aspirammo ed espirammo il fumo sempre insieme. Così come abbassammo insieme i finestrini per buttare via le cicche. Poi mi soffermai di nuovo a guardare gli spettri sulla strada. E pensai agli spettri stipati nel camion...

Quello che temevo non era accaduto. Alle undici in punto ero entrato nel capannone e avevo aperto prima i portelli del vano di carico, poi il coperchio della cisterna. Avevo lasciato vicino alla botola i sei orologi da polso che avevo requisito ed ero uscito dal capannone come mi aveva detto di fare Rastin. Ero rimasto a spiare da dietro la porta socchiusa. Così avevo potuto osservare, non visto, i clandestini uscire uno a uno dalla cisterna, riprendere possesso dei propri orologi da polso ed entrare in fila per due nel vano del camion. Li avevo pure contati per evitare qualsiasi disguido! Trentuno clandestini erano già sul camion e Rastin, rimasto per ultimo, si stava guardando intorno. Sapevo che mi stava cercando, ma io non avevo la minima voglia di trovarmi faccia a faccia con qualcuno. Fui però costretto a sentire ancora una volta la sua voce. Gridò: "Bugiardo!" ma questa volta nel suo tono c'era un po' di esitazione. Sebbene non credesse che gli avrebbero asportato un rene, non poteva esserne pienamente sicuro, perché anche lui sapeva bene, come me, quanto facilmente accadano le cose a cui non vogliamo credere. Lui, per esempio, non aveva voluto credere che il popolo per cui aveva combattuto lo avrebbe abbandonato, e invece era accaduto. Nemmeno io volevo credere che mia madre desiderasse seppellirmi vivo, eppure era accaduto. Pertanto eravamo entrambi consapevoli del fatto che le probabilità dell'esistenza dell'inferno erano cento volte quelle dell'esistenza del paradiso. Così Rastin non ci mise molto a chinare la testa per sputare sulla segatura ai suoi piedi, aggiustarsi gli occhiali e salire sul camion, chiudendo gli sportelli.

In realtà c'era una cosa che non sapeva. Cioè che, forse per la prima volta in vita sua, le preoccupazioni che nutriva erano infondate. Il rene sarebbe rimasto al suo posto. Era questo l'unico regalo che potevo fare a Rastin. In verità anche Rastin aveva fatto un regalo simile ai suoi compagni. Per giorni aveva fatto credere loro di essere prigionieri e poi aveva annunciato una finta liberazione. La situazione in cui ci trovavamo era così di merda che l'unica cosa che potevamo fare era mostrare l'inferno per conquistarci il purgatorio. E questo valeva per noi e per chi ci stava vicino...

Adesso dovevamo solo arrivare alla spiaggia in cui avrebbe attraccato l'imbarcazione, far scendere dal camion i trentadue clandestini e farli sistemare sul ponte. Io stavo pensando di dire a mio padre, prima che scendesse dal camion: "Lascia stare, ci penso io". Per l'esattezza gli avrei detto: "Non uscire, con questo freddo, sistemo tutto io e torno!"

Lui in un primo momento avrebbe detto: “Non ti preoccupare”, ma poi, credendolo un gesto dettato dal senso di colpa per aver perso della merce, mi avrebbe dato la possibilità di rimediare al mio errore. O almeno così speravo. Forse mi preoccupavo inutilmente. Se anche qualcuno, uscendo dal camion, avesse riconosciuto mio padre, nell’emozione del momento non avrebbe fatto nulla. Avevo assistito innumerevoli volte ai trasferimenti dei clandestini dal camion alle barche. Ogni volta sembravano emozionati come se stessero salpando per Marte. E forse per loro quel viaggio equivaleva realmente a una spedizione nello spazio. A me però sembravano scimmie spedite in orbita, piuttosto che esseri umani. Sì, magari avrebbero anche attraversato l’atmosfera, ma sarebbero rimaste comunque delle scimmie! In fin dei conti, ritenevo molto improbabile che uno dei clandestini, in quegli attimi di tensione simili all’eccitazione prima di salire su un ottovolante, in uno dei momenti più importanti della sua vita, andasse da mio padre e gli dicesse: “Ma tu non dovevi essere morto?” E in ogni caso Rastin avrebbe sicuramente trovato il modo di raccontare di essere stato preso in giro. Avevo ben visto come fosse in grado di mentire a quella gente. Sotto quell’aspetto aveva il sangue freddo di un cadavere. Anzi, mentiva così bene che, se anche qualcuno avesse riconosciuto mio padre, in due parole lo avrebbe convinto di aver visto un fantasma.

Dunque tutti quei dettagli non erano un problema. C’era però una cosa che, per quanto piccola, poteva essere un problema: non eravamo mai stati nel tratto di costa che mio padre e il comandante dell’imbarcazione avevano individuato come luogo di incontro. Non avevamo mai consegnato della merce in quella zona. Da quello che avevo potuto capire, si trattava di una piccola baia sul limitare del bosco. Almeno così sembrava dalla mappa di mio padre. Dopo ogni curva la controllava, per essere certo di guidare nella direzione giusta.

Erano le due del mattino e, proprio quando stavo per chiudere gli occhi, stanco del buio che ci circondava, iniziò a piovere. Guardai per qualche minuto le gocce di pioggia. Cadevano frantumandosi come mosche sul parabrezza. Poi chiusi gli occhi. Il rumore del camion scomparve e poco dopo anche la vita reale... Restarono soltanto un sogno e mia madre. Per la prima volta nella mia vita sognai mia madre. Aveva un vestito verde con motivi di viole, era su una spiaggia che non riconoscevo ed era incinta. Alle sue spalle c'erano un mare immenso e un cielo ricoperto di piccole nuvole. Stava in piedi e mi guardava, con le scarpe nella mano destra. Aveva le gambe unite e affondava nella sabbia fino alle caviglie. Era come un albero con le radici nella sabbia che fioriva viole. Cercava di sistemarsi i capelli scompigliati dal vento con la mano sinistra e forse sorrideva. In sogno vedevo mia madre così, perché era così in quell'unica fotografia che avevo a casa. La guardai negli occhi per capire se avesse un'espressione felice. Solo negli occhi. Ma non servì a nulla. Qualsiasi cosa provasse nel momento in cui era stata scattata quella foto, non mi trasmetteva alcun sentimento. L'unica cosa che faceva era stare ferma, essere incinta e guardare l'obiettivo. Quella foto doveva averla scattata mio padre. Era mattina presto, il sole basso alle sue spalle aveva fatto apparire anche la sua ombra e lui probabilmente non se n'era accorto. Mio padre era un'ombra che si protendeva verso mia madre. Mia madre sembrava spuntare dal terreno proprio dove finiva quell'ombra. Era un sogno. Forse, se glielo avessi chiesto, mi avrebbe risposto. Quella fotografia avrebbe preso vita e avrebbe parlato con me.

"Perché mamma? Perché mi volevi uccidere? Dimmelo, per favore..." le avrei voluto chiedere.

Aspettai... ma non mossi le labbra e non emisi un suono. Poi mi si annebbiò la vista e mi misi a pensare. Tentai di capire cosa nascondesse quella fotografia. Perché mio padre teneva ancora sul comodino la foto della donna che aveva tentato di uccidere suo figlio? "Devo svegliarmi" mi dissi. Dovevo svegliarmi per chiederglielo. Aprii gli occhi...

La pioggia era più fitta ed eravamo usciti dal bosco. Da un lato c'era il precipizio, dall'altro le rocce. Stavamo attraversando il monte Kandağ. Lentamente... Vidi in lontananza le luci fioche di un villaggio e mi voltai a domandare: "Perché conservi ancora la foto di mia madre?"

I tergicristalli si alzavano e si abbassavano come due maratoneti dopati che fanno gli addominali. Gli occhi di mio padre erano incollati alla strada.

"Perché, papà?"

Si girò per un secondo a guardarmi, poi si volse di nuovo verso la strada e disse: "Per ricordo!"

"Ricordo? Ma ricordo di che! Mia madre voleva uccidermi! Poi ti avrebbe abbandonato! Perché conservi una foto per ricordare una donna del genere?"

Non parlò fin quando non superammo una curva stretta, che per poco non fece slittare gli pneumatici posteriori. Quando la strada divenne nuovamente una distesa di nulla davanti a noi, sentii la sua voce: "Da dove ti è uscita questa, adesso? Come ti è venuto in mente?"

Avrei potuto dire: "Mentre sognavo!", ma non lo feci. Cominciai invece a dire quello che avevo incominciato a vedere con la mente libera dal velo del sonno.

"Perché si conserva la fotografia di una persona per ricordo? Perché si pensa ancora a lei. Giusto? Magari perché la si ama ancora... Tu la conservi ancora per questo. Addirittura la ami tanto da non essere più riuscito ad amare nessun'altra. Per questo non ti sei più sposato. Giusto?"

Ahad prese a ridere! Sembrava un imbecille che non sapeva cosa dire. Sembrava che avrebbe continuato a ridere fino a morire, pur di non parlare! Ma per quanto tempo può prendersi in giro una persona? Lui naturalmente non resistette a lungo.

"Non dire stupidaggini!"

Sì... Avevo capito Ahad. Avevo capito tutto... Mia madre non mi aveva detto niente in sogno, ma in realtà mi aveva raccontato tutto. La sua postura, gli occhi, i piedi ricoperti dalla sabbia. Senza dire nulla mi aveva raccontato tutta la sua storia. Mentre veniva fotografata incinta, non sentiva nulla. In quel volto non c'era neanche la minima traccia di un sentimento. Né nelle mani... Mia madre non era altro che un albero, in quella fotografia. Un granello di sabbia. Il sole dietro le spalle di mio padre. Un mare immenso... Mia madre non era altro che la personificazione della natura insensibile. Anche se avesse voluto, non sarebbe stata capace di amare mio padre. E nello stesso modo, se anche avesse desiderato stringermi fra le braccia e dirmi: "Piccolo mio!", non avrebbe potuto farlo.

"Allora dimmelo!" urlai. "Dimmelo! Che cosa hai fatto a mia madre per constringerla a scappare? Che cos'hai mai fatto di tanto brutto? Pensaci, ti odiava al punto di volermi uccidere!"

Mi avrebbe picchiato, lo sapevo. O un ceffone con la mano sinistra oppure un manrovescio con la destra. Io aspettavo. Ma non accadde. Non fece nulla. E lo disse anche.

"Non ho fatto niente! Non ho fatto niente a tua madre".

"Perché allora? Perché voleva liberarsi di noi? Perché è scappata al cimitero per partorirmi? Avrebbe potuto divorziare! Non è vero? Avrebbe potuto divorziare, abbandonarmi e scappare via! O che ne so, magari avrebbe potuto portarmi con sé! Ma perché ha fatto una cosa simile?"

Ormai i tergicristalli non riuscivano più a contrastare la pioggia battente. Mio padre rallentò, ma continuava ad avanzare. Poi gridò: "Me l'ha detto! Me l'ha detto! Ha detto che voleva divorziare! Le ho chiesto che ne avrebbe fatto di te! Mi ha detto che ti avrebbe dato in adozione! Le ho chiesto perché! E lei mi ha detto che lo faceva perché voleva andare via, vedere altri posti! Mi ha detto che voleva vedere tutto il mondo e imparare tutto! Pure tu dicevi così, no? Per questo hai fatto quell'esame! Hai capito, adesso?"

Forse mio padre stava realmente parlando con me per la prima volta. O magari mi ingannavo e Ahad stava parlando a se stesso. Le parole uscivano dalla sua bocca con un impeto tale da affogarci prima ancora delle gocce di pioggia che cadevano come trivelle. Io insistetti, pensando che forse mi avrebbe sentito.

"E tu che hai fatto? Le hai detto che non sarebbe andata da nessuna parte, vero? Le hai detto che sarebbe rimasta con te! L'hai costretta..."

Proprio in quell'istante rimasi folgorato dal pensiero della cisterna e di quel vano che fungeva da prigione al suo interno, insieme alla catena che avevo fissato al muro. Pensai alle persone incatenate laggiù! E infine pensai all'unica cosa che sarebbe potuta venire in mente a mio padre in quella situazione!

"L'hai fatto, vero? L'hai imprigionata! L'hai incatenata da qualche parte, vero? Poi una notte è fuggita! E tu l'hai inseguita! L'hai incatenata, vero? Hai incatenato tua moglie come un animale! Come un cane! Non è vero?"

Si girò a guardarmi, ma non disse nulla. Accelerò soltanto. Senza smettere di guardarmi. Forse stava sorridendo... Come mia madre nella foto...

"Guarda la strada!" gridai. "Guarda la strada!"

Ma lui continuava a guardare me.

E così, padre e figlio, cademmo nel vuoto fissandoci negli occhi. In un crepaccio... Dall'alto del monte Kandağ...

Non sarei mai riuscito a stabilirlo con sicurezza. Mai! Fu un incidente o un suicidio?

CANGIANTE

Una delle quattro tecniche fondamentali della pittura rinascimentale. Consiste nell'utilizzare un colore diverso per rendere le ombreggiature quando non si può, o non si vuole, scurire o schiarire il tono di un colore. Un improvviso cambiamento di colore.

La faccia fu la prima a svegliarsi. Sentivo delle goccioline che mi bagnavano le guance, le palpebre e la fronte. Poi fu la volta delle orecchie. Furono svegliate dal rumore della pioggia e aspettavano che gli occhi si aprissero, ma fu la bocca ad aprirsi, nel tentativo di lasciar andare un urlo rimasto intrappolato da tempo. Sulle labbra, però, non sentivo altro che una silenziosa sensazione di calore. Con tutta probabilità era sangue che scaldava la terra piuttosto che me. Cominciai a tremare. I miei occhi si aprirono in uno spasmo. Cercavano qualcosa da guardare.

Dapprima non videro altro che buio, ma dopo un po' si abituarono all'oscurità e distinsero una superficie di fronte a me: una roccia. Proprio sopra di me vidi una sporgenza che avrei potuto toccare allungando la mano. Feci un tentativo. Guardai il mio braccio destro: all'estremità aveva ancora una mano con cinque dita. Si alzò a fatica e si fermò. Così ebbi la conferma che quel soffitto umido era a un braccio di distanza sopra di me.

Adesso era il momento di provare a girare la testa, che non avevo mosso fino a quel momento. Io ero mancino. Appoggiai la guancia sinistra sul terreno e vidi la notte fuori da quella sorta di caverna: gli alberi, i cespugli e le gocce d'acqua che mi rimbalzavano sulla faccia... Mi girai verso destra e vidi lo stesso scenario. Poi mossi il braccio sinistro all'indietro e la mano, bagnata almeno quanto il soffitto, toccò una parete rocciosa. Tastai gli incavi e i rilievi della roccia. Ero sotto una sporgenza aperta ai due lati. Una tenda di pietra...

I palmi delle mani potevano sentire il fango su cui giacevo. Mi distesi sulla schiena. Forse non potevo più cadere da nessuna parte. Ero sul pavimento del mondo e adesso avevo piena consapevolezza di tutto. Avevo davanti agli occhi il momento in cui il camion era rimasto sospeso nel vuoto. Lo sguardo di mio padre e io che gli gridavo: "Guarda la strada!" Però non ricordavo il resto. E neanche mi interessava ricordarlo. L'unica cosa che volevo era pensare a me. A me e al momento che stavo vivendo. Chissà quante rocce e alberi avevo colpito prima di finire lì... Chissà dove ero stato sballottato, prima di arrivare sotto quella sporgenza...

Sollevai la testa reggendomi sui gomiti e, per la prima volta in vita mia, fui felice di vedere le mie gambe. In preda a quella gioia provai a muoverle senza curarmi del dolore. La sporgenza sopra di me era di mezzo metro e mi copriva fino alle ginocchia, il resto era bagnato dalla pioggia. La notte e le ombre mi circondavano da tre lati. Mi osservavano. La faccia e ogni altra parte del corpo mi facevano male, come se tutta la mia pelle fosse stata strigliata, ma non sentivo un dolore particolarmente significativo. Ero in grado di alzarmi. O quantomeno di mettermi seduto.

Misi i palmi a terra e tirai le ginocchia verso di me. Chinai la testa per non sbattere contro il soffitto e mi appoggiai con la schiena alla parete. I rilievi acuminati della roccia mi stavano sicuramente pungendo la schiena, ma io non me ne accorgevo. In quel buio pesto il colore delle mie mani, della mia camicia e dei miei pantaloni era così scuro che non riuscivo a distinguere il sangue dal fango. Pensavo che soltanto passandomi le mani sulla faccia, sull'addome e sulle spalle avrei potuto capire quanti danni avessi subìto. Mi tastavo alla ricerca di una frattura. Un osso rotto o una parte mancante... Tutto però sembrava al suo posto. Così come mi aveva fatto mia madre... Le dita, i gomiti, il naso, le orecchie e le arcate degli occhi sembravano intatte. L'unica cosa di cui non ero sicuro erano i denti. Avrei potuto verificarlo soltanto parlando. Dopotutto era proprio il momento giusto per parlare da solo. Il momento giusto per capire se avevo ancora una voce...

"Sei vivo" dissi e sentii qualcosa versarsi sul petto. Doveva essere un filo di sangue e saliva che mi colava dal mento. Tagliai quel filo umido con la mano, come se fosse una ragnatela. Poi mi guardai intorno alla ricerca di mio padre. Era possibile che giacesse da qualche parte, dopo aver seguito la mia stessa traiettoria. Ma non c'era nessuno in vista. Dovevo alzarmi e camminare per andare a cercarlo il prima possibile. Perché se mio padre aveva incatenato e picchiato mia madre mentre era incinta, dovevo trovarlo e ucciderlo al più presto. Ci sono certe notti... Notti come la segatura... Notti che ti fanno commettere ogni genere di crimine, per poi farti arrivare innocente al mattino dopo... Ecco, per me era una di quelle notti. Una di quelle notti in cui sarei stato in grado di uccidere mio padre per liberarmi di lui! Avrei potuto raggiungere l'albero sotto cui agonizzava, raccogliere la pietra più grande, sollevarla sopra la sua testa e lasciare il resto alla forza di gravità. Ormai ero sicuro che in quella testa era balenato il pensiero di tenere prigioniera la donna che voleva abbandonarlo. Avrei dunque potuto chiudere la questione fracassandogli il cranio. Sarebbe stato come una lapide. Quando mi avrebbero chiesto: "Com'è morto?" avrei potuto rispondere: "Gli è caduta una lapide sulla testa!" Ma prima dovevo tornare in me. Riprendermi un po'...

Sollevai di scatto le braccia e le allungai sui fianchi. Raccolsi un po' d'acqua piovana da una pozzanghera. Poi, tenendola nell'incavo nelle mani, tentai di lavarmi la faccia dal sangue e dal fango. Non so quanto riuscii a pulirmi, ma almeno mi sentivo meglio. Ormai ero pronto. Potevo strisciare fuori dal riparo e alzarmi in piedi. Proprio mentre chinavo la testa in avanti, mi cadde qualcosa davanti ai piedi. Qualcosa di grosso. Grosso quanto una persona! Accadde così rapidamente che restai pietrificato. Stavo ancora trattenendo il respiro quando ne cadde un altro! Nello stesso posto, proprio davanti a me! Sopra quello che era caduto poco prima. Mentre guardavo con disgusto quel cadavere proteso verso di me, con la mano che quasi mi toccava, ne cadde un altro. Questa volta alla mia destra! E un altro ancora! Piovevano cadaveri dal cielo! Non capivo niente. Avrei voluto correre fuori di lì, ma non osavo farlo. Non volevo restare sotto un cadavere piovuto dal cielo. Non capivo da dove venissero, ma doveva essere molto in alto, perché si piantavano nel fango come dei meteoriti. Come se li sparasse una pistola gigante sospesa nel cielo! Come se io fossi il bersaglio. Mentre ero bersagliato da quegli uomini-proiettile, si aprivano buche nel terreno alla mia destra e alla mia sinistra. Ogni volta che si schiantavano mi veniva un colpo al cuore! A ogni caduta sentivo anch'io le ossa rotte e le orecchie insanguinate. Non urlavano, non si giravano, non cercavano di alzarsi. Erano solo cadaveri, e mi stavano piombando addosso. Di tanto in tanto sentivo un tonfo sordo, senza però veder cadere niente. Dovevano essere i cadaveri che precipitavano sulla sporgenza. Nel frattempo gli altri continuavano ad accatastarsi tutt'intorno a me! Mi ritrassi nella direzione opposta a dove cadevano, ma, siccome mi bloccavano il passaggio, potevo muovermi solo di pochi centimetri. Vedevo mani, gambe e volti. Alcuni mi toccavano, altri giacevano a mezzo metro da me come delle bambole. Le tibie erano piegate di lato e le braccia dietro la schiena. Erano accatastati come marionette senza fili. Sapevo chi erano. Erano gli afgani del camion. Sembrava che si lanciassero a turno nel vuoto dal tetto di un edificio. Non riuscivo a capire! Perché e da dove cadevano? Com'era possibile che mi precipitassero addosso come uccelli colpiti in volo dalla morte? Queste domande mi offuscavano i pensieri e la vista, mentre loro continuavano a piovere dal cielo. Cadevano l'uno sull'altro, in una massa confusa di braccia e gambe, che cresceva come un cumulo di fango, un miscuglio di acqua e carne umana. In quel brevissimo lasso di tempo, non più di quattro respiri, si era alzato intorno a me un muro di carne. Un muro imponente che mi oscurava la vista! Mi imprigionò sotto il mio sguardo inerme, mettendosi tra me e la notte. Ormai ero in una cella fatta da tre pareti di carne umana, una di roccia e un pavimento di terra. Sepolto in una fossa comune...

Quando rimasi incastrato fra quei corpi avevo quindici anni. Anche se con un po' di ritardo, era accaduto ciò che desiderava mia madre. Ero stato sepolto vivo.

Tremavo, e sentivo dei peli sottili che mi sfioravano le orecchie. Chissà di chi erano quei capelli o quella barba o quelle sopracciglia? Era buio. Non vedevo nulla, ma erano tutti lì intorno a me! Avevo così paura di toccarli che non riuscivo neanche a muovermi. Erano loro, però, a toccare me, incastrato fra tre muri di carne. Tenevo le mani sulle ginocchia unite, con i palmi sudati per la paura di toccare quello che mi circondava. Distesi poco a poco le gambe, ma, non appena rilassai le ginocchia, li toccai. Toccai quelle persone. Davanti a me non avevo neanche lo spazio per allungare le gambe. Rimisi le mani sulle ginocchia e feci l'unica cosa che mi restava da fare: urlare. "Papà!" gridai "Rastin!"

Anche se il mio urlo restò nella caverna, rimbombandomi nelle orecchie, avrei continuato a urlare fin quando fossi diventato sordo o avessi perso la voce. Le corde vocali furono le prime a cedere. Non avevo il telefono e, anche se lo avessi avuto con me, non so se il segnale avrebbe superato quella massa di carne umana. Con me avevo soltanto un origami, due pacchetti di sigarette e due accendini. Erano questi ultimi che potevano essermi più utili. Ma avevo così paura di vedere i cadaveri che non li avrei accesi per nulla al mondo. Eppure, non sarei potuto rimanere a lungo in quella posizione, prima o poi li avrei dovuti toccare. Magari avrei potuto tentare di spingerne qualcuno con i piedi per aprirmi anche solo un piccolo varco. Così cominciai a tirare calci con entrambe le gambe, senza mai levare le mani dalle ginocchia. Non avevo idea di quello che colpivo, però continuavo a scalciare provando a spostare ciò che avevo davanti. Ma era tutto inutile. Stavo colpendo un muro di gomma che non si muoveva di un millimetro. Magari avrei potuto fare di meglio chinandomi in avanti e usando anche le mani. Sentivo, però, una pressione tale sulle spalle da essere sicuro che, se mi fossi chinato, avrei perso ancora più terreno. Quei quintali di carne umana avrebbero immediatamente riempito il vuoto lasciato da me incastrandomi ancora di più. Alla fine mi decisi a usare le mani. Trassi un lungo respiro e le sollevai dalle ginocchia. Irrigidendo le spalle, le puntai sulle pareti di carne ai miei fianchi. Con la destra trovai del tessuto. Ritrassi immediatamente la sinistra, perché toccai con le falangi una fronte e col pollice un occhio. Speravo di sentire del tessuto anche con la mano sinistra, ma ovunque la appoggiassi trovavo un naso o una bocca. La bocca era la cosa peggiore, perché le dita si infilavano tra le labbra toccando denti e gengive. Disperato, tornai al punto di partenza, cioè alla fronte che avevo toccato per prima. Tentai di tenere il pollice il più lontano possibile dall'occhio, appoggiai il palmo sulla fronte e spinsi con tutta la forza che avevo. Ma non accadde nulla. La testa che stavo spingendo non si muoveva di un millimetro. Rinunciai a spingere sulla sinistra per concentrarmi sul lato destro. Sotto il tessuto potevo percepire distintamente le costole. Spinsi più che potevo, ma il muro alla mia destra era solido almeno quanto quello alla mia sinistra. Non mi arresi. Il panico a poco a poco prese il posto della repulsione, rendendomi incurante di tutto quello che toccavo. La mia mano sinistra entrò di nuovo nella bocca, mentre continuavo a scalciare contro il muro di fronte a me. Ero come un verme che si contorceva. Continuai a dibattermi e a scalciare fino allo stremo. Ma non serviva a niente! A niente... Fu a quel punto che iniziai a piangere. Piangevo tra respiri affannosi e urla. Non avevo pianto molto nel corso della mia vita, ma in quella settimana era già la seconda volta che scoppiavo in singhiozzi. Naturalmente la situazione in cui mi trovavo era cento volte più terribile del fatto che Rastin si fosse accorto delle bugie che gli avevo raccontato. Di conseguenza anche il mio pianto era diverso: cento volte più disperato! Aprivo la bocca fino a provare dolore e, con la voce rotta, guaivo come uno strano animale. D'altro canto nessuno mi poteva vedere. Intorno a me c'erano decine di persone, ma nessuno poteva sentire il mio pianto disperato. Piangevo senza neanche chiudere gli occhi, come un bambino che comincia a piangere nel ventre della madre. Un bambino che piangeva non per respirare per la prima volta, ma per esalare l'ultimo respiro...

Smisi di piangere poco a poco, come un treno che rallenta la sua marcia sino a fermarsi. Le lacrime che mi rigavano il volto si fecero più sottili, finché non si asciugarono completamente. Ormai ero come un cadavere che sedeva immobile. Ormai ero come loro, come le persone che mi circondavano. L'unica differenza era che io respiravo ancora. Doveva esserci stato un errore di calcolo. Doveva essere un errore il fatto che, in mezzo a quella massa di cadaveri, io fossi ancora vivo. Però, in quello spazio angusto, non c'era nessun altro a parte me che potesse compiere degli errori. E se pure c'era, ormai era morto. Di conseguenza ero stato io a sbagliare. Ogni cosa... E bisognava porre rimedio a quest'errore...

Ero sicuro che nessuno mi avrebbe trovato. La strada su cui transitavamo non doveva essere usata da anni. E sicuramente al capitano che ci aspettava alla baia vicina non importava un fico secco di noi! Lui, come noi e gli afgani, era un fuorilegge! Tutta la nostra esistenza era fuorilegge! Non pensavo proprio che sarebbe venuto a cercarci. Non avrebbe mai corso un rischio del genere. In quel momento mi venne in mente Yadıgâr, il nostro complice istituzionale. Forse lui sapeva che strada avevamo preso e dove avremmo dovuto consegnare la merce... Ma poi pensai che neanche a lui sarebbe importato nulla. Il nostro ritrovamento per pura coincidenza da parte sua, in una zona così lontana dal suo distretto, sarebbe stato sospetto. Non aveva motivo di mettersi in pericolo. Ragion per cui nessuno sarebbe venuto a salvarmi. Nessuno avrebbe potuto rimediare al mio errore. Avrei potuto farlo solo io. Il suicidio non era più un'opzione nella mia mente, ma piuttosto un sentimento che pugnalava ogni parte del mio corpo... Come l'odio! Ecco, è stato quello il momento in cui ho provato l'impulso di suicidarmi. Il suicidio come sesto senso! Visto che intorno a me erano tutti morti, sarei morto anch'io! Almeno l'accendino sarebbe servito a qualcosa, se fossi riuscito a darmi fuoco. Le fiamme avrebbero avvolto prima i cadaveri, poi me. Ero così stupido che credetti sul serio di poterlo fare. Così stupido da tirare fuori il pacchetto di sigarette con l'accendino dalla tasca. Ma ero anche così codardo che non fui nemmeno in grado di provarci. Più che della morte, avevo paura delle fiamme. D'altronde, con tutta quell'umidità intorno, quale incendio avrei potuto appiccare? Restai imbambolato con l'accendino in mano... Così mi sembrò logico accendere una sigaretta, piuttosto che dare fuoco al mio corpo. Quando la fiamma illuminò quell'antro angusto era troppo tardi. Lo avevo acceso dimenticandomi, anche se solo per un attimo, di quanta paura avessi di quello che avrei potuto vedere grazie a quella luce. Non riuscii a portarmi la sigaretta alle labbra, né ad accostare l'accendino. Rimasi lì, incapace di muovermi, perché a quella debole luce vidi il mio inferno. Un inferno in cui l'unica fiamma era quella del mio accendino. Significava che Satana ero io e che quella era la mia casa, ma non riuscivo a guardare i muri della mia dimora. Spensi l'accendino vomitandoci sopra. Mi asciugai il mento e, proprio mentre tentavo di asciugarmi le mani sfregandole sui pantaloni, notai dodici piccole luminescenze di cui non mi ero accorto prima. Luccicavano insieme a una lancetta delle ore, dei minuti e dei secondi. Era l'orologio che mi aveva regalato il prefetto. Segnava le tre e un quarto, come in quella fotografia pubblicata su «Da Kandalı al mondo». Però stavolta erano le tre di notte. La notte più buia di sempre. Perché nel mio inferno non bruciava nessuno e non si alzava la minima fiamma. O magari a illuminare il mondo non era il sole, ma proprio quello: il fuoco del mio inferno... E forse anche un po' di solfato di morfina.

Tenevo con entrambe le mani l'orologio che mi ero slacciato dal polso. Stavo immobile, con i gomiti sulle ginocchia. Seguivo lo scorrere dei secondi indicato dalla lancetta da esattamente due ore. Forse mi stavo autoipnotizzando, ma all'epoca non sapevo come si facesse. Cercavo semplicemente di dimenticare l'inferno che avevo visto alla luce dell'accendino, concentrandomi sulla lancetta dei secondi. Alle cinque e un quarto accadde qualcosa.

"*Daha*... Ancóra... Ancóra... Ancóra..."

Chi stava parlando? A chi apparteneva quella voce? Da dove veniva?

"Ancóra... Ancóra... Ancóra..."

Avevo le allucinazioni? Ma no, la voce che sentivo era reale. Proveniva da lontano ed era soffocata, ma la potevo udire chiaramente. Mi misi a gridare.

"Sono qui! Qui! Sono qui! Mi senti?"

Restai in silenzio ad aspettare.

"Ancóra!"

Chiunque fosse, mi stava rispondendo. Quando però cominciai a chiedermi perché dicesse sempre la stessa cosa, domanda e risposta si scontrarono come due particelle nella mia mente. Era ovvio che ripetesse la stessa cosa, perché conosceva solo quella parola in turco! Solo *daha*! Perché era uno degli afgani nel vano di carico del camion! Bene, ma dov'era? Se solo avessi potuto chiederglielo. Però non conoscevo il pashtu. Negli anni erano transitate per la cisterna centinaia di persone che parlavano il pashtu, ma non mi era mai importato niente di cosa dicessero. Non conoscevo neanche una parola. Ne avevo sentite a migliaia, ma nessuna era rimasta impressa nella mia mente. Il mio apparato uditivo, che in genere funzionava come una trappola per farfalle inesorabile, non aveva captato neanche una vibrazione in quella cisterna. Perché ero sicuro che il pashtu non servisse a niente nella vita reale! La vita reale, cioè tutto ciò che superava la percezione umana! Stavo imparando... E ascoltavo: "Ancóra... Ancóra..."

Non riuscivo a capire da quale direzione provenisse quella voce. Sembrava che giungesse a me da ogni parte, dopo essersi frammentata in mille pezzi, passando dagli interstizi fra i cadaveri che mi circondavano. No, non riuscivo a capire da dove provenissero quei frammenti sonori che sembravano alla stessa altezza. O meglio, alla stessa bassezza, perché erano evanescenti, come se qualcuno stesse parlando dallo stomaco di uno dei cadaveri! Significava che la distanza tra me e chi gridava non cambiava mai. "Sono qui!" gridavo. "Sono qui!" e poi ricevevo la mia risposta. "Ancóra!"

Tutto qui. Questa era la nostra forma di comunicazione. Ripetemmo questa sorta di conversazione senza sosta finché a un tratto diventò una frase: "Sono ancora qui!"

Si fecero le sei, ma non riuscivo a distinguere il minimo movimento tra i cadaveri intorno a me. Non volevo neanche pensare che non fosse qualcuno alla ricerca di segni di vita tra la massa di cadaveri che aveva di fronte. Perché l'unica alternativa era che fosse qualcuno incastrato come me tra i cadaveri. E dopo un po', dovetti convincermi che fosse così. Ci volle del tempo per vincere la mia riluttanza a crederci... E probabilmente neanche lui voleva crederci, perché aveva urlato centinaia di volte: "Ancóra!"

Chissà dov'era rimasto intrappolato, mentre aspettava che corressi in suo aiuto... Ascoltammo invano le nostre reciproche richieste di soccorso per quarantacinque minuti. E lui faceva più fatica di me, perché tentava di chiedere aiuto con quell'unica parola turca.

Intanto era passato parecchio tempo da quando avevo visto le mura del mio inferno e avevo giurato di non accendere mai più l'accendino. Ma ero in un luogo e in un momento tale della mia vita da essere consapevole che qualsiasi giuramento non valeva nulla. La mia lealtà, proprio come la mia schiena, erano state frantumate dalla protuberanza rocciosa sotto cui ero finito! Non nutrivo alcuna lealtà verso i miei giuramenti, né verso nessuno! E ciò era vero al punto che mi consolava soltanto il pensiero che mio padre doveva essere morto. Pensavo che se non altro lui era crepato ed era sparito per sempre. Poi però mi veniva il dubbio che potesse anche essere solo ferito, accovacciato da qualche parte. Accantonavo con decisione questo pensiero e gridavo: "No, no! Ahad è morto! Ahad non c'è più!" e poi giungeva puntuale la solita risposta: "Ancóra!"

Questa volta però gridai: "Rassegnati! Anche io sono rimasto incastrato come te! È inutile che urli!"

Ma lui continuava a gridare: "Ancóra!"

Chi era? Quale, fra gli afgani della cisterna? Chi aveva imparato quella parola magica in previsione di passare per la Turchia? Chi era quella persona che, prima di mettersi in viaggio, aveva imparato quella parola per chiedere ancora acqua, ancora cibo, ancora aria, ancora questo, ancora quello e qualsiasi cosa volesse?

Se si fosse trattato di un altro gruppo l'avrei subito riconosciuto. Ma questa volta era entrato in gioco Rastin. Questa volta non mi era toccato sentire nessuno chiedere, con espressione da bambino morto di fame: "Ancóra!", perché stavolta quella gente aveva fatto di Rastin la sua lingua...

La voce era così profonda che non riuscivo a capire neanche se appartenesse a una donna o a un uomo. Magari era quel bambino con cui avevo cantato l'inno nazionale! Il bambino che con il suo corpo sottile come una foglia era rimasto in vita incastrato tra quattro cadaveri e cercava di farsi sentire... "Che importa chi è" mi dissi. "Che me ne frega! Che cambia? In ogni caso non può venire a salvarmi!"

Però lui non la pensava così, perché continuava a urlare: "Ancóra!"

Io, dal canto mio, per dimenticare quest'ennesima, amara delusione ricominciai a seguire la lancetta dei secondi. E a ogni ticchettio pensavo che l'alba si avvicinava sempre di più e che forse qualcuno avrebbe potuto notare il camion e venire in mio aiuto. Lo pensavo sessanta volte al minuto e tremilaseicento volte all'ora. Guardavo quell'orologio come se stessi facendo scorrere i grani di un tespih...

Erano le sette. Ero certo che il sole era sorto, ma nessuno stava venendo a salvarmi. E soprattutto io ero ancora al buio. I morti non facevano passare il più sottile raggio di luce. Erano accatastati l'uno sull'altro, in modo così fitto da non far passare nulla, eccetto la pioggia e l'ossigeno. Per quanto fossi assetato, giurai di non bere le goccioline d'acqua che cadevano dalla roccia sui palmi delle mie mani. Mi disgustava quell'acqua filtrata dai cadaveri che mi bagnava, goccia dopo goccia, scorrendo sulla parete della caverna. Chissà da dove era passata e chissà con cosa si era mescolata, quell'acqua. Chissà con quale sangue o saliva. Ero così nauseato che cambiavo continuamente la posizione delle mani. Con l'ossigeno, però, non funzionava così. Da quello non avevo via di scampo. Anche se mi fossi cucito le labbra, sarebbe comunque entrato dentro di me. Superava ogni ostacolo per tenermi in vita in quell'inferno e, trovato un passaggio, si infilava nelle mie narici. Non sarebbe venuto nessuno, e quel posto, che mi provocava un istinto suicida, mi stava uccidendo tenendomi in vita! Odiavo quell'ossigeno figlio di puttana. Era riuscito a trovarmi perfino sepolto in quel buco! Forse era una maledizione! Non mi sarei mai liberato dell'ossigeno, ovunque fossi andato! Ero maledetto! Alla fine il faraone-bambino Tutankhamon era stato maledetto! Del resto avevo anche la mia piramide! Una vera piramide di carne umana che si ergeva sopra di me. Erano pure morte decine di persone per edificarla. Anche se in verità sarei dovuto essere io il primo a morire! Perché era la mia piramide! Ed ero stato sepolto sotto di essa seguendo per filo e per segno l'antica usanza egizia. Ma ero rimasto in vita a causa di una maledizione lanciatami da quei defunti. Ero stato sepolto io e, con me, la mia maledizione. L'ossigeno era una maledizione a cui non si poteva sfuggire, perché non potevo fare a meno di respirare. E respiro dopo respiro mi sembrava di essere veramente un faraone sepolto vivo nella propria tomba.

Alle otto non riuscii più a resistere. Mi lasciai andare liberando i liquidi del mio corpo, che avevo trattenuto fino a quel momento. Il suolo su cui ero seduto e i pantaloni cominciarono a bagnarsi. Per un momento in quel freddo mi sentii bene. E mi innervosì l'idea di essermi trattenuto così a lungo inutilmente. Tanto che importanza poteva avere il mio aspetto, una volta uscito da quella trappola di carne umana? Che importanza poteva avere essermi vomitato, pisciato o cagato addosso? Certo, in fin dei conti ero lì solo da cinque ore, un lasso di tempo non sufficiente per dimenticare le elementari regole di civiltà. Magari qualche ora dopo... Dieci o quindici ore dopo mi sarei potuto trasformare in un vero animale del sottosuolo e avrei potuto iniziare a nutrirmi della mia sporcizia. Ma cinque ore non bastavano. Al massimo ci si piscia addosso e poi si scaccia la vergogna dicendo: "Fanculo! Chi vuoi che se ne accorga!" In fin dei conti tutto dipendeva dalla speranza. Pensare che molto presto sarebbe arrivato il momento in cui sarei tornato fra gli uomini mi manteneva civile. Il mio istinto suicida svaniva con il sole che sapevo levarsi nel cielo anche se non potevo vederlo.

E così avevo di nuovo cominciato a sognare che qualcuno mi trovasse, rimuovesse quella massa di cadaveri e mi salvasse. In quel buco, pessimismo e ottimismo si alternavano così velocemente che prima ancora di provare un sentimento, l'altro attanagliava la mia mente. Per esempio in quel preciso istante il desiderio di salvezza muoveva tutte le mie azioni. Era il suo turno e, anche se ero al buio, la mia mente illuminava ogni cosa. Anche se ero sepolto al centro della terra, volevo vivere. Anche se avessi dovuto aprire la bocca fino a rompermi la mandibola, o aprire le narici come crateri per respirare, volevo vivere. Ormai l'ossigeno non era più una maledizione, ma un supereroe! Un supereroe in grado di attraversare il muro di cadaveri per tenermi in vita! Volevo vivere! Lo desideravo con tutte le forze, e gridavo: "Finché ci sarà vita! Sarò io a calare il sipario su questo mondo!"

La voce, che non udivo più da circa mezz'ora, adesso mi incitava dicendo: "Ancóra!"

Io gridavo: "Vivrò!"

E la voce mi rispondeva: "Ancóra!"

Stavo sorridendo. Tutto questo sarebbe finito prima o poi! Sarebbe passato! Uscito di lì, avrei ripreso a studiare! Tutto sarebbe cambiato. Ahad doveva essere sicuramente morto. Avrei ricominciato da capo a vivere. D'altronde avevo ancora quindici anni. Non era per niente tardi. Avrei potuto considerare tutta la mia vita precedente una gestazione nel ventre di mia madre, sarei potuto essere un Gazâ nuovo in tutto e per tutto! Non avrei ripetuto i vecchi errori. Tutto quello che avevo vissuto sarebbe stato soltanto una specie di giro di prova! Una vita di prova! Un test che mi era stato somministrato per vedere in quali trappole sarei potuto cadere, gli errori che avrei potuto commettere, per acquisire l'esperienza necessaria ad affrontare la vita reale. Sembrava che la testa mi fosse scoppiata come un vulcano, spargendo ovunque una lava di ottimismo. Come una corona. Una corona fatta di ossa sopra la mia fronte e le mie orecchie! E al centro della corona c'era un cervello di velluto! Nessuno lo sapeva ancora, ma ero il re del mondo. Il mio unico compito era stare seduto ad aspettare per poi proclamarmi re sussurrando all'orecchio di chi mi avrebbe salvato! Volevo nascere il prima possibile. Di nuovo! Ero stato seppellito buffone, e sarei rinato re! Dovevo solo essere paziente, e naturalmente restare in vita! E per questo avevo bisogno di bere. Qualsiasi cosa fosse, dovevo bere quell'acqua di cadavere che cadeva goccia dopo goccia. Mi bastava tendere la mano e aprire il palmo. Cadde la prima goccia e, tredici secondi dopo, la seconda. Riempii l'incavo della mano esattamente in due minuti e ventinove secondi, mentre guardavo l'orologio sull'altro polso. Poi aprii la bocca versandomi l'acqua metà tra le labbra e metà sul mento. Come inghiottii il sorso, i quattro crateri del mio cranio si chiusero e la mia corona sparì, perché mi era tornato in mente il volto dell'uomo magro che avevo seppellito nel giardino. Dopo averlo picchiato e gettato in un angolo, nessuno aveva voluto dargli dell'acqua, e l'uomo aveva teso la mano verso il muro al suo fianco. Si era inumidito prima le dita, poi le labbra, con un rivolo creato dall'umidità. Mentre aprivo l'incavo della mano e raccoglievo l'acqua, ci somigliavamo così tanto che non ci volle molto perché quell'immagine tornasse a perseguitarmi. Il velo tolto dalla mia mente non mi aveva ricordato solo l'immagine di quell'uomo, ma anche la sua espressione da morto e, con essa, tutti i volti dei cadaveri che mi circondavano. Così mi fu strappata la corona regale. Il calore dell'ottimismo sparì improvvisamente, lasciandomi con il freddo aspro di marzo che mi pungeva da ogni lato. Tremavo. Mi afferrai il mento con una mano per evitare che mi battessero i denti. Ma anche la mano tremava. Per il freddo e la paura. Perché sapevo benissimo che se nessuno fosse venuto a tirarmi fuori da quel buco, avrei assistito alla decomposizione di quei volti. Al di là della parete su cui poggiavo la schiena e del tetto di pietra che mi aveva salvato la vita, ogni cosa, prima o poi, sarebbe marcita. Tutto il mio mondo sarebbe marcito. Chissà quale esercito di insetti si era messo in marcia per divorare la torta gigante che li aspettava sulla cima del monte Kandağ... O forse sarebbero usciti dal terreno, proprio dove sedevo io! Mi sarebbero usciti da sotto le gambe e avrebbero divorato tutto ciò che di morto c'era intorno. Cosa avrei fatto a quel punto? Avrei mangiato anche io quei cadaveri per sopravvivere? Non sapevo niente sulla decomposizione dei corpi. Il mio campo di specializzazione era un altro. Un altro tipo di decomposizione. La decomposizione che riconoscevo a colpo d'occhio avveniva in superficie. Quella che inizia quando si è ancora vivi, e ricopre di muffa il cuore e il cervello. Era quello che avevo potuto imparare fino a quel momento dalle lezioni che la vita mi aveva dato sollevandomi per la nuca. Altro, non sapevo. E l'ultima lezione era stata: seppellire i morti.

Sapevo solo questo: seppellire e continuare a vivere. Non c'era un domani. Il domani era un grande mistero. Ma in fondo non era così per tutti? A chi interessava cosa sarebbe accaduto dopo aver seppellito la propria madre, il proprio padre, il proprio amore, il proprio fratello? A chi interessava sapere in cosa si sarebbero trasformate le persone di cui ci si era innamorati o che si erano addirittura adorate in vita? Io e tutte le persone ordinarie a questo mondo sapevamo soltanto quello che accadeva fino alla sepoltura. Magari qualche volta dicevamo: "Poi vengono mangiati dagli insetti". In realtà basterebbe bruciare tutti! Ecco quello che si dovrebbe fare! Almeno sapremmo cosa accade dopo la morte. "Si diventa cenere e ci si disperde" diremmo, e nessuno avrebbe nient'altro da aggiungere. Ma nel sottosuolo era tutto complicato almeno quanto in superficie. Un mistero altrettanto grande. Odiavo la natura! Quella cosa che fa sì che tutti divorino tutti! Odiavo quella catena alimentare continua. Non sarebbe potuto essere tutto diverso? Non c'era altra scelta? Era questa la natura magnifica e perfetta di cui parlavano tutti? Chiunque o qualsiasi cosa l'abbia creata è un sadico. "Creerò un sistema in cui per vivere sarà necessario divorarsi e uccidersi l'un l'altro!" deve aver detto. Animali che si divorano a vicenda, uomini che divorano qualsiasi cosa, insetti che divorano cadaveri, insetti che divorano altri insetti... "Fanculo tutto!" gridavo. "Fanculo tutti quelli che idealizzano e ringraziano la natura per tutte quelle scene di carne divorata e sangue bevuto!"

Ero così furioso che se solo avessi avuto con me carta e penna avrei scritto una lettera. Visto che tutte le religioni sono piene di scritti e di libri, significava che era questo il mezzo di comunicazione che dovevo usare. Avrei scritto una lettera di protesta da mandare a Dio, al Creatore o a chi per lui! Visto che il *Corano* inizia dicendo "Leggi!", io avrei cominciato la mia lettera con un "E tu leggi questo!"

Fatemi uscire da questo buco e lo farò! E sentivo sempre quella voce rispondermi: "Ancóra!", però questa volta aveva più un tono interrogativo. Come se domandasse: "Ancóra?"

E io rispondevo piangendo: "Ancóra niente! Basta, vaffanculo!"

E poi ritornavo a guardare l'orologio.

Ero intorpidito. Ogni parte del mio corpo era intorpidita. Le gambe, le braccia, i muscoli, perfino la lingua e le labbra. Erano di nuovo le tre e un quarto e sedevo in quella posizione da esattamente dodici ore. Ero sicuro che la cosa appoggiata alla mia spalla sinistra fosse una testa. Chiunque fosse, quando ore prima avevo provato a spingerlo via, avevo trovato le sue costole. O magari quello era il tronco di qualcun altro, non ne avevo idea. Quanto alla spalla destra, era appoggiata su qualcuno che aveva il mento sulle ginocchia. O almeno, così pensavo. E subito dopo c'era quella faccia a cui apparteneva la bocca in cui avevo infilato le dita nel buio. Non potevo stabilire con sicurezza dove fosse il resto della faccia, perché ormai non ricordavo più molto bene lo scenario che per pochi secondi avevo visto alla luce dell'accendino. In verità se non avessi avuto l'orologio non avrei ricordato molte cose. Tutto sarebbe stato confuso. Prima di tutto perché l'incidente mi sembrava accaduto anni prima, ma dal momento in cui avevo bevuto l'acqua filtrata dai cadaveri mi sembrava fossero trascorsi solo pochi minuti. Forse stavo impazzendo e avevo paura di questa eventualità, ragion per cui non mi bastava più essere salvato. Dovevano salvarmi prima che impazzissi. Avevo così tanta paura di passare il resto della mia vita da malato di mente, che in quel momento pregavo tutte le divinità contro cui avevo inveito solo qualche ora prima. Il mio unico desiderio era questo: morire prima di impazzire. Ma nonostante i miei sforzi non riuscivo a ricostruire l'ordine degli eventi, né a seguire lo scorrere della lancetta dei secondi, né a contare ad alta voce o gridare. Dopo un po' iniziavo a confondermi. Contavo il 17 dopo il 5 e restavo imbambolato a guardare la lancetta, poi, quando tornavo in me, non riuscivo a capire quanto tempo fosse durato quell'attimo e venivo preso dal panico. Trattenevo il respiro, chiudevo gli occhi e attendevo che nella mia mente apparisse il quadrante di un orologio che segnava le tre e un quarto. Un quadrante che segnava le tre e un quarto per me significava l'inizio di ogni cosa. Era come l'anno zero. Come un orologio che segna l'inizio della storia. Se lo avessi perso tutto sarebbe volato per aria, le cose si sarebbero confuse ancor di più e non sarei stato in grado di stabilire quanto tempo avessi passato in quel buco. Senza poterlo quantificare sarei sicuramente impazzito, perché laggiù il tempo non esisteva. E se anche continuava a esistere, io non l'avrei capito. Per capirlo c'erano specifiche scuole da frequentare. Scuole che insegnavano a stabilire il tempo trascorso dalla morte guardando un cadavere... Io invece avevo un orologio che stabiliva il tempo d'inizio, tutto qua. Quello era il mio passato ed era l'unica cosa che avevo. Se lo avessi dimenticato sarei stato rovinato. E se anche fossi stato un granello di sabbia, sarei stato dentro una clessidra. Di conseguenza cercavo di imprimermi nella mente quel quadrante e trattenevo il respiro a occhi chiusi finché non appariva. Per quanto il battito del mio cuore accelerasse, per quanto soffrissi, non riprendevo fiato finché non lo vedevo. Mi dava un po' di calma e mi aiutava a ricordare quell'orario. Mi rassicurava perché pensavo che, trattenendo il respiro, si interrompesse qualsiasi forma di comunicazione tra me e il mondo. Cessasse ogni scambio. Il mio corpo era ancora lì e io abitavo in quel corpo, ma in un certo senso era come se evaporassi. Svanendo, mi sentivo libero da tutto. Era questo il mio rimedio agli attacchi di panico. Dovevo assolutamente trovare un modo per annotare da qualche parte il momento in cui quel quadrante segnava le tre e un quarto. Dovevo registrare in qualche modo che l'orologio faceva le tre e un quarto ogni dodici ore. Ogni dodici ore, dovevo incidere una tacca da qualche parte. Pensare a tutto questo mi faceva piombare in un panico ancora più profondo, perché tutti quei preparativi significavano accettare che non sarei stato liberato quel giorno. E allora, trattenendo il respiro, attendevo che quell'attimo di panico svanisse. La cosa negativa era che per apporre quei segni avrei dovuto usare nuovamente l'accendino. E poi, dove e come avrei scritto quei numeri? Se li avessi scritti nel fango si sarebbero cancellati. Cominciai a girarmi come se potessi vedere nel buio. Naturalmente non vedevo nulla, ma nel momento in cui alzai la testa trovai la soluzione. Avrei potuto fare dei segni sulla roccia con la fiamma dell'accendino, ma avrei consumato tutto il gas. Dovevo fare una scelta: restare senza accendino, oppure rinunciare a misurare lo scorrere del tempo e quindi impazzire. La decisione non era poi così difficile, ma non riuscivo ad accenderlo per la paura. Però avevo un accendino in più, quello nel pacchetto di sigarette che mi aveva dato mio padre. La decisione era presa. Data e ora sarebbero state scritte con la fiamma sulla superficie della roccia. Ma a quel punto mi chiedevo come avrei potuto lasciare dei segni senza vedere ciò che mi circondava. Come si poteva ignorare l'inferno in cui ero sepolto? Esisteva un modo per riuscirci? Certo che c'era! Pensare a tutti i medici legali sulla faccia della terra! Mentre io avevo paura di vedere quelle decine di cadaveri ammassati uno sull'altro, chissà quante persone c'erano al mondo in grado di sezionare con mano ferma un corpo senza fare una piega. Se ci riuscivano loro ci sarei riuscito anch'io. O quanto meno sarei stato in grado di usare l'accendino per i miei propositi, senza curarmi di quelle carcasse. Avrei alzato la testa tenendo lo sguardo fisso sulla parete rocciosa. In fondo, tutti erano fatti di carne, me compreso. In un altro pianeta saremmo stati venduti al chilo nelle macellerie! Mi catapultai nel futuro con uno scatto fulmineo, come un paracadutista al suo primo salto nel vuoto. Alzai il capo e accesi la fiamma. È vero, percepivo la loro presenza e i miei occhi sapevano che tutti quei cadaveri erano lì, ma io guardavo ostinatamente la roccia, tenendo la fiamma ferma sullo stesso punto nella vana speranza di vedere un cambiamento di colore. Niente: la roccia era umida e l'accendino si dimostrava inutile. Rassegnato, stavo per spegnere la fiamma, che aveva cominciato a bruciarmi le dita, inavvertitamente abbassai lo sguardo per un attimo. Vidi il seno di una donna... poi sollevai il pollice dall'erogatore del gas. Ero di nuovo al buio, però il mio sguardo era ancora colmo di quel seno. Il collo e la testa della donna non erano visibili, perché nascosti dalle gambe di un altro cadavere, mentre la parte dall'ombelico in giù era piegata all'indietro da altre due gambe e nascosta dall'oscurità. Era tesa verso l'alto come le decorazioni della prua delle navi corsare, con la schiena inarcata all'indietro. Era per questo che il seno e la gabbia toracica risultavano così evidenti. L'unica altra cosa visibile era il ventre leggermente grasso. La parte posteriore non si vedeva. La camicia indossata dalla donna si era sbottonata, lasciando intravedere i due seni che sporgevano da un reggiseno bianco. Quell'immagine che avevo visto per un secondo mi aveva così eccitato che cominciai a desiderare di riaccendere la fiamma per ammirarli, o di trovare addirittura un modo per toccarli. Ma ero troppo distante. Per riuscire a toccare quel seno avrei dovuto sporgermi in avanti con il risultato che lo spazio lasciato dalla mia schiena sarebbe stato riempito da uno dei cadaveri appoggiati alle mie spalle. Forse, togliendomi le scarpe, sarei riuscito a toccarlo con la punta dei piedi. Oppure mi sarei potuto lanciare in avanti, senza curarmi della possibilità che i corpi mi scivolassero dietro. In fondo, quanto spazio avrei sacrificato? Forse trenta centimetri. E poi probabilmente i cadaveri erano incastrati al punto di non potersi muovere. In fin dei conti erano ammassati uno sull'altro, pressati contro la roccia, come se non avessero più alcun osso. Tuttavia ero sicuro che la testa di quello alla mia sinistra sarebbe scivolata dietro di me.

Ero così eccitato che usai l'accendino per ammirare quel seno, concentrandomi solo su quello. Alla sua sinistra c'era una faccia, ma tentavo in ogni modo di non guardarla. E alla fine lo feci! Mi sporsi in avanti, presi il reggiseno e lo sollevai. Uscirono allo scoperto due seni, mentre il reggiseno rimase fermo più o meno sotto il collo della donna. D'improvviso però sentii un terremoto alle mie spalle! Il cadavere alla mia sinistra scivolò con tutta la sua mole, frapponendosi tra me e la parete rocciosa. Ormai avevo le ginocchia così vicine da essere costretto ad appoggiarvi i gomiti. Non avevo perso trenta centimetri di spazio, ma almeno mezzo metro! Di lì in avanti non avrei più potuto distendere le gambe. Per un attimo pensai di sedermi sul cadavere alle mie spalle, ma la distanza con la parete superiore non lo permetteva, non era abbastanza alta. Quindi avevo fatto tutto questo per cosa? Adesso lo avrei saputo! Prima riposi l'accendino, poi mi sbottonai i pantaloni. Facevo tutto così in fretta che la mano mi tremava e non riuscivo ad abbassare la cerniera. Poi sollevai il bacino facendo leva con le gambe sul cadavere di fronte a me e con la schiena su quello alle mie spalle. Riuscii nel mio intento di abbassarmi la cerniera e i pantaloni. Cominciai a masturbarmi al buio toccando con la mano libera quel seno di cui avevo memorizzato la posizione. Ma tutto era freddo. Più delle mie mani. Non accadeva nulla. Il sangue del mio corpo non riusciva a concentrarsi dove avrebbe dovuto e non riuscivo neanche ad apprezzare la consistenza del seno freddo che toccavo. Sembrava che niente fosse vero! Niente! Né io sepolto in quel buco, né la mano con cui mi toccavo, né il seno di quel cadavere! Con le lacrime agli occhi, mi stavo sforzando di fare qualcosa di impossibile. Era andato via. Il desiderio si era perso in un buco nero, al punto che là sotto non accadeva nulla. Ritrovarlo era impossibile. Mi trovavo seduto sul terreno freddo come il ghiaccio, come se stessi impastando dell'argilla che non si sarebbe mai indurita. Tastavo fino quasi a staccare le due tette senza vita, mi toccavo e non sentivo nulla. Ma non avevo nessuna intenzione di arrendermi di fronte a questa morte. Era tutto morto intorno a me, ma io non lo ero! Anche se con difficoltà, mi chinai con la testa sulle gambe e mi protesi sulle ginocchia. Appoggiai la fronte sul seno che tenevo con la mano sinistra e vi strofinai lentamente la faccia. Le sopracciglia, gli occhi, gli zigomi, il naso e le guance. Volli pressare tutto il mio volto su quel seno duro e freddo come il marmo. Baciai quel marmo che immaginavo attraversato da sottili vene verdastre. Aprii le labbra e le richiusi accarezzando con la punta della lingua il capezzolo e l'aureola. Facevo tutto così piano che ogni mio movimento sembrava durare ore. Cominciai a succhiarlo con gli occhi chiusi, seduto sulle ginocchia. Con una mano tenevo l'altro seno mentre continuavo a masturbarmi, toccandomi con le dita allo stesso ritmo della mia bocca. Né più, né meno rapidamente. Il mio pugno si muoveva su e giù come se la mia mano stringesse un pugnale e sentivo un calore spandersi dentro di me, mentre la morsa delle mie dita si allentava. Stavo pensando alla ragazza più bella del mondo. E alle altre... Avevo dimenticato del tutto chi ero e dove mi trovavo. Con gli occhi chiusi aspettavo quell'attimo, quando tutto sarebbe finito, donandomi un piacere che avrebbe reso superflua ogni cosa. Dolore e piacere si sarebbero equivalsi come se la vita li tenesse insieme con un filo sottile su cui sarei saltato come un acrobata. Lo sentivo. Sentivo riversarsi in me il piacere, goccia dopo goccia. Sapevo che presto il mio inguine sarebbe stato bagnato da un fiume. Proprio mentre trattenevo il respiro, pronto ad accogliere quel momento, che sarebbe arrivato un secondo dopo dischiudendo ogni mia cellula, la mia bocca si riempì di un liquido amaro! Un liquido amaro, appiccicoso e denso! Pensai immediatamente che fosse del sangue! Cos'altro poteva essere tra tutti quei cadaveri? Era certamente sangue! Chissà da quale parte del corpo della donna era uscito, colando fino al capezzolo. Chissà quanto ne avevo succhiato o perfino ingoiato! Saltai come un pupazzo a molla sulle ginocchia prima sbattendo la testa sulla parete sopra di me e poi cadendo con la schiena sul cadavere alle mie spalle. Lanciai un urlo, mi raddrizzai e, non appena riuscii a sedermi di nuovo, cominciai a passarmi il dorso della mano sulla bocca e a sputare. Ormai però era troppo tardi, perché ero certo di averne ingoiato almeno qualche goccia! Non avevo intenzione di cercare l'accendino che avevo poggiato a terra. Così presi quello nel pacchetto di sigarette che avevo in tasca e lo accesi. Mi guardai le mani, ma su di esse non c'era nulla che somigliasse a del sangue. Fra le dita trovai soltanto alcuni rivoli di liquido bianco tendente al giallo. Il mio sperma aveva più o meno lo stesso colore, ma ero certo che il liquido che stavo osservando non mi appartenesse! Alzai immediatamente lo sguardo e osservai il seno della donna. Eccolo lì! Dal capezzolo colava una goccia che cadde a terra. Quella doveva essere l'ultima goccia, perché non ne vidi altre e il capezzolo si asciugò. Non riuscivo a capire. "Perché?" mi chiedevo. "Com'è possibile? Cos'è? Una malattia? È pus? Perché cola una cosa del genere dal seno di una donna..."

Mi fermai! Dovetti farlo per forza, perché la mia mente era di fronte a un muro. E così capii tutto e mi crollò addosso ogni cosa. Il capezzolo che avevo succhiato apparteneva alla donna incinta, quella che avrebbe chiamato il figlio Rastin se fosse stato maschio. Aveva detto di essere incinta di quattro mesi. Il suo corpo aveva cominciato a prepararsi al parto da tempo e non aveva previsto che sarebbe morta a metà della gravidanza. Per la prima volta nella mia vita avevo bevuto del latte materno. Mia madre non mi aveva allattato, ma alla fine qualcuno l'aveva fatto. Non sapevo cosa pensare, o cosa sentire... Non ero neanche sicuro di vergognarmi. L'accendino mi era rimasto in mano come una candela che illuminava tutto, ma io, con la testa chinata in avanti, non riuscivo a vedere nulla. I pantaloni mi erano scesi fino alle caviglie e io vi ero seduto sopra. Spensi la fiamma e misi l'accendino tra i denti. Mi raddrizzai leggermente e, anche se con difficoltà, spostai in avanti le gambe e appoggiai la schiena sul cadavere alle mie spalle. Poi distesi le gambe più che potevo e mi tirai su i pantaloni, alzai la cerniera e li abbottonai. Mi raddrizzai di nuovo e mi sedetti sui talloni. Presi l'accendino che tenevo in bocca, lo rimisi in tasca e trattenni il respiro. Aspettai che il quadrante dell'orologio apparisse... ma non accadde. Non riuscì a materializzarsi in nessun modo nella mia mente ottenebrata. Per quanto potessi trattenere il respiro, non riuscivo a vederlo né dietro né davanti ai miei occhi. Ecco, proprio in quel momento mi sentii sprofondare nel girone più oscuro del mio inferno, perché mi ero accorto di non ricordare l'ora in cui vi ero giunto. La mia mente era stata lacerata a tal punto da quello che era accaduto poco prima che non era rimasto altro che dolore. Il dolore era ovunque, cancellava ogni altra cosa dalla mia memoria. Era ovvio che anche il mio anno zero fosse stato cancellato insieme a tutto il resto.

Ormai potevo impazzire, e così accadde. Cominciai a picchiarmi. A schiaffeggiarmi! Poi colpii i cadaveri. Presi a pugni tutto quello che avevo a tiro: gambe, addomi, schiene, seni e tutto quello che potevo immaginare, ma a cui non volevo pensare. Persi me stesso. Gridavo soltanto percuotendo quei tamburi di pelle intorno a me. Mi alzavo e mi abbassavo spingendomi sui talloni, mi colpivo le gambe, le ginocchia e l'inguine! Colpivo quella parte di me che avevo inutilmente toccato per placare il mio dolore. Colpivo tutto il mondo in quel luogo angusto che era ormai il mio mondo. Ormai non sarei stato più sicuro di niente. Né dello scorrere del tempo, né di ogni altra cosa! Cominciai a gridare: "Forse sei qui da giorni! Chi può saperlo?"

E, in effetti, chi poteva saperlo? Se non lo sapevo io, chi altri avrebbe potuto dirmelo? Forse ero lì da settimane. Certo, poteva essere solo così! Se non fossi stato lì da settimane, avrei mai potuto pensare di fare sesso con un cadavere? Assolutamente no! Ma a quest'ora non sarebbe marcito tutto quanto? Tirai fuori l'accendino dalla tasca con una violenza tale da strapparla. Non sapevo cosa sperare di vedere alla luce di quella fiamma. Sarebbe stato meglio vedere tutto in decomposizione o impazzire al punto di voler scopare un cadavere prima che marcisse? Quale delle due opzioni era preferibile? Quando avessi acceso la fiamma lo avrei scoperto. E così avrei capito se erano stati i cadaveri a marcire o la mia anima! Trassi un respiro, accesi la fiamma e aprii gli occhi. Vidi tutto. Tutto quanto! Quegli occhi freddi! Quelle labbra violacee! Quei nasi insanguinati! Quelle pelli lacerate! Le ossa che fuoriuscivano dalla carne! Osservai minuziosamente qualsiasi cosa la vita mi stesse mostrando. Nessuno dei cadaveri era ancora in decomposizione! Voleva dire che era stata la mia anima a marcire. Perché io ero già stato sepolto prima di tutti loro. Avevo cominciato a marcire la notte in cui mia madre aveva tentato di seppellirmi. Marcivo da quindici anni! In quel momento odiai mia madre con tutto me stesso. Sfogai la mia rabbia avvicinando la fiamma al seno che avevo baciato poco prima e aspettai che bruciasse. E nel frattempo l'odio per mia madre crebbe così tanto che riempii di bruciature quei seni. Visto che non c'era più bisogno di scrivere alcuna ora d'inizio col fuoco, mi riempii i polmoni di fumo. Mentre lo soffiavo via dalle narici, guardai una delle persone che un tempo erano state nella cisterna. Poi mi vennero in mente altre persone, altri che erano transitati dalla cisterna in vicolo della Polvere... Nel fumo vidi l'immagine della ragazza più bella del mondo. E poi delle altre... Tutte quelle che avevo violentato, nonostante all'apparenza non fosse uno stupro... "Ecco!" mi dissi "è così che stanno consumando la loro vendetta!"

Perché avevo capito, adesso. Erano state loro a mostrarmi quei seni, a farmi dimenticare quello che non avrei dovuto dimenticare, a rendere il buco in cui giacevo ancor più stretto. Lo avevano fatto per vendetta! "Hai visto?" dicevano "Ci hai voluto toccare. E noi abbiamo accettato perché avevamo paura o perché altrimenti saremmo morte. Ma alla fine sei stato tu a impazzire, non noi! Tu!"

E io gridavo: "Non basta! Questa sofferenza non basta! Datemene ancora un po'! Molta di più! Ancóra!" ma questa volta non giungeva alcuna risposta. Non c'era più nessuno che diceva: "Ancóra!"

Forse perché chiunque fosse aveva visto tutto da una fessura larga quanto il buco di una serratura e aveva realizzato che mostro fossi. E adesso si rifiutava perfino di dire quella singola parola. O magari era crepato! Soffocato dal suo sangue, divenendo l'ennesimo mattone incastrato in quel muro di carne. Non mi importava nulla. Non mi interessava neanche se fosse vivo o morto. Se non altro avrei potuto gridare io al posto suo. Avrei potuto gridare: "Ancóra!" in faccia a tutti quei cadaveri che resuscitavano. Fin quando avessi voluto! Fino a lacerarmi la laringe!

"Ancóra! Forza! Non ce n'è più? Tutto qui? Ancóra di più, forza! Datemene ancóra! Qualsiasi cosa sia, datemene di più! Ancóra! Ancóra! Ancóra!"

Gazâ! Calmati e spegni quell'accendino. Adesso chiudi gli occhi e trattieni il respiro. I numeri che cerchi sono 3 e 15. Quando sei caduto qui erano le tre e un quarto, e tutto questo avveniva dodici ore fa. Questa è l'ultima volta che ti aiuto. Credo che non sentirai mai più la mia voce, non te la meriti. Adesso espira. Stammi bene.
Davvero? Mi lasci qui da solo? Va bene, vattene. Fa' come vuoi! Quindi non mi merito di sentire la tua voce? Va bene. Lasciami qui! Va' a farti fottere! Io non ho bisogno di niente! Sopravvivo anche senza di te! Magari impazzisco, ma almeno sopravvivo! Non farò la tua stessa fine! Io vivrò ancora, Cuma... Cuma! Eri tu, quindi? Eri tu fin dall'inizio che gridavi "Ancóra!"? Cuma! Cuma!

Stavo pensando a Dordor e Harmin, ormai sotto-terra. Quella stessa terra che non riuscivano a calpestare. Forse avevo le allucinazioni. Oppure stavo dormendo, aggrappato a uno dei sogni che fluttuavano intorno alla mia testa. Non riuscivo a capire se stessi dormendo o se fossi sveglio. Calcolavo il tempo lasciando ogni dodici ore un segno con l'accendino sulla gamba di non so chi. E sempre con l'accendino avevo scritto su una schiena "3:15". Non avevo più problemi a stabilire la data e l'ora d'inizio della mia permanenza in quel buco. Ogni ora gridavo a squarciagola per cinque minuti nel caso qualcuno potesse sentirmi. In una delle tasche di un cadavere avevo trovato un pacchetto di biscotti ancora integro. Ogni quattro ore me ne ficcavo uno in bocca e lo mangiavo con lentezza liturgica, rigirandomelo sulla lingua per almeno cinque minuti. In questo modo mi convincevo di saziarmi. E continuavo a bere l'acqua piovana filtrata dalla carne umana... Anche se non sapevo quale di queste attività svolgessi nel sonno o da sveglio, si poteva dire che conducevo una vita quasi regolare. Il mercante di schiavi era finito sulla sua isola deserta e ci aveva fatto l'abitudine! Eppure, quando ero costretto a usare l'accendino, ero testimone di qualcosa a cui non era possibile abituarsi. C'erano stati momenti in cui mi ero fatto forza pensando ai medici legali, ma non funzionava più. Se non altro perché loro non erano costretti a dormire con i cadaveri nelle celle frigorifere. Io invece sì! Così potevo vedere da molto vicino come si gonfiavano. Le facce e specialmente le pance si ingrossavano, la pelle si tendeva sempre di più e intorno a me volavano nugoli di piccole mosche che sembravano deluse quando si accorgevano che non ero morto come gli altri, e se ne tornavano nell'oscurità da cui erano venute. In realtà anch'io vivevo lì. Mi nascondevo in quell'oscurità, perché non avevo vie di fuga.

Tutto puzzava terribilmente, al punto che stavo seduto con due pezzi di stoffa infilati nel naso, che tentavo di mantenere umidi. Avevo le labbra secche, perché respiravo dalla bocca, ma questo non era un problema. Il problema era l'eventualità che quelle mosche, abituate a entrare nelle bocche aperte, potessero far visita alle mie tonsille mentre dormivo. Mi coprivo il volto con uno scialle, tappando le narici e la bocca. Speravo bastasse a fermare il tanfo intorno a me. Quanto alla stoffa, non potevo certo lamentarmi. Intorno a me era pieno di vestiti: scarpe, camicie... C'era addirittura un cappotto. Il tessuto non mi mancava! Se avessi voluto, avrei potuto tirarlo via tutto e impossessarmene. Ma i tre capi che avevo preso mi bastavano. Avevo un maglione di lana pesante e una giacca, quindi era chiaro che non sarei morto di freddo. Quello che poteva uccidermi era guardare il colore della pelle di quei corpi denudati! Tenevo gli occhi chiusi più che potevo. Per quanto la vita, non essendo riuscita a cancellare un errore come noi, avesse oscurato tutto il resto lasciandoci in un buio pesto...

Ero lì da centosette ore. Le mie gambe erano di legno. Il sangue che scorreva al loro interno non era più un fiume, ma fango. Le sentivo pesanti, risucchiate da quella palude. Per quanto le massaggiassi, per quanto le colpissi, il mio sangue non circolava. E se il lago più brutto del mondo era un fiume senza più sbocco né sorgente, tra le gambe sepolte in quel buco le più morte erano le mie. L'ultima risorsa era spostare il peso sul cadavere alle mie spalle e alzarle in aria, mimando una pedalata in bicicletta. Questo esercizio, anche se solo in parte, aveva la sua utilità: per qualche minuto riuscivo a sentirle di nuovo. Persino in quell'antro angusto tutto sembrava così pronto ad abbandonarmi che dovevo lottare per tenere le mie gambe con me. Perché la ragione, le gambe, la vita e tutte le altre cose che mi appartenevano avrebbero colto la prima occasione per abbandonarmi! Sapevo che non aspettavano altro! Aspettavano solo che mi indebolissi e smettessi di lottare. Come se non avessimo vissuto e condiviso ogni cosa in tutti questi anni! Erano alla ricerca dell'attimo giusto per tradirmi e gridare: "Non ti siamo più fedeli!"

Quando anche la tua mente è sempre sul punto di tradirti, di cosa puoi fidarti a questo mondo? Delle menti degli altri? Mai! Il cadavere alle mie spalle aveva vissuto tutta la sua vita in quel modo: fidandosi degli altri... Lo avevo avvolto nei suoi vestiti come una mummia. Mentre ero intento a coprirlo l'avevo visto in volto e avevo capito che era il figlio dell'uomo anziano, trasformato in un cane, al servizio prima del padre e poi di Rastin! Avevo visto con i miei stessi occhi con quale facilità quell'uomo, che decideva con la mente degli altri, potesse passare da uno schieramento e da una schiavitù all'altra. E a che cosa gli era servito fare affidamento sugli altri? Qual era il risultato? Aveva fatto meno errori? Certo che no! Ma forse non li sentiva come suoi, e in quei giorni trascorsi nella cisterna non aveva mai avvertito il minimo senso di responsabilità. L'espressione tranquilla del suo volto, che avevo coperto con un maglione leggero, la diceva tutta. Era quella di un uomo che non aveva mai fatto nessuna scelta con la sua testa. Una faccia mai segnata dal senso di responsabilità, muscoli facciali che non si erano mai contratti a causa del libero arbitrio. Ecco! Affidarsi alla mente altrui era servito a questo! Il giorno in cui aveva deciso di rinunciare a prendere decisioni proprie, lasciando che altri decidessero per lui, si era tolto un gran peso, si era liberato. Come tutti gli esseri umani, era assediato da decisioni fin dalla nascita, ma, a costo di trasformarsi in una macchina, aveva avuto il coraggio di rinunciare alla propria volontà e sfuggire a quell'accerchiamento. Era riuscito a eludere ogni responsabilità! Affidandosi ad altri, non aveva dovuto rispondere mai di nulla a nessuno. Nemmeno alla sua coscienza! Era stata la sua obbedienza a liberarlo dalle responsabilità! L'obbedienza, in quanto rinuncia a esercitare la propria volontà, equivale alla libertà di commettere tutti gli errori possibili! L'obbedienza è un modo magnifico per commettere i peccati che non si sarebbero mai potuti commettere da soli! L'obbedienza è un sogno che ti fa svegliare ogni volta sentendoti un altro! Un sogno in cui una persona si vede continuamente fare cose che sa di non aver commesso veramente! L'obbedienza è un miracolo! Permette a un uomo qualunque di sganciare una bomba atomica, pur restando innocente agli occhi del mondo. L'obbedienza è l'antidoto al senso di colpa e al rimorso di coscienza! Tutti dovrebbero obbedire! Tutti dovrebbero trovare qualcuno a cui obbedire e su cui scaricare le proprie colpe! Capi di stato o capi di una banda di bambini, dovremmo trovare qualcuno a cui obbedire. Tutto ciò è essenziale per salvaguardare la nostra salute mentale. Anche se fossimo imperatori solitari, senza nessuno intorno a noi in grado di impartire ordini, dovremmo trovare, in un modo o nell'altro, qualcuno a cui obbedire. Dio esiste per questo! Perché tutti i re, gli imperatori, i dittatori e i capi di stato possano obbedirgli! Perché possano versare sulla propria coscienza quella candeggina dell'anima chiamata obbedienza e dormire tranquilli dicendo: "Tutto in nome di Dio!" D'altronde soltanto i capi possono obbedire esclusivamente a Dio. Tutti gli altri uomini possono eseguire gli ordini tanto di Dio, quanto di altri uomini. L'importante è scegliere a chi obbedire. Fare una scelta per liberarsi di tutte le altre scelte successive! È un po' come la corsa dei cavalli! Bisogna stabilire in favore di chi abdicare alla propria volontà. Un capo, anche durante una crisi, non deve mai voltarsi verso il popolo e addossargli le colpe. Al contrario, deve utilizzare tutta la fiducia che gli è accordata e riporre la propria in un Dio che non verrà mai a chiedergli spiegazioni. Così facendo, si libererebbe della responsabilità di tutte le sue colpe, come se lanciasse degli scarti industriali nello spazio.

Incatenarsi all'obbedienza è l'unico modo per sfuggire al rimorso di coscienza e mantenere pulita una società.

Anch'io avevo obbedito a mio padre. Mi ero affidato al suo intelletto e avevo rinunciato al mio. Ma poi, lentamente, era venuto fuori quel sudiciume chiamato libero arbitrio che mi aveva fatto prendere alcune decisioni. Ebbene, a che cosa era servito affidarmi al mio intelletto? A fare meno errori? No di certo! Anzi, ero arrivato a un punto tale che sentivo il peso della responsabilità di ogni mio respiro! Avevo preso il timone del mio mondo e lo avevo condotto in un abisso così profondo che adesso ero sommerso da altri uomini. Ero stato annegato da tutte quelle menti di cui non mi fidavo. Il libero arbitrio mi aveva condannato a una prigione di carne. Il figlio dell'uomo anziano doveva sorridere da sotto il maglione che gli copriva il volto! Ero sicuro che mi stesse prendendo in giro! Forse però mi compativa, non ce l'aveva con me perché mi ero appoggiato su di lui. Nemmeno io ero arrabbiato con lui. Non ero nervoso. Anzi, non ero niente. Non sentivo niente. Ero in un mondo immaginario. Una specie di mondo dei ricordi... Cercavo di pensare a quelli belli. A momenti felici. Erano pochi, ma in qualche modo venivano fuori. In particolare mi tornavano in mente i momenti passati con Dordor e Harmin, come foglie che si staccavano da un albero planando su di me. In quel preciso istante stavo pensando a Maxime. Quanto avevo riso, quella volta...

Un giorno, Harmin aveva trovato una telecamera su un clandestino che aveva appena imbarcato. Prima aveva sospettato che fosse un astronauta-spia proveniente da un pianeta criminale rivale, ma poi, quando aveva capito che si trattava di un giornalista, si era tranquillizzato. Maxime era un giornalista francese che indagava sulle vie del traffico illegale di uomini, per cercare di spiegare come fosse possibile sparire in qualche angolo dell'Oriente, e sbucare in un altro angolo dell'Occidente.

Era atterrato a Baghdad con un volo charter e aveva rimandato a Parigi il suo passaporto tramite corriere, per poi presentarsi al primo trafficante come un georgiano che voleva andare in Francia. Quell'imbecille del trafficante, di fronte a una mazzetta di banconote, aveva accettato senza sospettare nulla. Così Maxime aveva iniziato il suo viaggio credendo di svelare il più grande segreto dell'umanità. Era in un gruppo di cinque persone ed era stato portato direttamente sulla barca di Harmin, senza avere a che fare con noi. Ma Harmin, con il suo sguardo attento ai dettagli, aveva notato qualcosa di strano e così aveva scovato immediatamente, come se ce l'avesse messa lui stesso, una piccola telecamera in una spallina dello zaino. Maxime, una volta scoperto, si spaventò così tanto che si divincolò e si gettò in mare nuotando senza meta. Nel frattempo Harmin si rollò uno spinello, lo accese e restò a guardare le bracciate disperate del francese. Dopo un po', quando il giornalista era vicino allo sfinimento, Harmin lo ripescò e lo portò a bordo, salvandogli la vita. Maxime, che temeva di essere ucciso lì su due piedi, se la cavò con una punizione tutto sommato giusta, che lo fece diventare dello stesso colore delle sue occhiaie, e ricevette un'offerta inaspettata. Harmin disse: "Va bene! Non c'è problema. Posso capire che tu voglia raccogliere notizie su queste faccende... Ma non si fa con una telecamera nascosta! Risolviamola così: tu ci paghi e giri un documentario con noi. Fai tutte le domande che vuoi e noi ti rispondiamo. Così almeno non dovrai pensare a dove ficcarti quella telecamera da imbecille!"

Maxime sulle prime non credette alle proprie orecchie, ma poi disse di aver bisogno di un fonico e di un cameraman. Avrebbe anche voluto chiamare un canale televisivo francese a cui pensava di vendere il documentario. Al che Harmin disse: "Lascia perdere. A questo ci pensiamo noi, tu trova i soldi" e con questo chiuse a chiave Maxime sottocoperta.

Dopo qualche giorno, tramite degli amici ladri in città, Harmin procurò una telecamera professionale, un microfono che assomigliava al cadavere di un gatto e gli altri strumenti necessari. Nel frattempo Maxime andò in città accompagnato da Dordor, ritirò la cifra pattuita e completò tutti i preparativi. Naturalmente l'obiettivo di Maxime non era documentare tutti i dettagli del traffico di esseri umani. Lui cercava piuttosto un dramma umano! Un sano dramma umano! Qualcosa di toccante che gli avrebbe fatto vincere un premio, se possibile riempiendogli le tasche di banconote e lavando la coscienza europea! Perciò per Maxime questo documentario era un sogno! E si trovava nel posto giusto. Noi avevamo quello che serviva: l'umanità, il dramma e tutto il resto! Bambini affamati abbandonati per strada, donne stuprate, vecchi morti d'infarto e gettati in mare... Eravamo il circo dell'umanità! Ebbene sì, il francese era senza dubbio nel posto giusto! Peccato che fosse arrivato al momento sbagliato, perché era il mio compleanno e, a sua insaputa, Maxime era una parte del mio regalo. Naturalmente io non sapevo nulla di ciò che era accaduto, avrei scoperto tutto in seguito. Dordor e Harmin mi dissero solo: "Domani vieni alla baia di Tilkin e mi raccomando non ridere!"

La mattina seguente andai alla baia che mi avevano indicato e mi trovai di fronte questa scena: Dordor e Harmin erano seduti sugli scogli col volto coperto da un passamontagna e di fronte a loro c'era un uomo biondo con una telecamera in spalla, che poi avrei appreso essere Maxime. Accanto a loro c'erano due uomini scuri che poi avrei scoperto essere i fornitori della merce rubata. Uno indossava delle cuffie e reggeva un microfono di grandi dimensioni, mentre l'altro osservava il riflettore che teneva in mano. Non appena mi videro, Dordor e Harmin si alzarono d'improvviso, corsero da me e, inchinandosi con tutta la loro mole, iniziarono a baciarmi le mani. Al tempo stesso mi sussurravano: "Non ridere! Mantieni lo sguardo serio e urla contro di noi!"

Io, nonostante non ci stessi capendo niente, li assecondai. A un certo punto Harmin fece segno a Maxime, che assisteva alla scena con un'espressione esterrefatta, tanto che le sopracciglia sembravano fondersi con i capelli, di raggiungerci. Parlavano in inglese, ma qualsiasi cosa Harmin gli stesse dicendo, non ci volle molto perché anche il francese si chinasse per baciarmi le mani.

Quando più tardi i due scafisti mi raccontarono tutto per poco non caddi per terra dalle risate. Era tutto molto semplice. Non c'era niente di inspiegabile. In pratica io, all'epoca dodicenne, ero uno sciamano-bambino, guida spirituale di tutti i trafficanti dell'Anatolia sudoccidentale! Quella fetta di mondo criminale mi vedeva come un semidio e nessuno salpava senza prima aver avuto la mia benedizione. A un certo punto Maxime domandò: "Ma come ha fatto a trovarci in questa baia nascosta?"

E Harmin rispose: "Lui sa tutto! Ha occhi ovunque". A quel punto Maxime, ormai convinto di trovarsi nel paradiso dei *criminali folli*, si inchinò, facendo mostra di grande rispetto, per baciarmi le mani... C'era solo un problema: lo sciamano-bambino non voleva autorizzare le riprese. Senza il suo permesso non se ne sarebbe fatto niente e Maxime, disperato, chiedeva se ci fosse un modo per convincermi. Così Dordor si girò verso di me e mi disse: "Ti ricordi quel racconto che hai scritto?"

Eccome se me lo ricordavo, ne avevo scritto soltanto uno!

"Sì. Quindi?"

"Bene. Faremo riprendere quello!"

"E come?" domandai.

"Gireremo un film! Trarremo un film dal tuo racconto! E sarai tu a recitare!"

Sentivo la voce di Dordor risuonare in ogni angolo di quell'antro oscuro. Avevo gli occhi pieni di lacrime e continuavo a ricordare.

"Oggi è il tuo compleanno, figliolo!" aveva detto Harmin. "Ecco il tuo regalo! Farai un film! Sei contento?"

Certo che ero contento! Ero al settimo cielo! Harmin continuava a ripetermi: "Non lasciar trasparire nulla! Non ridere!" e io tentavo di non muovere un muscolo, ma non riuscivo a star fermo per l'entusiasmo. L'unico modo per convincere lo sciamano-bambino ad autorizzare le riprese era girare un film per lui! Maxime sulle prime non seppe che dire. Poi però probabilmente si immaginò sul podio di una grande sala, con un premio in mano, tra scroscianti applausi, e allora disse: "Va bene!"

In realtà tutta questa storia del regalo, l'idea di regalarmi un film, era venuta in mente a Harmin guardando Maxime. Per l'esattezza mentre osservava il francese nuotare, aspirando il fumo dello spinello boccata dopo boccata... Harmin aveva pensato: "Visto che a Gazâ piacciono così tanto le storie, regaliamogliene una. Possiamo trarne un film e fare in modo che sia questo tizio a girarlo! Certo, sempre che se la cavi con le telecamere come sembra!"

Così aveva inventato la bugia del documentario e, accertato che Maxime fosse in grado di usare tutti gli strumenti necessari, aveva pensato: "Bene! Fantastico!"

In una sola fumata, il tempo di uno spinello, aveva trovato sia l'idea del film che il regista! L'aria di mare apre davvero la mente!

Ma nel frattempo era sopraggiunto un problema con il mio racconto. Un problema di scenario... Di base, la mia storia era così semplice che avremmo potuto iniziare subito le riprese. Anzi, era così insulsa che Maxime avrebbe potuto considerarla un esempio di arte contemporanea e spacciarla da qualche parte come video art. Peccato che la vicenda si svolgesse in Cappadocia, e per di più in cielo! Tutto iniziava con un bambino che giunge nella zona, affitta una mongolfiera e inizia a esplorare la regione come un turista qualsiasi. Poco dopo però punta un coltello alla gola del pilota e dice: "Andiamo!" Insomma, il bambino dirotta la mongolfiera. Naturalmente il pilota chiede: "Dove andiamo?"

A questo punto il bambino, rivolgendo uno sguardo profondo alle nuvole, risponde: "Non lo so... Ovunque precipiteremo!" e così finisce il racconto. Non avevo mai visto la Cappadocia, a parte una fotografia su un giornale. Una fotografia che ritraeva decine di mongolfiere sospese in cielo sopra i camini delle fate... Peccato che non fossimo in Cappadocia e non avremmo mai trovato una mongolfiera. Così Harmin mi aveva detto: "Allora scrivi il seguito. Pensaci!"

"Va bene" risposi. "Allora facciamo così... Il bambino arriva da queste parti e la mongolfiera precipita nei paraggi! Tu sarai il pilota! Durante il viaggio il pilota e il bambino sono diventati amici".

"Bene!" aveva detto Harmin. "E poi?"

Mi passai la mano sul mento e tirai fuori tutte le cazzate che mi venivano in mente.

"Poi arriva Dordor! Lui è il proprietario della mongolfiera! Magari c'è qualcuno che lo accompagna. Ci hanno seguito e vogliono riprendersi la mongolfiera. Ci cercano nel bosco. E un giorno..."

Avevo esaurito la carica...

"Un giorno cosa... Che succede un giorno?"

Intanto mi era venuta in mente la barca di Harmin e tutti quei clandestini...

"Un giorno si incontrano nel bosco e cominciano a parlare. Il proprietario della mongolfiera si rende conto che ormai è danneggiata e inutilizzabile. È molto dispiaciuto. Il bambino allora gli dice che non c'è motivo di essere dispiaciuti e che se avessero continuato il viaggio insieme avrebbe dimenticato tutto e i suoi dispiaceri sarebbero spariti. L'uomo è molto impressionato da queste parole e questa volta i quattro rubano una barca e salpano. Com'è?"

"Fantastica!" mi disse Harmin. "Perfetta!"

Ma io ormai ero inarrestabile!

"Poi incontrano altre persone e le convincono a continuare il viaggio con loro. E tutti insieme rubano un aereo, incontrano altre persone, proseguono il viaggio insieme e così via. Alla fine diventano milioni di persone che avanzano senza sosta. Il viaggio non finisce mai! Nessuno si ferma! Sono sempre in movimento. Poi, tutte le persone sulla terra si uniscono a loro e diventano miliardi di uomini che continuano il viaggio fianco a fianco. Non ci sono mai problemi tra loro, perché vanno tutti nella stessa direzione. L'unico obiettivo comune è andare avanti, non ci sono litigi né discussioni! Pensaci, miliardi di persone che camminano fianco a fianco nella stessa direzione!"

Così Harmin, che vedeva le scene che descrivevo scorrere davanti ai suoi occhi almeno quanto me, mi aveva detto: "Bene, ma dove vanno?"

"Vanno tutti in un posto diverso!"

"Ma scusami, non andavano tutti nella stessa direzione, fianco a fianco?"

"Sì, va bene, vanno tutti nella stessa direzione, fianco a fianco. Ma alla fine muoiono. Perché è tutta la vita che viaggiano. Quindi in realtà il luogo in cui sono diretti è diverso per ognuno. Vanno dove muoiono!"

Harmin si mise a ridere e mi abbracciò... Poi mi disse: "Va bene, per adesso giriamo il capitolo che arriva fino alla barca. Poi il resto lo aggiusti tu quando sarai più grande!" e chiamò Maxime.

Girammo il nostro film... In una sola giornata riprendemmo l'incontro nel bosco e il furto della barca, i primi capitoli del viaggio che iniziava con un bambino e finiva per abbracciare tutta l'umanità. Maxime mi diede una videocassetta e disse l'unica parola in turco che aveva imparato in quei giorni: "*Tamam?*"

"Tamam!" risposi. Va bene!

Maxime si voltò a guardare Dordor. Era venuto il momento di iniziare il documentario. Harmin annuì e mi disse: "Forza. Adesso a casa! Ti accompagna Dordor. Buon compleanno!"

Sulla strada del ritorno, nonostante glielo avessi domandato molte volte, non ottenni alcuna risposta sulla fine che avrebbe fatto Maxime. Lo seppi solo qualche mese dopo da Harmin, mentre aveva lo sguardo perso fra le stelle. Mi disse che lo avevano mandato nel luogo da cui era venuto. Non in Francia, ma in Iraq. Lo avevano legato, caricato su un tir, e non ne avevano più saputo niente. Chiesi: "L'hanno ammazzato?"

"No" rispose Harmin. "È stato un baratto..."

"E che significa?" domandai. Così mi spiegò la faccenda.

Le persone che facevano un certo mestiere ed erano in possesso di una cittadinanza *preziosa* in Medio Oriente venivano generalmente vendute al mercato degli ostaggi. Il luogo in cui si trovava il mercato degli ostaggi probabilmente era una cisterna come la nostra, situata in una regione sconosciuta. E lì dentro si trovavano persone di tutte le nazionalità più importanti. Quelli che suscitavano maggiore interesse erano i tedeschi, gli inglesi, i francesi e gli americani. Poi una qualsiasi organizzazione terroristica ne acquistava uno, scegliendolo in base allo stato con cui aveva un conto in sospeso. Per esempio, un'organizzazione che voleva fare pressioni sulla Francia, una volta dichiarato che il cittadino nelle proprie mani era un giornalista, cominciava a elencare le sue richieste. In quel mercato messo su per barattare gli ostaggi, i giornalisti erano particolarmente preziosi. In realtà le quotazioni degli ostaggi cambiavano di pari passo con gli sviluppi della politica internazionale, ma il valore di alcune cittadinanze non diminuiva mai. Come quella americana... E se c'era qualcosa in grado di mandare all'aria questa scala di valori era un ostaggio israeliano! Era una merce particolarmente preziosa! Un vero diamante! Un diamante così prezioso che in cambio della vita di un ostaggio israeliano – preferibilmente un militare – potevano essere liberati millecinquecento prigionieri palestinesi. Una sola vita in cambio di millecinquecento! Poi quello che l'israeliano avrebbe fatto della sua vita era un suo problema! Perché quando si possiede una vita di un tale valore, non si ha mica la possibilità di entrare in depressione o diventare pacifisti! Se un bambino per cui un'intera cittadina raccoglie del denaro con la grande speranza di mandarlo a studiare in una metropoli - come nel mio caso - non ha più possibilità di sgarrare, un israeliano non potrebbe più permettersi il lusso di divenire un alcolizzato, di ammalarsi per incuria di se stesso, di opporsi a un singolo provvedimento dello stato, né di buttare semplicemente via la propria vita! Se la tua ne vale millecinquecento, non puoi neanche pensare di suicidarti!

Anche se non valeva quanto un soldato israeliano, chissà dov'era Maxime, che, in qualità di giornalista, aveva un considerevole valore sulla piazza. Forse era ancora in attesa di un acquirente sul mercato degli ostaggi. O magari lo stato francese aveva intavolato una trattativa sottobanco e aveva già riportato a Parigi il proprio cittadino.

Speravo che stesse bene. Poi aprii gli occhi e rividi il mio film... Non quello registrato su cassetta perché, nonostante tutta la mia curiosità, non ero mai riuscito a vederlo. Non ero mai potuto andare in città, né avevo potuto chiedere aiuto a qualcuno. Dordor e Harmin erano andati in Grecia per un po' e quindi neanche loro mi avevano potuto aiutare. Ma a quel punto feci una scoperta: esisteva un altro film! Ogni volta che toccavo la videocassetta, mi scorrevano davanti agli occhi le immagini di quell'intera giornata di riprese. Così ero in grado di seguire secondo per secondo, stoppare, riavvolgere o mandare avanti tutto quello che avevamo fatto. Dopo un po' non ebbi neanche più bisogno di toccare la videocassetta, né avvertivo la necessità di vedere la registrazione. Le mie palpebre erano piccoli schermi che mi permettevano di rivedere il film quando volevo. Col passare del tempo, la curiosità per ciò che conteneva la videocassetta si affievolì. Anzi, pensai di non doverlo vedere affatto. Se non altro, il film impresso nella mia mente non presentava il minimo errore! E preferivo ricordarlo così. Ogni volta che ci pensavo, ringraziavo tutti: Dordor, Harmin, Maxime, i ladri, tutti quanti... Il film, tanto quello sulla cassetta quanto quello impresso nella mia memoria, non aveva un titolo. D'altronde neanche il mio racconto ce l'aveva. Era proprio il momento giusto per trovarlo. D'improvviso però sentii qualcosa sfiorarmi la mano sinistra.

Lo spavento fu tale che per capire cosa mi avesse toccato tirai fuori la testa dallo scialle e usai l'accendino. Poi le vidi... Centinaia di larve che uscivano da un buco che avevano aperto su una schiena! Erano una massa compatta che divorava la carne. Alcune cadevano e strisciavano verso di me. Poi guardai alla mia destra e assistetti alla stessa scena, questa volta però fuoriuscivano da una gamba. Iniziai a urlare. Tentai di spostare il cadavere alle mie spalle sulla sinistra, ma aveva le gambe bloccate da altre carcasse incastrate nella roccia. Non c'era niente da fare! Cominciai a raccogliere quanti più vestiti potessi. Afferravo qualsiasi lembo di tessuto riuscissi a vedere, ma sotto di essi c'erano larve ovunque. Stavano aprendo dei buchi in tutti i cadaveri, divorandoli. Iniziai a coprirmi il più possibile: le gambe, l'addome, le braccia, il collo... Credevo fosse l'unico modo per proteggermi.

Magari non mi avrebbero fatto niente, anzi, si sarebbero dimostrate utili scavandomi un passaggio tra i cadaveri! Ma non ero in vena di fare questi ragionamenti! Ero tanto disgustato da credere che la mia unica difesa fosse coprirmi come una mummia. Continuavo a urlare. Ormai restavano scoperte solo le mani e la faccia. Mi avvolsi lo scialle intorno alla testa, lasciando delle fessure per gli occhi e la bocca. Dovevo trovare a tutti i costi una soluzione per le mani. Niente doveva toccarmi! Né quelle larve, né altro. Se avessi potuto, mi sarei tagliato le mani soltanto perché erano scoperte. Intorno a me non c'era più un solo lembo di tessuto utilizzabile. Piangevo. Al pensiero che qualcosa lì dentro potesse toccarmi, il cuore tentava di schizzarmi fuori dal petto, mi balzava in gola e mi bloccava il respiro. Non facevo che agitare le mani perché niente potesse toccarle. Niente, neanche una mosca! Non potevo più restare al buio. Dovevo vedere tutto, per proteggermi. Non ci riuscivo, però, perché per farlo avrei dovuto accendere l'accendino e quindi smettere di agitare le mani. Continuai ad agitarle convulsamente, fin quando non mi accorsi di poter vedere in quell'oscurità. Ormai sapevo tutto. Ero in grado di percepire in quale parte di un cadavere le larve si ammassavano prima di uscire! Vedevo e percepivo tutto! Proprio tutto! Il buio, i vestiti, i pezzi di stoffa infilati nelle narici non servivano a nulla, perché sentivo il loro odore. I confini tra i miei cinque sensi erano spariti ed erano travolti dalla vita. Non avevo più nessun posto in cui fuggire. Nemmeno l'oscurità era sicura, perché vedevo tutto nitidamente, come un animale notturno! Anche a occhi chiusi! Era come se le palpebre fossero forate! Trattenni il respiro nell'estrema speranza di calmarmi. Non servì a niente, quindi ritentai. Forse dovevo trattenerlo più a lungo. Cominciai a contare, poi non resistetti più, ripresi fiato e restai di nuovo in apnea. Contai! Espirai e poi mi trattenni ancora. Contai. Feci questo forse per un'ora intera. E nel frattempo continuavo ad agitare le mani. Alla fine vidi davanti ai miei occhi un puntino bianco e accadde tutto in un attimo. Il punto si ingrandì e diventò un velo bianco, che cadde su di me come una rete. Fu allora che le mie pulsazioni diminuirono e aprii gli occhi. Ero in un tunnel. Una galleria dalle pareti rosa e nerastre. Ero nel mio intestino! Poi tutto tornò bianco e, quando aprii gli occhi, vidi milioni di linee, come venature luminose in un cielo oscuro. Si diramavano da un unico punto in mille direzioni, formando altri centri che a loro volta ne sprigionavano delle altre. Stavo guardando una ragnatela gigante con milioni di centri. Una trama tridimensionale. Ero nel mio cervello, in una prigione costellata di nervi... Non avevo bisogno di parole per rendermene conto. Sapevo soltanto di trovarmi lì. Potevo muovermi liberamente nel mio corpo. Non ero andato via da quel corpo, ci ero dentro. Dovevo solo concentrarmi e aprire gli occhi per vedere apparire davanti a me qualsiasi parte del mio corpo. Non ero per niente stupito. La capacità di vedere all'interno del mio corpo mi risultava del tutto naturale. Come se ogni essere vivente al mondo potesse farlo a suo piacimento, e seguire il flusso del proprio sangue...

Quel giorno, circondato da quei cadaveri e quelle

larve che se ne cibavano, trovai rifugio nel mio corpo, non avendo altro luogo in cui andare, e aprendo gli occhi vedevo tutto. Non era un'allucinazione, perché vedevo parti e organi di cui non conoscevo neanche l'esistenza prima di quel momento. Non sapevo come si chiamassero, come funzionassero, né che forma avessero. Non potevano essere frutto della mia immaginazione, perché non li avevo mai visti prima di allora. Eppure ero riuscito a vederli. Addirittura anni dopo, quando mi sarei interessato di anatomia umana, quelle figure che avrei analizzato nei dettagli per la prima volta non mi sarebbero risultate affatto sconosciute. Perché io quel giorno mi ero completamente chiuso al mondo esterno per esplorare me stesso. Era la prova che l'uomo fosse in grado di percepire se stesso e il corpo che possedeva senza limiti. Ed era tutta una questione di respiro. Era il mio premio per una scoperta fatta inconsapevolmente grazie a un semplice gioco di respiri... Un premio che mi aveva permesso di percepire ogni organo e cavità del mio corpo... Non avevo più bisogno di guardare l'orologio. Potevo sentire l'incedere dei secondi come se fossero le mie pulsazioni e potevo contare i minuti e le ore senza problemi. Non c'era bisogno di alcun nome per me, per il mio racconto, né per il mio film. Io ero il tempo...

Rimasi dentro il mio corpo per circa duecento ore. Trascorsi migliaia di minuti ad analizzare la milza, le ossa, i succhi gastrici nel mio stomaco e qualsiasi cosa avessi sottopelle. Viaggiai insieme ai miei globuli rossi, pulsai insieme al mio cuore e, digiuno da giorni, consumai prima i miei grassi, poi i miei muscoli.

Dopo trecentodiciassette ore trascorse sepolto tra i cadaveri, sentii delle mani muoversi su di me e soltanto in quel momento uscii dal mio corpo. Mi avevano tolto lo scialle dalla testa e giacevo su una barella. Dopo tredici giorni e cinque ore, rividi la luce del giorno. Riuscii a parlare sotto sedativi, anche se con difficoltà, vaneggiando che qualcuno potesse essere sopravvissuto. Tentai di spiegare che c'era qualcuno che continuava a gridare: "Ancóra!" anche se non sentivo più la sua voce da ore, forse da giorni.

"Salvate anche lui!" dicevo. "Salvate Ancóra! *Daha*!" Ma nessuno mi dava ascolto. Quelle persone, che non riuscivo a vedere in faccia a causa della luce cristallina del giorno, non mi risposero. Si limitavano a trasportarmi sulla barella. Ripetei quella parola che mi risuonava nella mente con insistenza: "*Daha!*" ma nessuno sembrava capire... Non servì ripeterlo né con un soffio di voce né urlando. Le persone che mi trasportavano rimasero sempre in silenzio. Tentai di nuovo! Ripetei quella parola in tutti i modi che conoscevo. A un certo punto la dissi addirittura al contrario: "Ahad!"

Stavo ascoltando delle voci. Una era nitida, l'altra rauca. La prima apparteneva a un giovane, l'altra a un vecchio. Il giovane domandò: "Cosa facciamo con il questore?"

"Lui ci serve. Non coinvolgerlo. Il sindaco invece puoi rovinarlo. E tira dentro pure il gendarme. Di' al procuratore di non fare altri nomi" rispose il vecchio.

"Sono arrivati corrispondenti da ogni dove. Fuori è pieno di telecamere... Dobbiamo fare una dichiarazione".

"Di' solo che è stata aperta un'inchiesta. Semmai parla del bambino. Finché c'è lui non si interesseranno al resto. Tutto quel tempo senza mangiare e senza bere... È stato un miracolo... Di' queste cose! Un miracolo dell'Altissimo. Cose religiose di questo tipo..."

Riuscii ad aprire gli occhi, anche se di pochissimo, e da quello che potevo vedere attraverso le ciglia, mi trovavo in un ospedale. Avevo una flebo attaccata al braccio destro. Contai quattro grandi gocce che da una bottiglietta di vetro venivano versate in un dosatore trasparente. Poi voltai la testa nella direzione da cui provenivano le voci e scrutai l'interno della stanza adiacente alla mia, oltre la porta lasciata aperta. Il vecchio era seduto sul letto, il giovane stava in piedi. Quando dischiusi completamente le palpebre fui in grado di vederli in faccia. Quei volti non mi erano nuovi. Nel preciso istante in cui quello che stava in piedi si voltò verso di me, richiusi gli occhi, e l'oscurità lasciò il posto a una fotografia. Avevo capito chi erano: il prefetto e l'usciere... Anche se all'apparenza ero addormentato, i due abbassarono il tono della voce e continuarono a parlare tra i sussurri, senza che io potessi udire più nulla.

Mentre riaprivo gli occhi con le ciglia ancora impastate, notai una stranezza. Sembrava che il vecchio e il giovane si fossero scambiati i ruoli. Come se ci fosse stato uno scambio di identità. Era come se l'usciere fosse divenuto prefetto e viceversa, col giovane che memorizzava gli ordini che gli venivano impartiti... Li ricordavo benissimo. Ricordavo perfettamente la loro posizione nella fotografia pubblicata in «Da Kandalı al mondo», e ricordavo perfino chi guardava chi. La scena a cui stavo assistendo in quella stanza d'ospedale mi raccontava il contrario. Potevo avere la mente così confusa? Mi sembrava impossibile. Il giovane ascoltava con riverenza il vecchio, annuendo. Avevo un ricordo sbagliato di tutta la mia vita? Oppure ricordavo tutto al contrario? Il prefetto era in realtà l'usciere? E se era così, Ender era il padre di Yadıgâr? E io ero Ahad? Le mie pulsazioni aumentarono e iniziai a sudare. Mi dicevo che non era possibile. Non potevo essere impazzito fino a quel punto! E se invece fosse stato proprio così? No, no! Ricordavo bene! Proprio quando ero sul punto di convincermi, vidi il giovane, che sapevo essere il prefetto, chinarsi a baciare la mano dell'usciere portandosela alla fronte. Non c'era nessuna festività in quel periodo! Ero certo che non fosse un giorno di festa! Ormai non avevo più dubbi. Le trecentodiciassette ore passate in quell'inferno mi avevano fatto impazzire! Cominciai a piangere, a gridare... a rigirarmi alla ricerca di qualcosa contro cui sbattere la testa. Accorsero un'infermiera e un infermiere. Quest'ultimo mi tenne fermo per le spalle, mentre l'altra mi fece un'iniezione. Tutto divenne scuro e non ebbi più voce, ma non rinunciai a gridare. Continuai a gridare nel buio in cui ero piombato, sbattendo la testa contro il muro e tutti credevano stessi dormendo.

Quando riaprii gli occhi trovai Ender accanto a me. O quantomeno la persona che credevo fosse Ender. Tesi la mano verso di lui, gli afferrai il braccio e gridai: "Ender! Sei tu? Sei Ender, non è vero?"

Lui sorrise e disse: "Sei impazzito? Certo che sono io!"

"E il prefetto?"

"Che è successo al prefetto?"

Gli raccontai ciò che avevo visto e sentito. Naturalmente saltai il passaggio della conversazione che riguardava suo padre e continuai il racconto, ma Ender mi rideva in faccia. Poi mi chiese: "E che c'è di strano?" e questa volta fu lui a raccontare mentre io ridevo. E più mi rendevo conto di non essere pazzo più ridevo. La questione in realtà era molto semplice. Il prefetto e il segretario facevano parte della stessa confraternita. Un gruppo religioso distaccatosi dalla confraternita che tutti conoscevamo come Hikmet. Si chiamava Tanzim e il vecchio era il suo 'sigillo' a Kandalı, ossia il responsabile regionale. In tutte le città in cui Tanzim faceva proseliti, grandi o piccole che fossero, c'era un 'sigillo'. Di conseguenza non c'era nulla di strano nel fatto che il giovane prefetto, semplice *mürit*, obbedisse al maestro. Il prefetto doveva a lui la sua obbedienza, prima ancora che al governatore o a chiunque altro. Tutto si spiegava, adesso! Anche che durante la cerimonia della consegna dell'orologio, il vecchio non avesse mosso un dito! Il maestro di Tanzim a Kandalı non era tenuto a spolverare o distribuire bicchieri di tè! Lui era come un generale in abiti civili. Era tutto chiaro, soprattutto il fatto che non fossi impazzito. O meglio, il pazzo non ero io! Sentire che un dirigente di un'amministrazione statale fosse agli ordini del suo usciere mi aveva reso euforico! Quasi quasi mi sarei alzato per abbracciare Ender. Nel frattempo entrò l'infermiera per controllare la mia flebo e mi chiese: "Come ti senti?"

Dovetti fare uno sforzo per non dire: "Benissimo!" e mi limitai a dire: "Non lo so... Bene, credo..."

L'infermiera sorrise e uscì dalla stanza. Mi sembrò giusto che andasse a occuparsi di altri malati. Era sopravvissuto qualcun altro? Oppure era stato tutto frutto della mia immaginazione, come sempre? Fu allora che mi venne in mente Ahad. Il suo pensiero mi crollò addosso come uno di quei cadaveri. Poteva essere sopravvissuto? Dovevo saperlo subito! Dovevo essere sicuro che non avrei mai più visto la sua faccia.

"Ender... Mio padre?"

"Purtroppo non ce l'ha fatta..." disse. "Lo hanno trovato nel camion..."

Chiusi gli occhi. Due enormi lacrime mi scorsero sulle tempie, mi passarono tra le orecchie e i capelli finendo sul cuscino. Per la prima volta in vita mia piangevo di felicità. In quel momento pensai addirittura che a diciott'anni sarei andato all'anagrafe per cambiare la mia data di nascita, perché sapevo che con quella notizia stavo nascendo di nuovo. Ender intanto, scimmiottando uno di quei gesti da film, mi teneva il braccio in silenzio.

Quando aprii nuovamente gli occhi, avevo così tante domande per la testa che non sapevo da dove cominciare. Prima di tutto, che cosa ne sarebbe stato di me? Mi avrebbero messo in prigione? Come mi erano caduti addosso quei cadaveri e come mi ero salvato? Proprio quando stavo per fare una di queste domande, il prefetto e il sindaco entrarono nella stanza. Dietro di loro c'era Yadıgâr. I primi due sorridevano, mentre Yadıgâr, con la bocca serrata, faceva solo finta di sorridere. Il prefetto mi mise una mano sulla spalla e mi disse: "Ben tornato! Iddio ti ha risparmiato per noi".

Ero sicurissimo di non essere stato risparmiato per loro, ma risposi: "Grazie".

Nel frattempo mi accorsi che Ender e Yadıgâr si stavano scambiando delle occhiate, tentando di comunicare con lo sguardo. Forse Yadıgâr aveva raccontato tutto al figlio e pensava di potermi strappare qualche parola grazie a lui. Dopotutto Ender era quanto di più simile a un amico avessi. Era potuto entrare a questo titolo nella mia stanza e aveva aspettato che mi svegliassi per capire quanto sapessi. In fin dei conti ero il figlio di Ahad e Yadıgâr avrebbe potuto trovarsi in brutte acque a causa di ciò che sapevo. In quella fase, però, non mi interessava nulla di tutto questo. Così come non sarebbe stata una mossa intelligente fare domande sul carcere. Soprattutto perché nessuno mi stava guardando come qualcuno da mandare in galera. Al contrario mi guardavano come un sopravvissuto a un terremoto ritrovato dopo settimane. Di conseguenza, in quel momento, mi potevo limitare ad ascoltare il racconto del mio ritrovamento. Lo udii dal prefetto.

Il primo a vedere il camion e la massa di cadaveri a ridosso della collina era stato un pastore. Aveva subito avvertito i gendarmi. Il resto potevo immaginarlo. Yadıgâr, che doveva averci cercato inutilmente per giorni, dopo aver appreso da Aruz che la merce non era stata consegnata, era accorso sul luogo dell'incidente. Rendendosi conto che si trattava di una faccenda impossibile da insabbiare, si era visto costretto a dare l'allarme. In breve tempo tutta Kandalı, dal procuratore al prefetto, si era radunata intorno alla montagna di cadaveri. Com'era stato possibile che mi fossero caduti addosso? Il prefetto guardò Yadıgâr e dirottò la domanda su di lui. In realtà non aveva molto da raccontare. Analizzando i segni lasciati sulla collina aveva ricostruito insieme al procuratore una catena di supposizioni e avevano redatto il rapporto. In base a esso il camion era uscito di strada, cadendo nel burrone, ma subito prima di ribaltarsi aveva colpito una roccia enorme alla sua destra. L'impatto aveva fatto aprire la mia portiera e mi aveva sbalzato fuori. Mentre il camion cadeva rovinosamente ai piedi della collina, io ero rimbalzato da un albero all'altro per poi finire sotto quella sporgenza di roccia. Il luogo in cui mi avevano trovato era cinquanta metri sotto il livello della strada. Il fatto che fossi caduto sugli alberi piuttosto che sulle rocce era stata una vera fortuna. Una caduta che mi sarebbe costata tutte le ossa si era risolta con qualche graffio. Nel frattempo il camion si era ribaltato come il guscio di una tartaruga ed era rimasto incastrato tra gli alberi venti metri sopra di me. Secondo il racconto di Yadıgâr il muso del camion, poco prima che gli pneumatici uscissero di strada, era rivolto verso la cima del Monte Kandağ. Mio padre si era fracassato la gabbia toracica contro il volante, morendo sul colpo. Il resto non era poi così difficile da immaginare. I clandestini erano morti per l'impatto contro le pareti di metallo durante la caduta ed erano scivolati sui portelloni del camion, rimasto incastrato nel dirupo con un angolo di quarantacinque gradi. Non ci volle molto perché il lucchetto che teneva chiusi i portelloni cedesse, dando inizio alla pioggia di esseri umani su di me. Erano caduti da un'altezza di venti metri e mi avevano imprigionato. Un ultimo dettaglio era la mancanza di segni di frenata: "Devono essere stati cancellati dalla pioggia" diceva Yadıgâr. E io dicevo tra me: "Sempre che ci sia mai stata, una frenata..."

Nel frattempo entrò nella stanza il procuratore e disse al prefetto di voler raccogliere la mia deposizione. Il prefetto rispose: "Non ora. Il ragazzo deve riposare, potrete farlo più tardi. Suvvia, usciamo anche noi..." e fece uscire tutti quanti. Prima di chiudere la porta mi strizzò l'occhio. Voleva dirmi qualcosa? Sicuramente sì. Avrei potuto capire che cosa? No. Però, quanto poteva essere negativo il messaggio celato da un occhiolino? Era questo che pensavo tra me. Tutto qua! È tutto finito. Nessuno mi avrebbe accusato! Ahad era l'unico colpevole. Forse, in una certa misura, anche Yadıgâr. Io non c'entravo niente. Io ero il povero figlio quindicenne di un crudele delinquente. Il cuore della mia difesa in effetti non era cambiato molto da quando Yadıgâr mi aveva chiuso in quella cella. Io ero una vittima e nessuno poteva fare alcuna obiezione. Anzi, ero una vittima al punto che avrei ucciso chiunque avesse detto il contrario!

Era tutto a posto... Avevo pure un televisore! Dovevano avermi sistemato nella stanza migliore dell'ospedale! Presi il telecomando sul comodino al mio fianco e l'accesi. Era tutto meraviglioso... Cominciai a cambiare velocemente i canali. Era tutto perfetto... Poi, all'improvviso, vidi un'esplosione. Un'esplosione gigantesca! Vidi sgretolarsi in una nube di polvere giallastra due statue imponenti scavate in una montagna. Conoscevo quelle statue! Le conoscevo! Le avevo riconosciute subito, perché le portavo in tasca da anni! Raffigurate sulla carta di un origami... Alzai il volume e mi misi in ascolto.

"È trascorsa una settimana dalla distruzione dei Buddha di Bamiyan, nella regione di Hazarajat, conquistata dai talebani. Le Nazioni Unite..."

Non so perché, ma mi sentii soffocare di fronte a ciò che avevo visto e sentito! Cercai il pulsante per spegnere il televisore e, non trovandolo, cominciai a pigiare tutti i tasti con entrambe le mani. Riuscii a spegnerlo. Tutto si fermò. Anche le gocce nel dosatore della flebo! Pensai a Cuma. Prima di tutto a lui... Gli avevo fatto un torto non credendo a ciò che mi voleva raccontare con quel disegno, pensando che volesse prendermi in giro. Forse era per questo che avevo spento il televisore. Per non guardare in faccia la realtà... Perché mi vergognavo di me stesso... Ma erano lì! Proprio come le aveva disegnate Cuma! Quelle due statue esistevano davvero e quindi era anche vero che la casa di Cuma si trovava lì. Mi ero perso quelle statue. Erano saltate in aria confondendosi in una nube di polvere e ormai facevano parte del passato! Non ero riuscito a vederle dal vivo! Avevano demolito anche la casa di Cuma? Pensai a quei cadaveri e a me sepolto sotto di loro. Quelle statue erano state distrutte proprio nei giorni in cui ero imprigionato. Io e quei due Buddha eravamo stati disintegrati e sepolti a migliaia di chilometri di distanza, ma nello stesso momento... La casa di Cuma, se era ancora intatta, doveva essere da quelle parti! Lì vicino! "Scusami" dissi "scusami per non averti creduto!"

Ma Cuma non rispose. La mia testa, ossia dove avevo sentito la sua voce, fu colta da un dolore lancinante. Si espanse improvvisamente, scendendo al collo, alle spalle e al petto. Stavo pagando il prezzo della mia sopravvivenza! Stavo provando la prima fase di un dolore che non mi avrebbe mai abbandonato. Gridai a squarciagola! Fu la mia voce, e non quella di Cuma, a riempire l'ospedale. Accorse l'infermiera e mi vide tremante. Sulla fiala che ruppe per riempire una siringa c'era scritto "Diazem". A me però occorreva altro! L'unica cosa in grado di fermare la pioggia di dolore riversata su di me. L'unica cosa in grado di riempire il vuoto lasciato dalla voce di Cuma, ridandomi il fiato sufficiente per perdere i sensi. Avrebbe annientato il mio dolore come aveva fatto la dinamite con quelle due statue. Non ci eravamo ancora conosciuti, ma il giorno era vicino...

La prima parola era solfato, la seconda morfina. Ed eravamo nati entrambi nello stesso luogo: il dolore. Perché non era stata mia madre a darmi alla luce, ma i dolori del parto. Non ero nato per desiderio, ma per dolore. Avevo esalato il mio primo respiro tra contrazioni e dolori che mi avevano lasciato una macchia indelebile...

Ogni parte di me era dolore. La mia anima, il mio corpo, tutto quanto. Lo avrei capito non appena fossero entrate in circolo le prime gocce di solfato di morfina. No, non ero un bambino nato dai dolori di sua madre!

Più tardi avrei capito che la mia vera madre, l'unica capace di curare i miei dolori, era la morfina. Mancava poco perché un angelo mi adottasse in cambio di una ricetta rossa! Una volta giunta nella mia vita, finalmente avrei avuto anch'io una famiglia! Una famiglia che si sarebbe potuta definire perfino meravigliosa:

Le due statue dei Buddha che non esistevano più,
Le ombre di Dordor e Harmin, morti molto tempo prima delle statue,
Un oppiaceo detto solfato di morfina,
La voce di Cuma che non sapevo se avrei sentito ancora,
Il vuoto lasciato da Felat, entrato a sorpresa,

come una quinta stagione, nella mia vita e
uscitone per sempre...
E infine io!

Una famiglia straordinaria! Perfetta! Avevamo perfino un animale domestico. Era una rana di carta, ma ce l'avevamo!

Il giorno successivo, il procuratore entrò nella stanza per raccogliere la mia deposizione. Mise una sedia vicino al letto ed esordì: "Abbiamo sepolto tuo padre, pace all'anima sua".

Poi continuò: "Stiamo anche cercando di identificare quei clandestini morti... Tu ne sai qualcosa? Insomma... tuo padre magari aveva una lista..."

"Non lo so" dissi. "Non so niente, mio padre non mi diceva nulla. In casa mi aveva proibito di entrare in un sacco di posti. Nel capannone, per esempio, non potevo entrare. Se c'è qualcosa è lì..."

"Lo abbiamo ispezionato. Abbiamo visto la cisterna... È chiaro che teneva lì quelle persone... Abbiamo anche trovato il computer".

Sentii un nodo in gola.

"Il computer?"

"Sì... Tuo padre controllava tutto da lì. Aveva piazzato delle telecamere nella cisterna e aveva scritto anche degli appunti..."

Al nodo che avevo in gola se ne aggiunse un altro. Provai a deglutire, ma la sensazione non sparì. Anzi, sembrò che il nodo si fosse fatto più grande. Nel frattempo il procuratore, con l'aria di chi stava tentando di ricordare qualcosa, domandò: "Ma non sei tu? C'era un bambino che aveva superato l'esame per entrare al liceo. Sei tu, vero?"

Dopotutto non era di Kandalı! Di conseguenza era in grado di ricordare correttamente qualcosa!

"Sì, ma mio padre non mi ha lasciato andare da nessuna parte" dissi. "Anzi, ha voluto che abbandonassi la scuola. E io l'ho fatto. Quindi mio padre aveva un computer..."

A quel punto il procuratore sorrise e, chinandosi verso di me, sussurrò: "Tu sei un ragazzo molto intelligente... Però hai una cattiva abitudine. Sottovaluti l'intelligenza degli altri!"

Quando vide che stavo riprendendo fiato per dire qualcosa, mi puntò l'indice sulla fronte e, sempre sussurrando, continuò: "Ti rendi conto che eri su un camion pieno zeppo di clandestini? Quindi, sta' attento, non dirmi che non sai niente! Tanto so già che quel pappone di Yadıgâr era coinvolto nel giro... Adesso entrerà un uomo e scriverà tutto quello che dirai. Lo sai cosa dirai? Che tuo padre lavorava insieme al sergente maggiore Yadıgâr, che anche il sindaco andava e veniva da casa tua. Dirai che tuo padre dava loro le mazzette. Hai capito?"

I nodi in gola si sciolsero completamente. Io ero pronto a sputtanare chiunque.

"Dirò quello che vuole lei!"

Il procuratore sorrise di nuovo e disse: "Su questo non ci piove. Il punto è cos'altro hai voglia di dirmi *tu*!"

Era possibile che avesse capito che i file nel computer erano miei e che stesse giocando al gatto col topo? Quei file erano la prova delle torture a cui sottoponevo i clandestini! Non sapevo cosa rispondere. Sarebbe servito a qualcosa mentire dicendo che mio padre mi spegneva le sigarette addosso? O magari dovevo parlare di Aruz?

"Allora?" mi incalzò il procuratore. "C'è qualcos'altro che mi vuoi dire? Qualcosa che non so?"

Non riuscii più a resistere. Dovevo piangere e lo feci.

"Mio padre ha ammazzato un uomo... Anzi, ne ha ammazzati due. Uno lo ha seppellito nel giardino. L'altro lo ha seppellito nel bosco vicino a Derçisu. Mi ha detto che se lo avessi riferito a qualcuno avrebbe ammazzato anche me! Non l'ho detto a nessuno! Non ho detto niente a nessuno!"

Ecco, il procuratore questa proprio non se l'aspettava! Se c'era qualcosa che sapevo fare era prendermi gioco dell'intelligenza altrui! Perché non mi importava niente di niente ed ero stato campione nel torneo di scacchi a tempo. E soprattutto ero appena tornato dall'inferno. Nessun procuratore al mondo aveva la minima possibilità contro di me. Io non ero l'avvocato del diavolo, ero il diavolo in persona!

A quel punto il procuratore seppe solo dire: "Tranquillo!" e chiamò l'infermiera. Tremavo, piangevo e con il respiro in affanno urlavo: "Papà!"

Ero un asso nel simulare una crisi di nervi. Ero sicuro che anche i giornalisti nel giardino dell'ospedale stessero udendo le mie urla. Ero la storia più interessante che fosse mai venuta da Kandalı. Ero addirittura una notizia sensazionale per tutte le agenzie di stampa del mondo. Un bambino uscito vivo da una fossa di cadaveri! Quale procuratore mi avrebbe potuto mettere all'angolo con i suoi sussurri minacciosi? Io ero uscito vivo da un luogo peggiore di quell'Auschwitz di cui avevo letto nei libri! Colpevole o innocente, che importanza poteva avere? E anche se fossi stato colpevole, avevo passato tredici giorni all'inferno e avevo espiato lì tutti i miei peccati. Nessuno mi poteva toccare. Come aveva detto quel vecchio, io ero un miracolo! Avevano liquidato la storia di mia madre e mio padre, ma con me non avrebbero fatto lo stesso. Fin quando avrei vissuto sarei stato io ad avere l'ultima parola!

Per primo riesumarono il cadavere dell'uomo magro. Non provai nulla, pensai soltanto a Rastin e a quello che aveva fatto. Poi andammo a Derçisu e cominciarono a scavare il lembo di terra che avevo indicato in lacrime. La posizione precisa della fossa scavata anni prima da mio padre era così impressa nella mia mente che non ebbi esitazioni. Come avrebbe dovuto farmi sentire il fatto di ricordare così bene una tomba non segnalata da alcuna lapide? C'era un sentimento per situazioni di questo tipo? Oppure bisognava inventarne uno? Non riuscivo a sentire il profumo della lavanda, né a vedere gli alberi intorno a me. Restai in attesa come se stessero scavando la mia tomba, come se stessero per estrarre il mio cadavere. Ero una specie di non materia, non volevo essere materia... Tirarono fuori i resti di Cuma e li misero in un sacco. Il rumore della cerniera che si chiudeva fu come una coltellata all'addome...

Restava da fare l'autopsia a entrambi i cadaveri. L'ambasciata afgana ad Ankara, delegazione di un paese affetto dal cancro della guerra civile, non era in condizione di occuparsi delle salme dei suoi cittadini. Di conseguenza, alla fine della procedura, sarebbero stati sepolti nel cimitero di Kandalı. Dunque Cuma sarebbe stato sepolto nel luogo in cui io ero nato. Cosa significava tutto questo? Esisteva un significato nascosto dietro questa vicenda? O bisognava inventare anche quello?

Mentre accadeva tutto questo, il procuratore si grattava il capo e mi lanciava delle occhiate. Era senza parole. Era consapevole di trovarsi di fronte a una pura barbarie. Aveva capito soprattutto che questa barbarie faceva parte della mia vita quotidiana e probabilmente aveva iniziato a compatirmi. L'uomo che era entrato nella stanza dell'ospedale pronto ad azzannarmi aveva lasciato il posto a una persona che avrei perfino potuto definire compassionevole. Concludeva sempre le domande che mi poneva dicendo: "Se non ricordi non fa niente".

Ma io ricordavo tutto!

"L'uomo sepolto nel giardino è stato picchiato a morte. L'altro invece è stato soffocato con una busta di plastica" gli dissi.

"Sai perché lo ha fatto?" mi domandò.

E io risposi: "Per le donne. Se in un gruppo c'era una donna che gli piaceva la portava via con la forza e la violentava. Ma qualche volta c'era qualcuno che si opponeva... Questi due sono stati uccisi per questo motivo... È tutto quello che so..."

Raccontavo tutto ciò che avevo fatto per anni a quelle persone come se il responsabile fosse mio padre. In un certo senso era corretto. Dal punto di vista genetico non potevo essere così diverso da Ahad, giusto? Il procuratore ascoltava il mio racconto nauseato, con gli occhi sgranati. Continuava a ripetermi: "Se sei stanco possiamo fermarci". Ma sapevo che l'unico a essere stanco era lui. Ero uscito dall'ospedale il giorno prima. Mi consideravo guarito. Non avevo più sentito quel dolore e non mi sentivo poi così male.

Durante il viaggio di ritorno nella macchina del procuratore, vidi l'ultimo numero di «Da Kandalı al mondo», e non potei trattenermi dal ridere. In prima pagina c'era la fotografia della cerimonia della consegna dell'orologio nell'ufficio del prefetto. Sì, la fotografia era la stessa, ma c'era una piccola differenza: i miei occhi erano stati oscurati. Il mio nome e cognome erano indicati solo con le iniziali. La notizia era intitolata: "Degenerati!"

Per non confonderli con gli altri ritratti nella foto, i degenerati avevano le teste cerchiate in bianco. Quindi, sebbene nessun tribunale li avesse ancora giudicati, mio padre, il sindaco e il sergente maggiore Yadıgâr, l'eroe di un tempo, erano colpevoli senza alcun ragionevole dubbio. Quei cerchi intorno alla testa ricordavano un'aureola. Quindi il mio paragone tra quella fotografia e *L'ultima cena* non era affatto fuori luogo! La burocrazia e la politica di Kandalı erano state scosse da un terremoto. Con buona probabilità negli archivi della polizia non c'era nessun'altra foto che ci ritraesse tutti insieme ed erano stati costretti a utilizzare quella. Nell'articolo c'era anche un paragrafo dedicato a tutti i personaggi della foto, eccetto il vecchio usciere. C'erano le dichiarazioni del prefetto, del comandante provinciale della gendarmeria e del questore che ripetevano in coro parole del tipo: "I responsabili saranno puniti. Nessuno nutra dubbi a riguardo!" C'erano illazioni su maltrattamenti ai prigionieri da parte del sergente Yadıgâr nella caserma della gendarmeria, frasi drammatiche su di me, giaculatorie contro mio padre e le prove dettagliate di come il sindaco fosse l'amministratore locale peggiore del mondo! In realtà, soltanto leggendo quelle righe avevo capito perché avessero deciso di coinvolgere anche il sindaco. Mettendole in relazione con i sussurri del vecchio usciere al prefetto nella stanza dell'ospedale, ero venuto a capo della faccenda. Il sindaco non faceva parte del partito appoggiato dalla confraternita Tanzim. Di conseguenza non c'era alcun motivo per non farlo fuori. A parte questo, aveva qualche altra colpa? Forse... Secondo me, tutti in quella foto erano al corrente della situazione. Alcuni erano colpevoli perché erano rimasti in silenzio, altri perché erano coinvolti personalmente nel giro. In fin dei conti, tra le persone ritratte in quella fotografia non c'erano innocenti, perché quella fotografia era stata scattata dopo che ci eravamo cibati di Gesù! E così i cani si erano messi in fila nel giardino dell'ospedale, in attesa di poter spolpare le ossa con i microfoni in mano.

La macchina del procuratore si fermò tra la folla di giornalisti fuori dall'edificio e subito uno dei cani si gettò sul finestrino dove avevo appoggiato la testa. Venne un infermiere ad aprirmi la portiera e scesi dalla macchina. Proprio in quel momento sentii un peso enorme quanto il Monte Kandağ calarmi sulla nuca e caddi in ginocchio di fronte alla porta dell'ospedale, reggendomi con una sola mano. Fui immediatamente circondato dalle telecamere e sbavando dissi: "Bava!"

Ero stato io a prendere la rabbia al posto dei cani! Mentre l'infermiere mi prendeva in braccio, intravidi quegli occhi con le sopracciglia alzate, quelle labbra mormoranti e quei microfoni ritrarsi... Dopotutto non mi potevano fare nessuna domanda: avevano capito di non avere di fronte qualcuno in grado di fornire risposte. In verità io avevo soltanto guardato la saliva che mi si era riversata nel palmo della mano dicendo: "Bava!" ma per loro era stato sufficiente. Ero come un bambino trasformatosi in lupo dopo essere stato allevato da quelle bestie. Tredici giorni trascorsi con dei cadaveri mi avevano reso uno di loro. Ed era anche vero che quei cadaveri si erano presi cura di me! Mi avevano protetto dal freddo e mi avevano perfino nutrito, quando avevo succhiato quel seno morto. Adesso mi guardavo intorno come uno di loro, al punto che i cani si allontanavano da me con le loro telecamere. Tutto questo perché non sembravo meritare la *terza pagina*. Non somigliavo a niente che conoscessero. Le agenzie di stampa, i giornali e i telegiornali avevano mandato le persone sbagliate in quell'ospedale. Solo un corrispondente di guerra avrebbe potuto parlare con me! Perché venivo da una guerra e tornavo da morto! *Introduzione alla fisica della vita*... E non sarebbe bastato neanche un corrispondente di guerra qualsiasi, ci voleva uno che fosse stato in scenari di guerra civile! Soltanto un giornalista del genere sarebbe potuto resistere alla distruzione delle statue dei Buddha e ai miei racconti. Gli altri non ne avrebbero avuto lo stomaco. Non ce l'avrebbero avuto! Avrebbero chiuso gli occhi o spento le telecamere. Perché lo sapevano! Io ero una notizia che proveniva direttamente dall'inferno. Una di quelle che fanno voltare pagina o cambiare canale. Ero una notizia che doveva rimanere nel titolo. Inferno era solo una parola e tale doveva rimanere. Il diavolo non si nascondeva nei dettagli! Ci viveva. Il dettaglio era la sua dimora. Il suo indirizzo! L'inferno! E nessuno voleva trovarsi lì! Per questo motivo venivano nascosti i dettagli. Tutti noi e tutte le notizie non eravamo altro che riassunti, niente di più! Un riassunto! Verrà un giorno in cui qualcuno riassumerà tutto il mondo senza annoiare nessuno con inutili dettagli.

"Cari spettatori, secondo una notizia appena giunta, in un pianeta chiamato Terra, degli uomini sono nati, vissuti e morti. Adesso passiamo alla notizia successiva..."

Mi avrebbero messo in un orfanotrofio e avrei continuato gli studi. Questi erano i piani del prefetto. Non voleva che restassi a vivere a Kandalı o nelle vicinanze, un orfano sopravvissuto contro ogni aspettativa. Credeva che mi dovessi allontanare. Dovevamo essere cancellati dalla memoria di tutti, io e tutte le cose spaventose che richiamavo. E io lo avrei assecondato con grande piacere! Non avevo assolutamente niente in contrario.

Il prefetto lanciò un'occhiata al procuratore al suo fianco, poi volse il capo verso di me e disse: "Dimentica tutto! Davanti a te hai una vita nuova... E non abbandonare la scuola. Abbiamo fiducia in te! Diventerai una persona importante in futuro, Gazâ... Semmai avrai bisogno di qualcosa, noi siamo qui..."

Eravamo nel suo ufficio. Il procuratore, seduto di fronte a me, annuiva distrattamente. Le mie dichiarazioni avevano inchiodato Yadıgâr e il sindaco, proprio come volevano loro. Se Ender fosse venuto a saperlo, mi avrebbe ucciso, ma il procuratore mi rassicurò dicendo che la mia testimonianza sarebbe rimasta anonima. "Ho paura" gli avevo detto. "Ho paura che mi facciano del male!"

In realtà non me ne importava niente... Il mio unico desiderio era andare a casa il prima possibile per fare le valigie e salire su quell'autobus per Istanbul. Ci alzammo in piedi. Prima il prefetto, poi il procuratore, infine io... Non avevamo più nulla da dirci. Non c'era più niente che potessi ottenere da loro, né loro da me. Io tesi la mano per stringergliela. Ma loro preferirono che ci dessimo due baci. Io e lo stato ci separammo così, baciandoci in un ufficio ancora fumante di una trattativa appena conclusa...

Quando uscimmo dalla stanza vidi l'usciere seduto su una vecchia poltrona. Gli occhi del vecchio erano di nuovo chiusi. Significava che non stava a occhi chiusi solo nella fotografia, ma anche nella vita... Poi fui presentato a un uomo di mezza età, un autista al servizio del prefetto.

"Questo è Faik Bey... Ti porterà lui a Istanbul".

Faik, a corto di parole, disse soltanto: "Condoglianze". Non sembrava molto felice di mettersi in viaggio con un ragazzino uscito da una massa di cadaveri. Ma di certo era ben remunerato e questo doveva tranquillizzarlo. Dopotutto, essere nella pubblica amministrazione era un'arte della sopravvivenza. I burocrati ci saranno sempre, anche quando occorrerà dare una veste ufficiale alla fine del mondo. Il loro unico problema è che non sanno cosa fare di quella vita trascorsa tra libri paga e registri, perché non è ancora stata redatta una circolare sull'argomento...

Uscimmo dall'edificio e salimmo sulla macchina bianca che Faik mi aveva indicato. Abbassai il finestrino e guardai per l'ultima volta il palazzo del governo di Kandalı. Pensai a quel giorno in cui ne avevo salito i gradini con mio padre, per poi uscirne con un orologio al polso. Pensare a quel grande giorno non mi prese più di qualche secondo. Quando finii di pensare alla mia intera vita, avevamo già imboccato vicolo della Polvere. Mi sentivo come se fossi stato lontano da casa un secolo. Anche se in realtà avevo trascorso in ospedale solo otto notti. "Ormai stai bene! Non hai niente!" mi avevano detto i dottori e quella mattina stessa mi avevano dimesso. Quindi, a conti fatti, ero mancato soltanto ventun giorni da quel vicolo che avevo provveduto io stesso a battezzare con un cartello...

Ci fermammo di fronte alla casa.

"Ti aspetto qui" mi disse Faik.

Scesi dalla macchina tenendo in mano la chiave che mi aveva dato il procuratore. Aprii la porta ed entrai in casa. Sapevo dov'era l'unica valigia che avevamo: sotto il letto di mio padre. La tirai fuori, la portai nella mia stanza e la misi sul letto. Aprii il mio armadio e cominciai a riempirla di vestiti. Alla fine stavo partendo! Vaffanculo, stavo partendo davvero! Era tutto finito! Niente più Ahad, niente clandestini e neanche Kandalı! Stavo preparando una valigia per la prima volta in vita mia... Non era poi così difficile come avevo immaginato. Niente era difficile come avevo immaginato! Andare via, fuggire, sparire, niente, insomma...

La mia valigia era pronta. Entrai nella stanza di Ahad una seconda volta e accesi l'abat-jour sul comodino. Trovai la collana e la fotografia di mia madre esattamente come le avevo lasciate. Lì vicino c'erano un po' di soldi... Li presi e misi tutto in tasca.

Non volevo trattenermi oltre in quella casa, così presi la valigia, uscii dalla mia stanza e mi incamminai verso la porta. Respirai per l'ultima volta in quella casa, poi aprii la porta e mi trovai di fronte Ender. Stava parlando con Faik vicino alla macchina. Non appena mi vide interruppe la conversazione e venne verso di me. Nel frattempo io avevo chiuso a chiave la porta. Tentai di tranquillizzarmi, pensando che, se fosse venuto a sapere della mia deposizione contro suo padre, non mi sarebbe corso incontro.

Si fermò così vicino a me che i nostri nasi quasi si toccavano. E poi avvenne una cosa che non mi sarei mai aspettato. Mi abbracciò senza dire niente. Non ricordavo nemmeno l'ultima persona che mi aveva abbracciato. Non sapevo che fare. Prima incrociai lo sguardo di Faik che ci osservava, poi cercai di guardare altrove. Ma non potendo voltare la testa, non avevo molta scelta. Stavo rigido, con il mento appoggiato sulla spalla di un'altra persona. Volente o nolente, feci cadere a terra la valigia e abbracciai anch'io Ender. Ma quel nostro abbraccio silenzioso mi sembrava così assurdo che non vedevo l'ora che finisse. E un po' temevo che trasparisse questo mio sentimento inumano. In particolare, avevo paura che Faik si accorgesse che non provavo nulla di fronte a un gesto così carico di amicizia. Non so perché, ma avevo paura. Forse mi vergognavo soltanto. Sì, ma che stava facendo Ender nel frattempo? Dove stava guardando? Magari avessi potuto vederlo in faccia. Quantomeno avrei potuto imitarlo! Incrociai nuovamente lo sguardo di Faik e stavolta l'unico modo per evitarlo fu chiudere gli occhi. Sì, così andava molto meglio!

Chiudere gli occhi mentre qualcuno mi abbracciava doveva farmi apparire molto più umano e sincero. Ma con gli occhi chiusi mi sembrava di esagerare! Come se drammatizzassi ancora di più la situazione...

Quell'abbraccio di pochi secondi che mi sembravano settimane non finiva mai! Alla fine Ender allentò la presa e tolse le braccia dalla mia schiena.

"Hanno espulso mio padre... Sarà processato".

Che potevo dire?

"Lo so... Il procuratore mi ha minacciato per farmi deporre contro tutti quanti..."

"Figlio di puttana!" disse Ender.

"Ma non ho detto niente... Quasi quasi mi stava sbattendo dentro!"

"Figlio di puttana!" disse. Di nuovo...

"Sì" dissi. "Proprio un figlio di puttana!"

Ender mi abbracciò di scatto e mi sussurrò all'orecchio: "Sei tu il figlio di puttana, ritardato! Lo so che hai raccontato tutto! Ti spacco il culo, bastardo!"

Tentavo di divincolarmi, ma Ender non mollava e continuava a parlarmi all'orecchio: "Sei finito! Io ti ammazzo!" Poi si ritrasse.

"Ti giuro, Ender, non ho detto niente!"

A quel punto si sentì Faik gridare: "Forza, ragazzi! È ora!"

"Un attimo" gridai all'autista. Poi guardai Ender che respirava affannosamente per la rabbia e questa volta fui io a sussurrargli: "Senti, credi quello che vuoi tu! Ma io non ho raccontato niente a nessuno!"

Ender si inumidì le labbra secche e disse: "E va bene, ammettiamolo pure... Ma è inutile che torni da queste parti! Perché questa casa la brucio!"

"E bruciala, vaffanculo!" dissi, e me ne andai per la mia strada... Sapevo che Ender mi stava seguendo con lo sguardo. Sentivo le sue occhiate pesanti sulle spalle e sulla nuca. Faik aprì il bagagliaio e io vi sistemai la valigia. Salii in macchina.

"Se vuoi possiamo accompagnare il tuo amico" disse Faik.

"No" risposi. "Ha un lavoro da fare..."

Faik accese il motore col muso dell'auto verso il vicolo della Polvere. Mentre percorrevamo quella strada polverosa, che mio padre si era sempre rifiutato di far asfaltare, vidi l'immagine di Ender nello specchietto retrovisore. Con i pugni serrati e la schiena rigida come uno spaventapasseri, sembrava volesse far saltare in aria la macchina solo con lo sguardo. Poteva bruciarla quanto voleva, quella casa! Tanto non sarei mai più tornato a Kandalı. Mai! Nello specchietto retrovisore adesso c'erano solo gli alberi e il cielo. Ender era sparito. Non avrei mai più rivisto il volto del mio amico d'infanzia. A diciannove anni Ender sarebbe partito per il servizio militare senza far più ritorno. Sarebbe saltato su una mina del PKK, vicino al villaggio di Felat, alle pendici del Monte Süphan. Morto dopo aver calpestato quella terra... Tuttavia si era preso la sua vendetta su di me, perché a una sola settimana da quell'abbraccio infinito ricevetti una notizia da Kandalı. Mi telefonò il procuratore e mi disse: "Hanno bruciato casa tua. Hai idea di chi possa essere stato?"

"Non saprei" risposi. Per principio non avrei denunciato due persone della stessa famiglia. Anzi, forse era l'unico principio che avrei rispettato in tutta la mia vita...

Immaginavo che Ender non mi avrebbe mai perdonato. Mi avrebbe odiato con tutto se stesso fino al suo ultimo respiro, perché era ovvio che io fossi tra quelli che avevano contribuito a mandare in galera suo padre. In fondo eravamo sempre a Kandalı! L'anonimato non era una cautela giudiziaria, ma una favola. Così come ero sicuro che Ender sognava di uccidermi, se mai mi avesse rincontrato. Ma tra lui e questo proposito si era intromessa un'altra favola. Quella di Felat, che una volta inviato dal padre tra i guerriglieri del PKK, avrebbe piazzato le mine sulla strada da cui sarebbe passato Ender... Come avevo già detto a Ender: "Credi quello che vuoi tu!" Quantomeno si sarebbe preso in giro da solo. Nel contesto del Ventunesimo secolo è sempre meglio di niente, non è vero?

Avevo sedici anni e Istanbul era magnifica. La mia scuola era magnifica. L'orfanotrofio in cui alloggiavo era magnifico. Le lezioni erano magnifiche. Il tempo era magnifico. La vita era magnifica. L'unico problema era la parola 'magnifico', perché non riusciva a rendere perfettamente il mio stato di grazia. Se si tralascia questo particolare, il resto era magnifico.

Mi trovavo così a mio agio in quell'orfanotrofio in cui Faik mi aveva accompagnato personalmente, che quasi mi pareva di aver trascorso lì la vita intera. Era un edificio di quattro piani di cui due occupati dal dormitorio, i restanti dagli spazi comuni. In realtà veniva chiamato spazio comune qualsiasi stanza in cui non vi fosse un letto: la stanza dei computer, la sala della televisione, l'aula studio, la sala giochi e tutte le altre... Accanto a ognuna di queste stanze c'era una targa che ne indicava il nome. Tutto aveva un nome, in quell'edificio. Anche Istanbul aveva i suoi nomi: giorni feriali, scuola, fine settimana, mercato. Quest'ordine e questa precisione mi avevano fatto maturare. Non era possibile perdersi, in quell'edificio. Anche i bagni e le docce avevano i numeri. Lo spazio era a misura d'uomo ed era spartito equamente. Per la prima volta in vita mia, condividevo qualcosa con altre persone. Per uno come me, che aveva trascorso la vita a governare l'esistenza di gente sconosciuta, era una grande novità. Fino a qualche stagione prima, ero io a distribuire le cose e gli altri a condividerle. Adesso era Azim, il direttore dell'istituto, a farlo e io mi limitavo a condividere con gli altri qualsiasi cosa mi venisse data. Dopotutto questo stile di vita non mi era nuovo, anche se in precedenza ero io il *distributore*. L'essenziale era intrattenere buoni rapporti con chi si occupava della distribuzione. E migliori erano i rapporti, maggiore era il profitto che riuscivo a ricavarne! Dopotutto l'orfanotrofio non era molto diverso da una cisterna. Bastava essere vicini a chi lo governava...

Anche il tempo era suddiviso con la stessa precisione in programmi settimanali. Ogni azione aveva un inizio e una fine. Sul tabellone all'entrata erano indicate a chiare lettere l'ora della colazione, l'ora dello studio, l'ora in cui ognuno poteva usare gli spazi comuni, l'ora della cena, l'ora dello spegnimento delle luci, l'ora d'uscita, l'ora di rientro, l'ora dell'igiene personale e tutto il resto. Per seguire questi ritmi portavamo tutti al polso degli orologi, regalo di Azim. Sì, ormai mi ero tolto dal polso l'orologio del prefetto e lo avevo sostituito con quello di Azim. E lì il tempo era come un predatore domato e addomesticato. Eravamo noi a governarlo ed era fantastico! Lo spazio e il tempo erano privi di qualsiasi frattura o buco. Non poteva infiltrarsi neanche una singola goccia d'acqua, tra quei blocchi. Avevano pianificato spazio e tempo in modo che ne potessimo godere al massimo e così tutti noi, che avevamo tra i tredici e i diciotto anni, eravamo stati trasformati in macchine il cui unico scopo era vivere. La nostra vita era puntuale come una bomba a orologeria, costruita alla perfezione.

Il rapporto su di me inviato dalla scuola di Kandalı aveva impressionato molto Azim. Non appena Faik ci aveva lasciato mi aveva detto: "Faremo grandi cose insieme!"

In quel momento fraintesi completamente il senso della frase. Forse per abitudine. Finora tutti gli adulti che avevo conosciuto erano degli impostori. Credevo che Azim stesse cercando un complice, esattamente come mio padre aveva fatto anni prima. In realtà si riferiva alla mia istruzione universitaria. Era sicuro che avrei concluso il liceo a pieni voti! Non valeva nemmeno la pena di parlarne. Di conseguenza il punto cruciale era la scelta dell'università che avrei frequentato e l'educazione accademica che avrei ricevuto. Ero decisamente d'accordo con Azim! Il nostro incontro somigliava a quello tra un allenatore e l'atleta straordinario che aveva cercato per tutta la vita. Un amore a prima ambizione!

Peccato che, essendo arrivato a quadrimestre iniziato, non avrei potuto frequentare subito la scuola. D'altro canto non potevo neanche restare senza far niente. Azim trovò immediatamente un finanziatore che mi permise di iscrivermi a un corso di lingua e mi disse: "Imparerai l'inglese!"

Poi, poco dopo aver iniziato a frequentare il corso d'inglese di quattordici ore alla settimana, si presentò a me un professore di liceo in pensione e mi disse: "Imparerai la matematica!"

Nel frattempo Azim mi aveva iscritto al club degli scacchi e mi aveva detto: "Al primo torneo mi aspetto almeno un terzo posto!"

Io facevo tutto quello che diceva, perché tutte queste attività mi piacevano così tanto e mi tenevano così occupato da non farmi pensare alla grotta piena di cadaveri da cui ero uscito. Non mi venivano proprio in mente. In realtà li avevo dimenticati nel momento stesso in cui avevo messo piede nell'orfanotrofio. Non mi facevano visita neanche nel sonno, sognavo tutt'altro: il mio futuro, gli scacchi, l'università, i libri, il nuovo Gazâ che sarei diventato...

Solo una notte feci un sogno diverso. Tossivo. Poi dalla mia bocca uscì una chiave. Conoscevo quella chiave umida. Nel sogno dicevo: "Questa è la chiave di un cofanetto che racchiude tutto il mio passato. È tutto lì sottochiave, per questo non ricordo nulla. E visto che dentro di me non c'è un mare in cui gettarla, l'ho rigurgitata... Non c'è niente di cui aver paura... Continua a dormire..."

Era un sogno logico. Uno sforzo per trovare una logica al perché non ricordassi quello che avevo passato in quell'inferno. Non ricordavo nulla perché non volevo ricordare. Non ricordavo nulla perché ero abbastanza forte per dimenticare. Avevo una forza tale da ridurre al mio comando il passato e i ricordi. E, cosa più importante, quel dolore terribile che mi aveva artigliato nei giorni trascorsi all'ospedale sembrava sparito. Anche quello sembrava obbedirmi. Avevo scacciato quel dolore e lo avevo mandato a farsi fottere. Doveva essere così! Perché avrei piegato allo stesso modo il mio futuro e avrei fatto di me ciò che volevo!

Naturalmente col sostegno di Azim. Senza di lui non potevo nulla. Era il mio unico collegamento con il mondo esterno. Per adesso era lui il timoniere della gondola che mi avrebbe traghettato verso il futuro.

Mi fece studiare così tanto nel periodo che mi separava dal nuovo anno scolastico, che la mia nuova vita, iniziata nel momento in cui avevo saputo della morte di mio padre, era un progresso continuo di apertura mentale e conoscenza. Non divoravo più ogni libro che mi capitava tra le mani come facevo in passato. Ora non perdevo più tempo e leggevo solo quello che mi serviva. Azim mi aveva nominato responsabile della biblioteca. Per dirla tutta, visto che gli altri ragazzi andavano a scuola e io restavo solo nell'edificio, ero diventato il responsabile di tutto. Trascorrevo le mie giornate a pulire, a mettere in ordine, andavo e venivo dal corso di inglese e svolgevo il programma di lezioni che Azim aveva preparato per me. Per esempio, per un'ora pulivo i bagni e le docce, per un'ora studiavo matematica oppure etichettavo i libri che venivano donati alla biblioteca. Poi leggevo libri di storia o filosofia. Azim credeva che dovessi leggere in particolare Platone e i suoi *Dialoghi*, che aveva provveduto a regalarmi. Inoltre dovevo leggere almeno due romanzi alla settimana e lasciare una relazione su ognuno di essi sulla scrivania di Azim. Non avevo quasi tempo libero. Ero sempre impegnato a leggere, a scrivere o a prendermi cura dell'edificio. Uno dei pochi momenti di riposo era generalmente dopo pranzo, quando portavo il caffè ad Azim e giocavamo insieme a scacchi. Lui però non era bravo come me quindi, mentre pianificava le sue mosse, io potevo pensare ad altro oppure osservare l'ambiente che mi circondava, le foto con sua moglie e le sue figlie, i premi in vetrina, i certificati affissi alle pareti e altre foto delle sue figlie... Aveva due femmine. Erano entrambe studentesse universitarie. Azim però non parlava mai della sua famiglia. Non toccava mai l'argomento, come se tutte quelle fotografie e quelle cornici fossero dei falsi. Io e lui parlavamo di altre cose. Discutevamo del mio futuro, di scienza, dei romanzi che leggevo, della vita e dell'importanza della disciplina. Se non altro perché Azim era un contabilizzatore di disciplina. Un *disciplinometro*... A volte pensavo che tenesse il conto esatto delle parole che pronunciava. A farlo stare dritto era la disciplina e non la sua spina dorsale. Disciplina, parole scelte accuratamente e, nella maggior parte dei casi, silenzio... La distanza fra noi era contemporaneamente enorme e irrisoria. Ci conoscevamo come un padre e un figlio e, al tempo stesso, non ci conoscevamo affatto... A volte non parlavamo nemmeno... Mi limitavo a entrare e uscire dal suo ufficio. Di tanto in tanto, quando ero sul punto di andarmene, sentivo alle spalle la sua voce: "Gazâ".

"Sì?"

"Stai bene?"

"Sto bene".

"Ne sei sicuro?"

"Sì".

"Bene..."

Quando iniziai a frequentare la scuola erano passati sette mesi dal mio arrivo all'orfanotrofio. Era un istituto mediocre in cui gli insegnanti erano incompetenti e gli studenti una mandria di imbecilli. Tutto questo era perfetto per me: sin dal primo giorno mi fu chiaro che sarei stato il primo della classe. Azim mi aveva perfino detto: “Resisti un anno, poi vedremo di chiedere una borsa di studio”. Mantenne la parola, e l’anno successivo fui ammesso come borsista in una scuola privata, il cui costo avrebbe coperto le spese di un trasloco da Dušanbe a Londra.

Così a diciassette anni mi trovai a frequentare una scuola in cui studiavano i figli delle famiglie più ricche del paese in cui ero nato. Gli studenti di quella scuola, se possibile, erano ancora più imbecilli. Quindi emersi senza fatica fra tutti gli altri e divenni facilmente motivo di orgoglio per la scuola il cui emblema portavo cucito sull’uniforme. Dopotutto ero orfano e questo agli occhi degli insegnanti mi rendeva una leggenda vivente. In tasca non avevo altro che gli spiccioli che mi aveva dato Azim e un origami. Diversamente dagli altri studenti, d’inverno non andavo a sciare a Kitzbühel, né ero costretto dalla mia famiglia ad andare al Metropolitan Museum di New York d’estate. Che la mia presenza avesse incrementato la media del quoziente intellettivo e il prestigio della scuola era una verità incontestabile. Io e tutti gli altri ci aspettavamo molto da Gazâ! Specialmente Azim...

Durante il mio secondo anno all’orfanotrofio lo vedevo più raramente. Le nostre partite di scacchi ormai avvenivano soltanto una volta la settimana. Il venerdì sera, subito prima che Azim tornasse a casa, ci trovavamo nel suo ufficio e finivamo in mezz’ora qualsiasi compito rimasto incompleto. Gli altri ragazzi del dormitorio mi invidiavano terribilmente, ma sapevano di non poterci fare nulla. E io non potevo far niente per loro, a parte aiutarli negli argomenti che non avevano capito, due volte alla settimana nell'aula studio. In questo modo tentavo di compensare i privilegi di cui godevo. Tutti si interrogavano su cosa avrebbero fatto una volta compiuti i diciott'anni e come avrebbero affrontato la vita fuori dall'orfanotrofio. In realtà, nel caso in cui avessero scelto di intraprendere gli studi universitari, avrebbero potuto fare richiesta di prolungare la permanenza nell'istituto fino ai venticinque anni. Ma nessuno faceva progetti del genere. Il loro unico desiderio era continuare la vita che conducevano all'infinito, congelarla. Alcuni perdevano il sonno a pensarci e capitava spesso di sentir piangere segretamente nella notte.

Da quando ero arrivato all'orfanotrofio stavo in una stanza per quattro persone. E da due anni la condividevo con gli stessi compagni: Rauf, Derman e Ömer. Come molti coetanei, tutti e tre avevano lo stesso principale interesse: le ragazze. Prima di dormire condividevano le proprie fantasie sessuali. Nessuno dei tre aveva mai toccato una donna e se da un lato aspettavano con impazienza quel momento, dall'altro non avrebbero mai voluto crescere. Crescere per loro non era altro che un sacco maledetto pieno di solitudine. Naturalmente non condividevo niente del mio passato con loro. Non avevo mai parlato dei miei trascorsi sessuali con i vivi o con i morti. Per loro io non ero altro che un buon compagno di stanza, perché non rubavo e non raccontavo in giro i loro segreti. E io dal canto mio non volevo essere niente di più.

Il rapporto che avevo instaurato con tutte le persone conosciute a scuola o all'orfanotrofio funzionava come una rotella dell'ingranaggio di un orologio. Nella mia vita tutto era funzionale. Tutte le persone che salutavo e che chiamavo per nome non erano diverse dai lacci delle mie scarpe. Ciascuno mi era utile a qualcosa, tutto qui. E per lo più alla stessa cosa: mi lasciavano in pace in cambio di qualche parola scambiata con loro. Sapevo che il fatto che non stabilissi dei legami con nessuno attirava l'attenzione, rendendomi più difficile la vita. Ma io ero proiettato verso il futuro. Al contrario dei miei compagni di stanza, i miei timori non erano relativi al futuro ma al passato. I rapporti con i miei compagni di scuola non erano molto diversi.

Se potevo risultare attraente per le ragazze della mia classe grazie all'aria da bastardo e agli occhi azzurro freddo che mi aveva lasciato Ahad, restavo comunque un irritante figlio di puttana, perché ogni volta che prendevano un brutto voto, le loro famiglie non perdevano di certo l'occasione di paragonarli a me. Dovevano sentire continuamente frasi del tipo: "Tu hai tutto ciò che puoi desiderare e guarda Gazâ! Quel poverino è solo al mondo, ma guarda com'è bravo!"

E mentre annuivano di fronte ai genitori dovevano pensare: "Magari andaste all'altro mondo e restassi solo come Gazâ!"

In realtà anch'io pensavo che tutti i miei compagni non fossero altro che dei figli di puttana. Quantomeno nel senso letterale del termine perché, anche se di rado, mi capitava di vedere le loro madri. E vedevo anche i loro padri. Che cosa può portare all'unione dell'animale più brutto della foresta con il più bello, se non il denaro? La ricchezza, tra le altre cose, consentiva di abbellire la stirpe. Di conseguenza, la maggior parte delle madri dei miei compagni di scuola si era venduta almeno una volta nella vita. La bellezza era un capitale. Potevo vederlo con i miei occhi. Non ero poi così stupido. Non così tanto...

Grazie a quell'unica borsa di studio del ministero della pubblica istruzione, che mi aveva procurato Azim, tutto andava avanti per il meglio. Lui però iniziava a cambiare. Credeva che non trascorressimo abbastanza tempo insieme, e per questo insisteva che continuassi gli studi universitari a Istanbul. Io avevo fatto le mie ricerche. Erano gli anni in cui internet era più utile. Avevo raccolto informazioni su tutte le università del mondo che attiravano il mio interesse e avevo fatto la mia scelta. Volevo andare in Inghilterra, per l'esattezza a Cambridge. Per quanto Azim pensasse che mi sarei dovuto iscrivere alla facoltà di relazioni internazionali dell'università del Bosforo, io volevo studiare antropologia sociale. Non mi interessava una facoltà dove si memorizzavano le regole delle relazioni di sfruttamento tra gli uomini. Io volevo essere nel luogo dove queste regole venivano create e scritte. Avevo passato la vita ad analizzare il rapporto tra l'individuo e la società sotto ogni aspetto. Non si poteva trovare studente più esperto di me sull'argomento, né a Cambridge, né in qualsiasi altra università. Quale studente ammesso alla facoltà di antropologia sociale di Cambridge aveva già compiuto a quindici anni esperimenti sociali su esseri umani? Se esisteva qualcuno in grado di scrivere un libro di istruzioni per l'uso di quella creatura chiamata uomo, quello ero sicuramente io. I progetti di Azim, racchiusi tra le quattro mura dell'orfanotrofio che dirigeva, non mi interessavano. Non era possibile confinarmi a quelli. Se Azim non poteva essermi utile per entrare a Cambridge, significava che non avevo più bisogno di lui. Il problema era che lui non se ne rendeva conto. Credeva ancora di illuminarmi come un Socrate tra i suoi discepoli, mentre in realtà era soltanto una pietra che aveva iniziato a frantumarsi e a esaurire la sua utilità. Sentivo che avrebbe fatto di tutto per impedirmi di andare a Cambridge. Era venuto il momento di riprendermi la libertà a cui avevo rinunciato per convenienza...

Un venerdì sera, verso la fine dell'anno, eravamo come sempre seduti nell'ufficio di Azim a giocare a scacchi. Normalmente lo sguardo di Azim era fisso sui sessantaquattro quadrati della scacchiera, concentrato sulla mossa successiva. Questa volta invece si guardava intorno come me e non era interessato al gioco. Dopo un po' i nostri sguardi si incrociarono. Sospirò e disse: "Ti ho mai detto quanto sono orgoglioso di te?"

Non lo aveva mai fatto, e ormai non serviva più.

"Grazie" risposi.

"Dico davvero! Riuscire a essere così bravo dopo tutte le cose che ti sono capitate... Aiutarmi tanto..."

Ringraziai di nuovo...

"Mi spieghi come fai?" mi chiese.

"In che senso?"

"Come ci riesci?"

"Non lo so..."

"Perché io non ci riesco..."

Ormai non stavamo più giocando a scacchi ma a un altro gioco, quindi restai in silenzio. Azim continuò: "Ho cinquantun anni. Ho trascorso tutta la mia vita tra ragazzi come te. Certo, nessuno era come te, tu sei un'altra cosa! Però... ci sono sempre stati ragazzi intorno a me, capisci? E io ho fatto tutto quanto era in mio potere per loro... Ma poi che è successo? A cosa è servito? È stato tutto inutile, lo sai? Tutto inutile!"

"Possibile?" dissi. "Ma no, chissà a quanti ragazzi ha cambiato la vita..."

"È vero, l'ho cambiata..."

Poggiò la schiena alla poltrona e tirò fuori dalla giacca una busta.

"Stamattina ho trovato questa sulla mia scrivania. Qualcuno mi ha scritto una lettera. Guarda... c'è pure un francobollo... Che strano... Erano anni che non ricevevo una lettera... Comunque sai cosa c'è scritto? Che ti ho molestato... Che ho avuto perfino una relazione con te... E che se non mi dimetto la notizia giungerà al consiglio d'amministrazione..."

Sorrisi.

"Chi ha scritto una simile stupidaggine?"

"Non lo so... È anonima".

"Di sicuro è qualcuno di qui. Conosco la calligrafia di tutti quanti. Se me la dà..." dissi tendendo la mano. Ma Azim se la rimise in tasca.

"È stata scritta al computer" disse. Poi scosse la testa e continuò: "Sono molto dispiaciuto, Gazâ... Molto..."

"Non se la prenda" dissi. "Si faccia forza... Noi sappiamo che cosa è successo. Noi sappiamo la verità. Lei non mi ha molestato, né abbiamo avuto una relazione come dice la lettera... Noi ci siamo soltanto innamorati come due uomini, tutto qui!"

"Ma tu non eri come me... Io ti ho costretto".

"No! Nessuno mi può costringere a fare niente! Adesso non ci pensi più... E poi tocca a lei... Se non fa niente sarà scacco matto in quattro mosse".

Tutti i rapporti che instauravo avevano uno scopo: in fondo non ero diverso dalle madri dei miei compagni di scuola. Azim aveva fatto per me tutto quello che era in suo potere e ormai serviva solo per giocare a scacchi. Per giunta non sapeva nemmeno giocare e non poteva concepire la sua vita senza di me. Lasciai Azim sempre più chiuso tra le quattro mura della sua stanza e mi diressi verso le scale. Scendevo i gradini lentamente, sfogliando il libro di poesie che avevo iniziato a leggere da poco. Era di un certo Rimbaud. Non so perché, ma ogni verso che leggevo mi suonava familiare. Anche se non avevo mai scritto poesie mi sembrava di conoscere la storia che raccontavano quelle parole... "La reincarnazione funziona solo per il Dalai Lama?" pensavo. "O anche Rimbaud va e viene da questo mondo, perché non ha completato la sua opera?"

Ero assorto in questi pensieri mentre entravo nella mia stanza sorridendo. Non mi importava nulla di Azim, né delle poesie che avevo letto qualche mese prima di un certo Verlaine. I suoi versi erano così brutti che non mi era piaciuta neanche una parola di quel libro. L'unica cosa buona che aveva fatto era farmi conoscere Rimbaud. O me stesso?

Azim era andato via ed era stato sostituito da Bedri, nient'altro che un funzionario al pari di Faik, l'autista del prefetto. Ogni volta che apriva bocca iniziava la frase dicendo: "Anch'io ero come voi". Ridevo sotto i baffi guardando quell'uomo che credeva di essere come me. Appena arrivato, Bedri si era subito accorto che ero un minerale lavorato con grande precisione. Dopotutto, per un funzionario era una gran fortuna potersi attribuire il merito di un successo senza aver fatto nulla per raggiungerlo. Poteva vantarsi quanto voleva grazie a me, e io gli permettevo di portarmi in giro come un animale da circo quando andava al ministero: sarei potuto benissimo diventare il logo dell'Istituto dei servizi sociali e assistenza ai minori! Ero la prova di come il sistema funzionasse alla perfezione! Quando ascoltava i miei progetti su Cambridge rispondeva: "Senz'altro! Dobbiamo farcela assolutamente! Tu devi diventare un uomo di scienza! Non ti preoccupare, farò tutto ciò che è in mio potere per aiutarti!"

Non avevo più bisogno dei giochetti che facevo con Azim per garantirmi il suo sostegno. Per Bedri era sufficiente che fossi una stella in grado di abbagliare il responsabile delle politiche sociali del ministero. Nella sua strada verso il sottosegretario, io avrei potuto catapultarlo verso incarichi che altrimenti non avrebbe mai potuto raggiungere. Per questo era necessario che fossi il primo del mio corso al liceo e che fossi paziente. Anche se all'ultimo anno avevo già compiuto diciott'anni, Bedri mi aveva subito rassicurato: "Naturalmente resterai qui. Me ne occuperò io". E mantenne la parola...

Nel frattempo i miei compagni di stanza, uno a uno, se ne andarono. Li vidi avviarsi verso le loro nuove vite: prima Rauf, poi Ömer... e infine Derman... Dove saranno adesso? Cosa staranno facendo? Non si erano mai comportati male con me e fin dal primo giorno mi avevano accettato come un amico di lunga data. In quale angolo del mondo saranno, ognuno come una frase compiuta?

Rauf non aveva conosciuto né sua madre né suo padre. Ömer invece era all'orfanotrofio perché la sua aveva ucciso il padre. La situazione di Derman era diversa perché era bosniaco... Quando era ancora piccolissimo sua madre e suo padre erano stati uccisi sotto i suoi occhi, ma Derman era miracolosamente rimasto in vita. Secondo il suo racconto, i serbi erano entrati in casa sparando a qualsiasi cosa si muovesse, ma, credendo che fosse morto, avevano risparmiato Derman, che giaceva a terra pietrificato dalla paura. Sua nonna l'aveva trovato in quello stato e avevano intrapreso insieme il lungo viaggio per Istanbul. Quando anche lei morì, fu trasferito all'orfanotrofio e incominciò a vivere nell'edificio di Azim. Io ero abbastanza sicuro che, all'infuori di me, non ci fossero altri ragazzi che avessero intrattenuto rapporti fuori dell'ordinario con Azim. Con Derman mi sorgeva qualche dubbio, perché faceva di tutto per non incontrarlo. E quando gli capitava di incontrarlo restava pietrificato come nella sua storia, come se volesse farsi credere morto... In effetti, quando Azim fece il suo discorso d'addio, io, in quanto mittente della lettera che l'aveva costretto a dimettersi, non ero per nulla sorpreso ed ero indifferente a tutto. L'unico che in quella folla aveva gli occhi azzurri lucidi per la gioia quanto i miei era Derman. O forse era la mia immaginazione...

Alla fine quei tre ragazzi uscirono dalla mia vita e la stanza per quattro persone si riempì di altre voci. Voci di altri ragazzi...

Se non fossi stato così impegnato a costruire la mia vita, mi sarei interessato di più a quei ragazzi con cui avevo condiviso quasi tre anni e avrei ricambiato l'amicizia che mi offrivano. Ma non lo potei fare. Non riuscii mai a coltivare dei sentimenti autentici per quei ragazzi che mi avevano accettato per quello che ero. Ciò era dovuto alla mia aridità. Da ragazzo che non si legava a nulla, incapace di farsi coinvolgere in una relazione sincera, con la voce grossa ma l'animo debole, avevo spremuto tutte le persone in quell'orfanotrofio per poi gettarle via. Come avevo fatto con Azim. Avevano parlato con me, ma non li avevo ascoltati. Non spifferavo i loro segreti soltanto perché dimenticavo immediatamente ciò che dicevano. Mi volevano bene, ma non sapevano chi fossi, perché io non avevo permesso loro di scoprirlo. Tutto l'affetto che mi avevano dato mi era entrato dal petto per uscirmi dalla schiena, sprecato... Mi cercarono svariate volte, dopo. Ma io non risposi mai alle loro chiamate. Non prestai mai attenzione alle notizie che mi giungevano di loro. Perché per me erano come le pietre del marciapiede che calpestavo. E io non potevo far altro che camminarci sopra... Spero che stiano bene... Spero che abbiano incontrato qualcuno capace di nutrire un affetto autentico nei loro confronti. Spero che mi abbiano dimenticato. Spero che non abbiano cambiato idea sull'amicizia per colpa mia. Spero che Azim non si sia tolto la vita. E spero di non incontrarlo mai più! Perché per quanto possa essere cambiato in questi anni, non sono divenuto una persona più buona. Qualsiasi cosa fossi in quei giorni, adesso lo sono ancora di più! Ancora più insensibile, più assassino, più bugiardo, più mostruoso e tutto il resto... Oggi sono un cadavere purosangue. Nient'altro... e forse un po' di solfato di morfina.

Scendemmo dall'autobus. Bedri mi chiese: "Tutto bene?"

"Sì".

"Sicuro?"

"Sto bene..."

Avevamo appena concluso un viaggio di otto ore e restavano soltanto da attraversare le strade di Ankara. Prendemmo un taxi, Bedri abbassò il parasole, indossò la cravatta guardandosi nello specchietto e disse all'autista l'indirizzo a cui dovevamo andare. Io sedevo sul sedile posteriore.

Una volta usciti dalla stazione degli autobus, imboccammo una strada simile in tutto e per tutto alle altre adiacenti. Su raccomandazione di Bedri, indossavo l'uniforme scolastica, perché lui credeva che questo abbigliamento mi facesse sembrare più studioso...

Osservavo le macchine che ci passavano accanto, gli uomini e le donne che le guidavano con la sonnolenza del mattino. Ankara si era svegliata e sembrava essersene già pentita. A ogni semaforo rosso vedevo gruppi di persone che dai due marciapiedi si incrociavano per attraversare la strada davanti a noi. I loro volti erano pallidi e spenti. Ankara era un ventre e noi lo stavamo attraversando.

Giunti al ministero, scendemmo dal taxi e Bedri controllò l'orologio. Mancava ancora mezz'ora al nostro appuntamento. Bedri si guardò intorno e, una volta trovato ciò che cercava, disse: "Andiamo a mangiare qualcosa. Poi devo sbrigare una faccenda in banca".

Facemmo colazione tra studenti in uniforme come me e uomini in giacca e cravatta come Bedri. Chiese al cameriere dell'altro tè e mi domandò: "Sei emozionato?"

"No" dissi. In verità avevo passato in bianco le ultime due notti e da due giorni pensavo al nostro colloquio al ministero. Sarebbe durato qualche minuto, o forse un'ora. Quando sarei uscito dall'edificio che avevamo di fronte, la mia vita sarebbe cambiata totalmente. Ogni passo che avrei mosso di lì in avanti mi avrebbe avvicinato sempre di più all'Inghilterra. Stavo vivendo uno dei momenti più importanti da quando ero rinato. Avrei dovuto essere emozionato, ma non lo ero. Sentivo solo una strana agitazione che non sapevo spiegare... La attribuii al viaggio e non mi interrogai oltre. Il buio in cui avevamo trascorso il viaggio mi ricordava un'altra oscurità. Durante la notte aveva piovuto a fasi alterne e io ero rimasto assorto a guardare le gocce che cadevano sul vetro del pullman... ma adesso non era il momento di mettersi a ricordare. Non era proprio il momento...

"Allora vieni, coraggio!" disse Bedri, e ci alzammo...

Percorremmo un'ampia strada ed entrammo in banca. Bedri mi disse di sedermi. Nonostante fosse ancora presto c'era molta gente in attesa e la maggior parte erano anziani. Quella è l'ora in cui gli anziani, dopo aver lavorato tutta una vita, non riescono a dormire, nonostante non abbiano più motivo di svegliarsi presto. Conoscono a memoria gli orari di apertura delle banche e di tutti gli uffici. Eravamo in quel mondo di vecchie farfalle, consapevoli che non avrebbero vissuto ancora a lungo, attente a non fare mai tardi e pronte ad arrivare con largo anticipo ovunque... Sprofondati sulle poltrone, con il numero preso dalla macchinetta che indicava il loro turno, quelle persone si guardavano silenziosamente attorno. Mi accorsi che le poltrone erano nuove di zecca: nonostante fossero state disimballate, nei braccioli erano ancora visibili brandelli di pellicola. Nessuno aveva avuto cura di toglierli, o non lo aveva ritenuto necessario. Dopotutto chi vi sedeva non vedeva più bene da tempo.

"A nessuno importa niente!" mormorai. Poi mossi qualche passo e mi sedetti sull'unica poltrona libera. Posai lo sguardo sulle mie ginocchia, poi su quelle di chi mi sedeva accanto. Alzai gli occhi per vedere a chi appartenessero. Era impossibile stabilire quanti anni avesse, ma era pieno di rughe e portava degli occhiali da vista con una montatura color caffè, tenuti insieme con lo scotch all'altezza del naso, come quelli di Rastin. Scossi la testa e mormorai di nuovo: "A nessuno importa niente!"

Gli occhi del vecchio erano incollati al tabellone che indicava i numeri del turno e dello sportello. Sul pezzettino di carta stropicciata che aveva in mano c'era scritto ottantadue. Per un attimo pensai che corrispondesse alla sua età. L'uomo indossava un vecchio cappotto. Seguiva con attenzione il tabellone digitale e controllava il numerino che aveva in mano. E alla fine arrivò il suo momento. Sul tabellone comparve il numero ottantadue a puntini rossi. Mi aspettavo che il vecchio si alzasse, ma non lo fece. Prima guardò alla sua destra, poi me. I nostri occhi si incontrarono, ma lui distolse immediatamente lo sguardo e si rimise il numerino in tasca. Era certo che nessuno, me compreso, avesse capito che era arrivato il suo turno. L'impiegato allo sportello gridò per due volte: "Ottantadue!" ma il vecchio non fece una piega e restò ad aspettare. Non appena chiamarono il numero ottantatré si alzò e si incamminò lentamente verso la porta.

Mentre pensavo a quale ragione potesse mai averlo spinto a rinunciare, lo vidi fermarsi al distributore dei numeri e prenderne un altro. Con lo stesso passo lento tornò verso di me e si risedette al suo posto. Prima guardò il nuovo numero, poi si voltò verso di me e disse: "Avevo preso il numero sbagliato". Non seppi che rispondere a questa bugia e neanche sorrisi. Ma lui continuò: "Ho un nipote della tua età... Che classe fai?"

Quantomeno a questa domanda sarei stato in grado di rispondere... Ma non so perché mi sentivo a disagio e provai l'impulso di trasmetterlo a chiunque mi capitasse a tiro. Mi chinai verso il suo orecchio e dissi: "Sei così solo che mi dai la nausea!"

L'ufficio del ministro della pubblica istruzione era grande almeno quanto il capannone nel giardino di casa mia. Dopo una lunga attesa entrammo e vedemmo il ministro parlare al telefono, seduto su una poltrona più alta di lui. Il segretario indicò delle sedie invitandoci ad accomodarci, ma ritenemmo opportuno restare in piedi sino al termine della telefonata. Finalmente il ministro riattaccò e, dopo averci stretto la mano, disse: "Prego". Soltanto a quel punto ci sedemmo e toccò a Bedri parlare.

Scegliendo le parole con un'accuratezza degna di un vero funzionario statale, Bedri riuscì in pochi minuti a raccontare che, come aveva già esposto per iscritto, ero stato il primo della classe all'ultimo anno di liceo fin dal primo quadrimestre e che avevo ottenuto a pieni voti il TOEFL e lo IELTS Academic. Mentre digitava sul computer tutte queste informazioni, di tanto in tanto il ministro mi guardava e diceva: "Complimenti!"

Io intanto fissavo il portacenere di cristallo posto sulla scrivania di fronte a me. Erano ancora i fantastici anni in cui era consentito fumare negli uffici pubblici...

Bedri quindi iniziò a dire: "Illustre ministro, la nostra richiesta a sua eccellenza... "

Il ministro tagliò corto, con lo sguardo sorridente puntato su di me: "Dobbiamo farti diventare medico, giovanotto!"

Forse somigliava un po' a Yadıgâr. Non sapevo che dire e mi limitai a sorridere. Vedendo che non rispondevo, Bedri completò la frase lasciata a metà richiedendo una borsa di venticinquemila sterline annue per studiare alla facoltà di antropologia sociale di Cambridge. Poi tacque. Messo a disagio dal silenzio, si affrettò ad aggiungere che il liceo che frequentavo era disponibile a coprire la metà delle spese.

Nel frattempo avevo nuovamente fissato il mio sguardo sul portacenere e sulla luce del giorno che si sfaccettava in diversi colori toccando il cristallo. La vidi deflettersi attraverso il vetro del portacenere come fosse una cicca di sigaretta.

Anch'io avevo pensato di fare il medico, così avrei potuto fare ricerche sulla sindrome di Korsakoff che si manifesta dopo lunghi periodi di digiuno. Poi però mi ero detto: "La salute umana non merita tutta questa fatica!"

Quindi avevo pensato di fare il biologo e specializzarmi in entomologia. In tal modo sarei stato in grado di sapere quali insetti e batteri si sviluppano nel corpo umano dopo la morte. Ma avevo cambiato di nuovo idea dicendomi: "Fanculo! Ma che me ne frega di quello che succede dopo che si è crepati?"

La biologia però continuava ad attirare il mio interesse. Era una scienza utile a capire le proprietà del colostro che si sviluppa nei seni delle donne gravide. Nonostante gli anni trascorsi, sentivo ancora sulle labbra il sapore di quel latte. Per quanto deglutissi non mi abbandonava mai.

"Tornerai, però, Gazâ *efendi*, non è vero? Non sparire!"

Stava parlando con me? Volsi lo sguardo su Bedri.

"Dopo non restare lì, figliolo! Il tuo paese ha bisogno di uomini come te!"

Dal momento che le sue labbra non si muovevano, doveva essere stato il ministro a parlare. Volsi lo sguardo su di lui e ancora una volta mi limitai a sorridere. Dopodiché Bedri disse: "Lo scusi, eccellenza. È un po' emozionato..."

In verità le mie pulsazioni erano regolari. Di questo ero sicuro, perché vedevo il mio cuore. Battevo dentro di lui e ascoltavo il suo suono ritmico e sordo. Forse era per questo che non sentivo più la voce di chi mi stava intorno. Sentivo il cuore battere come se fosse amplificato da quattro altoparlanti posti agli angoli del gigantesco ufficio e seguivo con lo sguardo i movimenti delle labbra dei due uomini che mi guardavano. Fu una delle due voci a fermare il suono del battito.

"Stai bene, figliolo?"

Era stato il ministro a parlare. Forse ero in grado di parlare anch'io. O almeno così ricordavo.

"Sì" dissi. "Sto bene, lei come sta?"

Il ministro si mise a ridere. Bedri no.

"Forse Gazâ è un po' stanco per lo studio, vero?" chiese il ministro a Bedri. Ma teneva ancora lo sguardo puntato su di me.

"Efendi" disse Bedri "considerate che..."

Il ministro lo interruppe di nuovo: "Va bene! Sistemiamo tutto... Ma adesso se mi volete scusare ho una riunione... Darò istruzioni al sottosegretario, la chiameranno... Allora, signor Gazâ, buona fortuna, giovanotto. Studia per bene e torna. Intesi?"

Concludendo l'ultima frase il ministro si alzò in piedi e mi porse la mano. In quel momento anche Bedri si alzò in piedi, ma io restai seduto. Bedri afferrò la mano rimasta sospesa e disse: "Signore, la ringrazio tantissimo. Mi creda, il nostro giovane Gazâ non la deluderà" e mi guardò. Soltanto in quel momento mi alzai. Bedri aveva ritratto la mano, adesso era il mio turno, ma c'era un problema. Un grosso problema... Non volevo toccare il ministro, e non solo lui, non volevo toccare nessuno. Se solo fossi riuscito ad alzare la mano destra per stringere quella del ministro, avrei potuto coronare la mia rinascita con una borsa di studio. Ero consapevole di questo, ma né il mio corpo né la mia mente mi obbedivano. Visto dall'esterno era chiaro che nell'ufficio ci fosse qualcuno che somigliava a Gazâ, ma di sicuro non ero io. Ero perso in me stesso.

Lasciai il ministro con la mano tesa, gli voltai le spalle e cominciai a camminare. Sicuramente Bedri e il ministro stavano dicendo qualcosa, forse stavano perfino gridando. Ma io sentivo soltanto il ritmo del mio cuore e accordare la cadenza dei miei passi a esso mi dava un grande piacere. Che peccato, ero impazzito proprio nel momento sbagliato. Ma forse non nel posto sbagliato, perché quell'ufficio era grande esattamente come il nostro capannone.

La settimana scorsa per il mio compleanno mia madre ha portato una torta. Era al cioccolato. Ma non l'ho mangiata. Sai cosa ho fatto? Ho mangiato le candele!"

Era il mio compagno di stanza Şeref che mi parlava ininterrottamente, anche se non gli rispondevo, come un tempo faceva Ender. Nel dormitorio per trentaquattro persone da un lato c'era il muro, dall'altro Şeref. Per quanto mi coprissi la testa con il cuscino ero costretto a sentire quella voce squillante.

Dopo il piccolo scandalo nell'ufficio del ministro, una volta constatato che mi limitavo a camminare come un fantasma senza reagire a niente e a nessuno, Bedri aveva rinunciato a uccidermi sul posto e aveva chiamato un taxi per portarmi all'ospedale. Gridavo ogni volta che mi toccava, lui non sapeva cosa fare, ma alla fine era riuscito a farmi salire in macchina usando le maniere forti.

Il medico del pronto soccorso, dopo aver visto che le sue domande rimanevano senza risposta e che ogni volta che tentava di toccarmi lanciavo un urlo, dapprima si grattò la testa perplesso, poi disse che andavo trasferito al reparto di psichiatria tre piani più su.

C'era solo un problema. Il primo ascensore che Bedri aveva chiamato era vuoto, quindi avrei dovuto salire i tre piani con lui e questo mi riusciva impossibile. Quindi aspettammo il successivo, in cui c'erano già due persone, e giungemmo al reparto.

In realtà io vedevo e sentivo ogni cosa. Ero cosciente di tutto, semplicemente il mio corpo e le mie azioni non mi appartenevano, non rispondevano a me. Per esempio sapevo che non ci sarebbe stato nessun problema a salire sull'ascensore solo con Bedri ma, nonostante ciò, non riuscivo a muovere un passo. La parte cosciente della mia mente era confinata in un angolo oscuro e da lì seguiva tutto ciò che accadeva. Era come se stesse assistendo a una rappresentazione dalla loggia di un teatro, senza poter intervenire. La mia parte cosciente apprendeva tutto soltanto dopo averlo visto, per esempio la mia riluttanza a entrare in un ascensore senza che vi fossero almeno tre persone. E tuttavia non era per nulla sorpresa di tutto questo. Lo accettava come se fosse una legge fisica e si limitava a dire: "Giusto!"

Quando giungemmo al terzo piano, per quanto non volessi saperne di essere toccato, gli infermieri cominciarono a farlo, con il risultato che mi misi a urlare a squarciagola per tutto il corridoio finché non mi sedarono. Ma non fu affatto facile. Ci vollero quattro infermieri per strapparmi i pantaloni e immobilizzarmi.

Quando rinvenni Bedri era accanto a me. Lo potevo vedere, ma non riuscivo a parlare perché avevo la bocca piena... D'altronde Bedri non aveva l'aria di uno che volesse parlare. Mi guardava in faccia come un poveraccio a cui era appena crollata la casa addosso. Il piccolo genio su cui aveva investito tanto non poteva fargli guadagnare più niente. Ero come una macchina prodigiosa di cui ignorava il funzionamento che si era rotta nel momento sbagliato. Di conseguenza ero sicuro che desiderasse allontanarsi il più possibile per evitare di starmi ancora accanto, arrendersi al risentimento e rompermi almeno un braccio. Considerando la situazione di imbarazzo in cui lo avevo messo agli occhi del ministro, era stato fin troppo generoso. Se solo avesse voluto, avrebbe potuto lasciarmi di fronte al ministero e nessuno lo avrebbe biasimato. Avrebbe potuto dire, per esempio: "Mi ha aggredito e poi è scappato!", ma non l'aveva fatto. Forse nutriva ancora qualche speranza. Perché magari il mio comportamento poteva essere dovuto a una piccola crisi di nervi. Il Gazâ che conosceva sarebbe potuto tornare da un momento all'altro e avremmo potuto cercare di chiedere scusa al ministro. Avremmo ricominciato tutto da capo e ci saremmo incamminati mano nella mano verso il successo.

Peccato però che per farlo avrei dovuto togliermi quello che avevo in bocca. Appena sveglio mi ero messo tutte e dieci le dita in bocca, in modo che non toccassero nulla.

Una voce dentro di me diceva: "Giusto! È così che deve andare!"

Di conseguenza né io né Bedri riuscimmo a uscire dall'impasse in cui ci trovavamo. Eravamo cristallizzati nella situazione a cui gli eventi ci avevano condotto. Ancora prima di morire ero come un animale impagliato dalla vita stessa. E Bedri mi guardava affranto, come un padrone consapevole di essere costretto a uccidere il suo cavallo da corsa mutilato...

Non c'era molto che potessimo fare. Bedri si alzò lentamente e fece per posarmi una mano sulla spalla. Poi però, ricordandosi di come avevo reagito con coloro che mi avevano toccato, la ritrasse di scatto e uscì.

Dal mio letto potevo vederlo parlare con un medico nel corridoio, mentre si toglieva la cravatta e se la metteva in tasca. Bedri fece per tornare da me, ma il medico lo trattene per il braccio. Mi lanciò un ultimo sguardo, si voltò e scomparve percorrendo il corridoio. Ad attenderlo c'erano altri ragazzi da coltivare e un orfanotrofio da dirigere.

Fu l'ultima volta che lo vidi. La nostra collaborazione era giunta al termine. D'ora in avanti non avrebbe potuto far altro che seguire la situazione da lontano e assicurarsi che andassi in terapia. Il dottore mi si avvicinò e disse: "Non preoccuparti. Migliorerai e ti rimanderemo a Istanbul. Ho dato la mia parola a Bedri".

Il dottore però non avrebbe mantenuto la promessa. Non potei tornare a Istanbul e non migliorai. D'altronde, non avendo una famiglia, non faceva molta differenza in che città mi trovassi. Tanto i servizi sociali erano ovunque e nessuno pensava che dovessi tornare da qualche parte. Così finii per compiere i miei diciott'anni. Solo con me stesso... Nei miei diciott'anni di vita non era rimasto posto per nient'altro.

Dopo qualche giorno arrivò una valigia con i miei effetti personali e fui fatto salire su un minibus bianco. La destinazione era ovvia: un ospedale a Gölbaşı, una cittadina nella provincia della capitale, e un dormitorio con trentaquattro posti letto. Il letto accanto a quello di Şeref... Ero lì da quattro mesi e Şeref stava ancora parlando: "Quindi quand'è che il male si trasforma in bene? Dove? Perché il male si trasforma in bene, giusto? Secondo te non è così?"

CHIAROSCURO

Una delle quattro tecniche fondamentali della pittura rinascimentale. Esaltando luce e ombra evidenzia la loro netta separazione. Accentuando tale contrasto, consente di donare tridimensionalità alle forme.

Ero chiuso al mondo, con le porte della mia anima serrate. L'inferno in cui avevo trascorso trecentodiciassette ore e che avevo dimenticato per tre anni mi aveva risucchiato di nuovo in quell'ufficio del ministero. Era molto strano che i momenti di svolta nella mia vita si verificassero sempre negli uffici pubblici. Forse ero allergico agli uffici statali, non so. Sapevo solo che una volta uscito da quell'antro oscuro mi ero illuso di poter continuare a vivere come se non fosse mai esistito. In realtà la mia vita era finita mentre ero intrappolato con quei corpi in decomposizione e io non ero stato in grado di accorgermene. Il tentativo di vivere come uno qualunque insieme ad altre persone era durato solo tre anni. Per quanti sforzi avessi fatto non avevo afferrato abbastanza rapidamente il futuro ed ero stato risucchiato dal passato, ritrovandomi a provare disgusto per le altre persone e a rubare le pasticche di solfato di morfina da Şeref.

Diversamente da me Şeref non era solo pazzo, ma aveva anche un cancro al cervello che lui chiamava 'dono di Dio'. Ormai pieno di metastasi, aveva tre tumori ben in salute. Queste masse floride che gli toglievano la vista lo avrebbero sicuramente ucciso, ma volevano assicurarsi che soffrisse abbastanza prima di morire. Quindi irradiavano in tutto il suo corpo dolori così lancinanti da paralizzarlo, trasformandolo in una creatura sottomarina destinata a sprofondare nel suo letto. Per far restare a galla Şeref, ogni dodici ore gli venivano somministrate compresse di solfato di morfina da trenta milligrammi, e qui entravo in gioco io. Perché vedevo l'effetto che quelle pillole avevano su di lui e volevo provare la stessa cosa.

Sin dal primo incontro col solfato di morfina era stato un colpo di fulmine: dipendenza a prima vista! L'unica cosa che dovevo fare era fingere di ascoltare Şeref mentre parlava. In breve tempo si instaurò una routine tra di noi. L'infermiera che somministrava le compresse non controllava che le ingoiasse, così una volta andata via io potevo avere la mia dose di solfato di morfina. Per quanto fosse stata intaccata dalla saliva di Şeref, la compressa *di seconda mano* manteneva inalterato il suo effetto. Ci volle un po' di tempo perché Şeref capisse di doverla mettere sul comodino fra i nostri due letti, ma dopotutto eravamo entrambi nella fase di apprendimento. Şeref imparò come si doveva comportare con me. Mi parlava, però non si azzardava a toccarmi. In cambio delle compresse che mi dava, aveva guadagnato una persona che lo fissava perennemente fingendo di ascoltarlo. Avere un ascoltatore per Şeref era più importante che sedare i dolori che si irradiavano dal cranio. In fin dei conti entrambi soddisfacevamo i nostri desideri. Significava che non eravamo così pazzi. Non fino a questo punto...

Il motivo per cui non mi venivano prescritte le

compresse di solfato di morfina, prodotte in quantità industriali in tutto il mondo, risiedeva nel fatto che Emre, il giovane psichiatra che mi aveva in cura, non credeva che provassi dolore. Era convinto che non provassi un dolore cronico tale da giustificare l'uso del solfato di morfina. Ma per me tutto era cronico!

Grazie ad Azim, maniaco dell'archiviazione di ogni cosa, e al suo successore ufficiale Bedri, che aveva spedito puntualmente il rapporto che mi riguardava, redatto all'ospedale di Kandalı, Emre aveva molte informazioni a sua disposizione. Ero sicuro che Bedri si sentisse come un amante tradito. Ma invece di gettare via tutta la mia documentazione dalla finestra, non aveva mancato di consegnare all'ospedale qualsiasi documento mi riguardasse. Di conseguenza, Emre e i suoi giovani colleghi erano al corrente della mia piccola avventura tra i cadaveri sul Monte Kandağ, eppure non ritenevano che una simile esperienza potesse causare un dolore fisico esasperante. Questo da un lato era naturale, perché non si erano mai trovati di fronte qualcuno che fosse stato estratto da un cumulo di cadaveri. Ai loro occhi, io non ero molto diverso da un bambino estratto dalle macerie dopo un terremoto.

Ne era la prova il fatto che dicesse sempre ai suoi colleghi: "Si tratta certamente di disturbo post-traumatico da stress!"

E lo diceva anche davanti a me! I colleghi prima annuivano, poi si grattavano il mento con l'indice come se stessero pensando. Il più impaziente tra loro dava una magistrale dimostrazione di *negativismo*, e per puro spirito di contraddizione diceva: "Però è come se mostrasse i sintomi acuti, non è vero? Sono passati tre anni dall'evento, ma sembra ancora nella fase acuta..."

A quel punto interveniva un altro: "Secondo me può essere considerata una variante di fobia sociale di origine traumatica..."

Ma nessuno avallava questa tesi, quindi partiva il coro: "Hmmmm..."

Poi si sentiva ancora l'assolo di un altro medico...

"Dopo andiamo da Chez Le Bof! Siete tutti invitati! Emre si è innamorato della cameriera, quindi paga lui!"

Infine era il turno di Emre.

"Non sono innamorato, mi piace soltanto come mi mette sulle gambe quel tovagliolo di stoffa".

E poi il coro: "Hmmmm!"

E quello che aveva espresso l'opinione più impopolare diceva: "Tu hai un disturbo sociale della mascolinità!"

Ma nessuno si prendeva il disturbo di ridere a questa battuta, e il gruppo si disperdeva ai quattro angoli del dormitorio, come se eseguissero una coreografia. Dovevano andare a visitare quelli che non aspettavano altro che l'occasione di fracassarsi la testa al muro. I veri pazzi! Anche se ero interessante come caso, non valeva la pena di sprecare ore per me.

Qualsiasi malattia avessi, i sintomi erano chiari: non toccavo nessuno, non mi facevo toccare da nessuno e non potevo rimanere solo con nessuno. Dovevo essere completamente solo, oppure disperso in un gruppo. Altrimenti cominciavo a urlare, a tremare e venivo colto da un dolore che ostruiva tutti i miei pori. A parte questo, c'era un altro particolare importante: non parlavo.

Quest'ultimo dettaglio, però, più che un sintomo, era una preferenza. Se avessi voluto avrei potuto parlare senza mai fermarmi, il problema era che non mi interessava più parlare di me. Insomma, quante volte mi dovevo raccontare? Quante volte avrei dovuto muovere le labbra per dire la stessa cosa, come un politico che va di comizio in comizio o come un bambino che ripete sempre la stessa frase?

Negli ultimi tre anni avevo parlato e, come risultato, ero finito in manicomio. Dunque la loquacità non mi serviva a molto, se non a farmi indolenzire la lingua. E poi non parlando evitavo le liti. Perché ogni parola era un conflitto. Aveva ragione chi disse: "In principio era il verbo", perché è chiaro che il conflitto è venuto prima di ogni cosa. Tante parole, tanti conflitti! Il dormitorio era pieno di pugili selvaggi che si picchiavano con le parole senza neanche alzarsi dal letto. Una folla di pazzi si svegliavano sullo stesso ring. Facevano dei loro lobi cerebrali dei pugni, conducevano qualcosa di simile a una vita e si addormentavano.

La situazione del dormitorio però non era poi così brutta. La banda di psichiatri intorno a noi, non riuscendo a ottenere i finanziamenti per l'apertura di una clinica per via della giovane età, era molto creativa nelle terapie e faceva di tutto per dimetterci. Per esempio, l'ultimo espediente per la mia terapia a Gölbaşı era stata l'idea di farmi assistere a un parto. Emre, dopo aver constatato di non aver fatto passi avanti con la sua diagnosi di disturbo post-traumatico da stress, si era affidato al metodo più scientifico che esistesse: procedere per tentativi. L'unico problema, nella messa in pratica del suo proposito, era trovare una donna incinta disponibile e questo non era esattamente facile. Finché non si fosse trovata una donna che ambisse a farsi guardare da un pazzo durante il proprio parto, io dovevo limitarmi a osservare delle registrazioni. Forse il fatto che non potessi assistere alle nascite per un simile impedimento tecnico era una fortuna per tutti, perché ero certo che assistendo a un parto dal vivo avrei provato l'irrefrenabile impulso di reinfilare il bambino da dove era venuto.

Ma Emre era testardo e, poiché credeva che la sua idea avrebbe funzionato soltanto se avessi assistito a una vera nascita, con una perseveranza sorprendente aveva fatto appello al giardino zoologico di Ankara. Così cominciai di tanto in tanto a visitare lo zoo per assistere al parto di cinghiali o di lama. Tutto questo era finalizzato a farmi riprendere contatto con la *vitalità* da cui mi ero totalmente alienato. Farmi riprendere contatto con quella vitalità e farmi rimanere attaccato a essa, indipendentemente da quando fosse avvenuto l'evento di rottura...

Naturalmente oltre a tutto questo prendevo anche delle medicine, dei forti antidepressivi capaci di trasformarmi in un ragazzo voodoo... E le mie giornate trascorrevano in un modo che si addiceva perfettamente a un ragazzo voodoo. In realtà, gli aghi che infilzavano nel mio corpo non facevano male a nessun altro: la mia maledizione era diversa. Per esempio, se la mano destra mi faceva male tutto il giorno, di sera immancabilmente le accadeva qualcosa, tiravo un pugno al muro che la faceva sanguinare, oppure mordevo la pelle che la ricopriva. Se per caso mi faceva male la nuca di notte, la mattina dopo mi pungeva una zanzara, oppure qualche figlio di puttana non riusciva a trattenersi dal darmi uno schiaffo proprio lì. Il mio cervello, grazie ai farmaci, riusciva a vedere il futuro e mi mandava dei segnali tramite il dolore. D'altro canto potevo constatare gli sforzi sinceri di Emre nel trovare una terapia non esclusivamente basata sui farmaci. Io potevo vedere tutto. E anche Emre aveva iniziato a farlo. Quando, con le analisi del sangue, vennero fuori le tracce lasciate dalle compresse di Şeref, lo psichiatra iniziò a convincersi che non fossi poi così malato e mi allontanò il più possibile da lui. Şeref tuttavia trovava sempre il modo di ripagare il suo più attento ascoltatore...

Purtroppo, però, la scoperta dei miei furti di farmaci non rimase senza conseguenze. Emre, dopo aver asserito che eravamo in una nuova fase della mia terapia, mi ordinò di raccogliere con le mani e di guardare i miei stessi escrementi. Il loro tanfo non era molto lontano da quello dei cadaveri in decomposizione e, sebbene non avessi capito in che modo mi potesse riconciliare con la vita, tentavo di eseguire la prescrizione. O magari era la mia immaginazione e lo facevo di mia iniziativa nascosto nei bagni. Poi, dopo essermi lavato le mani, andavo alla biblioteca dell'ospedale.

In verità era lì che trascorrevo gran parte delle mie giornate. Leggevo regolarmente, ma non mi bastava mai, perché non mi si affaticava neanche la vista. La biblioteca era stata realizzata con i libri donati dagli psichiatri che negli anni avevano lavorato nella clinica. La maggior parte erano d'arte, il resto di politica e filosofia. Forse quegli psichiatri avevano scelto quella professione dopo aver abbandonato, assieme ai loro libri, il sogno di diventare filosofi, politici o artisti, per condurre scavi archeologici nella mente umana.

In uno di quei libri vidi *L'ultima cena* di Leonardo Da Vinci e lessi tutta la sua storia. Quell'immagine mi aveva riportato alla mente la foto pubblicata in «Da Kandalı al mondo». E questa era un'ulteriore conferma della mia pazzia, perché alle persone con le rotelle a posto non vengono in mente paragoni di questo tipo. La loro vita è limitata a ciò che vedono. Qualsiasi cosa sia...

Poi, un giorno, mentre sfogliavo un libro, me li trovai davanti: i Buddha di Bamiyan... Quasi tutto quel volume di storia della scultura era dedicato a quelle due statue di Buddha e al buddismo. Ero sicuro che chiunque avesse letto quel libro fino a quel giorno non avesse pianto come stavo facendo io. Perché portavo quelle due statue in tasca, Dordor e Harmin nei miei sogni e Cuma nel midollo...

Devo ammettere che mi spinsi un po' oltre, nel mio rapporto con quel libro. Strappai le pagine, le nascosi sotto il lenzuolo e trascorsi due notti pensando a Cuma... Peccato che l'infermiere che cambiava le lenzuola se ne accorse e andò a fare la spia a Emre. Lui mi ordinò di mangiare le pagine che avevo rubato. Non potevo disobbedire a Emre. Mangiai dodici pagine e così la volta successiva che guardai i miei escrementi rividi quelle due statue.

La mia vita non era poi così noiosa. Per esempio, durante i colloqui di quaranta minuti che avevo ogni lunedì con Emre, avevo notato nel portapenne sulla sua scrivania un compasso molto interessante. Durante i primi mesi, poiché non sopportavo di restare solo con Emre, c'era sempre un infermiere con noi, ma adesso mi bastava tenere la porta aperta. Vedendo le persone che attraversavano il corridoio mi tranquillizzavo, pensando di essere in mezzo a una folla. Quello che mi interessava di più era quel compasso di cui non sapevo spiegare la presenza in mezzo alle penne. Forse Emre, nel tempo libero, nascondeva un lato infantile che amava tracciare circonferenze, o magari stava lavorando a una teoria circolare connessa alla psichiatria, non so! Ma quel compasso era lì e aspettava che lo usassi.

Poi un lunedì, non appena mi sedetti di fronte a Emre, afferrai il compasso con uno scatto fulmineo. Credendo che volessi aggredirlo Emre balzò in piedi, ma nel lasso di tempo che gli ci volle per fare il giro della scrivania che ci separava avevo già trovato un foglio e avevo incominciato a usare il compasso per disegnare la prima cosa che mi era venuta in mente. Una volta accertato che non volessi infilzare niente con la punta del compasso, se non la carta, Emre si fermò e iniziò a osservarmi. La prima cosa che disegnai furono i tre quarti del cerchio più piccolo possibile, con le aste completamente chiuse. Poi le aprii leggermente, senza muovere l'ago, e tratteggiai un altro cerchio; dopo averlo completato ne tratteggiai un terzo, anch'esso con degli stacchi. Poi ne feci un quarto e un quinto aumentando progressivamente l'ampiezza. Quando capì che il risultato era un labirinto circolare, Emre scosse la testa per lo stupore e si mise a sedere sulla poltrona. Per un attimo i nostri sguardi si incrociarono e ci scambiammo un sorriso. Poi disegnai il sesto cerchio e passai al muro esterno, dove lasciai uno spazio vuoto che rappresentava la porta. Quindi tirai delle brevi linee per creare i corridoi del labirinto. Solo a quel punto tolsi l'ago dalla carta e osservai orgoglioso la mia opera. Ma non fui egoista. Volli rendere partecipe anche Emre, e parlai per la prima volta dal mio arrivo in quell'ospedale: "Prego, lo risolva!"

Lui, fingendo di non essere sorpreso di sentirmi dire qualcosa di sensato, prese il foglio, estrasse una biro dalla tasca e cominciò a tentare di raggiungere il centro. Io nel frattempo mi guardavo intorno, ma ovunque posassi gli occhi vedevo Rastin. E lo schema della gerarchia a spirale...

"Fatto!" disse Emre, mostrandomi il foglio. Era riuscito a risolvere il labirinto, ma aveva avuto qualche difficoltà. Per non buttarlo giù di morale gli dissi ugualmente: "Complimenti!"

Alla fine era così contento di essere entrato in comunicazione con me che, avanzando di qualche passo per stringermi la mano, mi disse: "Grazie". Per quanto tentassi di trattenermi, non potei fare a meno di infilzare quel palmo teso verso di me con la punta di metallo del compasso. Poi feci quello che ci si sarebbe aspettati da me e chiesi scusa. Emre disse: "Non fa niente!"

Quel gesto mi costò due giorni di isolamento. In tal modo capii che la cella in cui mi aveva tenuto Yadıgâr per due notti aveva un suo corrispettivo anche nella scienza psichiatrica! La medicina più efficace contro ogni male sono quarantotto ore di solitudine.

Se devo dire la mia, la camera di isolamento è veramente il massimo, perché grazie a quella solitudine riuscii a chiudere gli occhi e tornare in me stesso. Viaggiare dentro di me come un astronauta, non nello spazio, ma in una cella, era fantastico! Quando uscii ringraziai perfino Emre. Per l'esattezza gli dissi: "La ringrazio per avermi mandato in isolamento... Avrei un suggerimento: secondo me, per le strade, al posto dei bagni pubblici dovrebbero mettere delle celle a disposizione per chiunque si voglia rinchiudere. Si potrebbe fare come con i bagni, quando c'è un contrassegno rosso vuol dire che è occupata. Gli altri, intanto, per agevolare la persona che vuol stare in solitudine, dovrebbero passarle del cibo o dell'acqua attraverso un'apertura. Sarebbe bellissimo, vero? Secondo me sarebbe meraviglioso!"

Sebbene non avesse preso sul serio il mio suggerimento, Emre si rallegrò di sentirmi parlare fluentemente. Quindi fece un secondo tentativo di stringermi la mano, porgendomi la sua ancora fasciata. Io gli domandai: "Ha dei guanti?"

Dopo una breve ricerca nell'ospedale, mi furono dati dei guanti di pelle. Li indossai e potei stringere finalmente la mano a Emre. Era veramente un gran giorno! Al quinto mese di ricovero avevo dato uno straordinario segno di miglioramento: anche se a separarci c'era del tessuto, ero riuscito a toccare un'altra persona.

Non appena tornai nel dormitorio, però, ricevetti

una notizia che raggelò il mio entusiasmo: mentre ero in isolamento, Şeref, la mia fonte di solfato di morfina, era morto. In quel momento la prima cosa a cui pensai fu che non c'era nessun altro malato di cancro nel dormitorio. Magari ci fosse stato! Purtroppo non c'era, nessun altro faceva uso di solfato di morfina. Quindi, mentre mi dirigevo verso il mio letto, in soli sedici passi presi la mia decisione: dovevo uscire da quell'ospedale il prima possibile. Così sarei potuto entrare nella prima farmacia e non sarei stato costretto a ricominciare tutto da capo.

In quell'ospedale, se c'era una frase che tutti ripetevano ininterrottamente era questa: Ricominciare da capo! E io non avevo assolutamente intenzione di farlo. Il mio unico desiderio era che il mio rapporto con il solfato di morfina continuasse inalterato. E avrei voluto che ciò avvenisse in una cella, perché per me non c'era vita al di fuori della mia pelle. Un'altra persona nella mia situazione si sarebbe chiesta: "E dove la trovo una cella in cui rinchiudermi?", ma io ero fortunato. Tra miliardi di uomini sulla terra avevo chiamato 'papà' soltanto Ahad, e lui, che ormai era morto, mi aveva lasciato una cella in eredità. Io ero a tutti gli effetti proprietario di una cella di isolamento che si trovava a Kandalı. Sognavo di sdraiarmi al buio nella cisterna, insieme alle mie compresse di solfato di morfina. E mentre ci pensavo mi compariva un sorriso sulle labbra. Se avessi avuto il compasso, in quel momento, sarei stato in grado di disegnare perfettamente la pianta del paradiso senza mai muovere l'ago dal foglio! Perché sapevo perfettamente a cosa somigliasse, ero stato io a costruirlo con i soldi di

Ahad, per farlo sembrare agli occhi degli altri un inferno... Mentre in realtà era il paradiso. Almeno per me! In qualità di peggior peccatore del mondo, il mio piano era chiaro: andare in quel paradiso e poi morire. Non sarei stato io a uccidermi... Sarebbe stato il tempo.

Dovevo essere dimesso o scappare il prima possibile! Dal momento che questo non è un romanzo d'avventura, dovevo fare almeno un tentativo con la prima opzione. In fondo quanto poteva essere difficile simulare una completa guarigione? Dopotutto, la mia follia non risultava da una radiografia, da una TAC o dalle analisi del sangue! Avevo una malattia che nessuna macchina a raggi x poteva scovare! Sarei stato capacissimo di girare il mondo senza che nessuno se ne accorgesse. La prima cosa che dovevo fare, però, era uscire dalla porta dell'ospedale. E per questo avrei dovuto toccare qualcuno a mani nude. E avrei dovuto farlo senza urlare o contrarre i muscoli facciali. Avrei dovuto farlo senza lasciar trasparire il dolore che invadeva la mia anima. Pensai che fosse il caso di cominciare a esercitarmi, con qualche esperimento...

Perfettamente in linea con la storia della medicina, anch'io, come tutti gli uomini di scienza scrupolosi, avrei condotto il primo esperimento sugli animali. Per prima cosa ne avrei toccato uno. Il resto sarebbe venuto di conseguenza. Quanto poteva essere diverso toccare uno scimpanzé o un uomo? Non discendono entrambi dallo stesso primate? Un primate chiamato Adamo... Sì, uno è più intelligente, è vero! Uno è diventato uno scimpanzé servendosi dei suoi istinti ed evolvendosi in armonia con la natura. L'altro utilizzando tutta la sua stupidità è diventato una creatura esclusa dalla natura e oppressa dall'insoddisfazione.

Tutto questo però non mi interessava perché non aveva nessuna importanza se la carne che avrei toccato fosse in grado di contare fino a dieci o di distruggere il mondo. In fin dei conti, la carne era sempre carne! Era disgustosa, ma avrei dovuto toccarla. E poi avrei dovuto fare il passo successivo: toccare delle persone.

Cercai di consolarmi pensando che se fossi stato in un ambiente e in un'epoca diversi, per esempio in una tribù di cannibali nel Diciassettesimo secolo, probabilmente avrei dovuto mangiare e non semplicemente toccare della carne umana. Anche quella è una cultura, e l'eventualità di nascervi è una possibilità puramente matematica. Se i Buddha di Bamiyan erano il prodotto di una cultura, lo sono anche i talebani che li hanno fatti saltare in aria. Per di più le popolazioni che hanno costruito quelle statue millequattrocento anni fa professavano lo stesso buddismo praticato da coloro che oggi massacrano i musulmani in Myanmar. Quindi il concetto di cultura non va sopravvalutato. Dopotutto la cultura sta a cuore soltanto a un branco di maniaci impegnati a fare del mondo una discarica, riluttanti al cambiamento e decisi a inculcare gli stessi comportamenti di generazione in generazione. Sì, è anche una memoria collettiva. Peccato che abbia sempre buone probabilità di essere colta dal morbo di Alzheimer! Immaginiamo che l'umanità intera assista a una breve presentazione di tutte le grandi culture del mondo, accompagnata da un annuncio del tipo: "Prego, scegliete! Il trasporto è gratuito! Vi accompagneremo nella zona del pianeta in cui domina la cultura che più vi piace e d'ora in avanti vivrete lì!" Ecco, in una simile eventualità, mi sono sempre chiesto quali regioni del mondo si sarebbero svuotate all'istante. Tutti questi ragionamenti ovviamente non mi servivano a un bel niente in quel momento!

Quando dissi a Emre di voler provare a toccare prima degli animali e poi delle persone, rimase perplesso. Gli ci voleva un po' per accettare delle idee che provenissero da altri e utilizzava questo lasso di tempo per aggiungere il suo tocco personale, in modo da poterle considerare farina del suo sacco. Questa fase di auto-inganno di Emre durò all'incirca quattro ore. Poi venne nel dormitorio e, appoggiandosi al fermo della mia branda, mi disse: "Va bene... Faremo come dici tu... Prima però dovrai aiutare un animale a partorire!"

Partorire? Oh, no! Che strazio, l'ossessione di questo idiota per il parto! In realtà forse il parto non c'entrava niente e lo aveva proposto tanto per aggiungere qualcosa, per ricalibrare la terapia! Ancora una volta, però, non avevo altra scelta che accettare. Ero impaziente, quindi domandai: "Quando?"

"Devo telefonare al giardino zoologico. Ti farò sapere. Magari possiamo anche trovare una fattoria... Vedremo..." rispose.

Poi se ne andò... Non appena rimasi solo mi prese

un forte dolore allo stomaco. Ogni volta che sbattevo le palpebre appariva un animale diverso e mi vedevo lì con la sua placenta gelatinosa tra le mani.

Il dolore si fece più acuto. Tremavo. Ero seduto sul letto e mi guardavo intorno disperato. In quel momento mi venne in mente l'animale più innocuo che conoscessi. Lo tirai fuori dalla tasca e iniziai a toccarlo. Me lo passai sul viso, sul collo... ovunque sentissi dolore, come se fosse un unguento... Il dolore cominciò a sparire... Dovevo ammettere che quel giorno fu la rana di carta di Cuma a salvarmi.

Dopo tre giorni andai, con Emre e un autista, in una fattoria nei dintorni di Polatlı e mi inginocchiai di fronte a una mucca che aveva difficoltà a partorire. Mentre il fattore afferrava tirandoli a sé gli zoccoli del vitello che cominciavano a uscire, io chiesi: "C'è qualcosa che posso fare?"

"Ama" rispose il fattore. "Ama soltanto..."

Guardai Emre e poi la mucca gigantesca appoggiata alla parete della stalla. Presi un lungo respiro e cominciai ad accarezzare il dorso caldo dell'animale. Ritrassi immediatamente la mano, ma poi respirai a fondo e continuai a toccarla. La mucca volse il collo verso di me e disse con lo sguardo: "Non avere paura".

In realtà a parlare era stato Emre, ma non importava... La accarezzai ancora... E ancora. Poco dopo gli zoccoli che uscivano dal ventre della mucca diventarono due zampe sottili, finché non apparve la testa del vitello. Non appena venne alla luce, separandosi completamente dalla madre, cominciai a piangere. Le tempie, che avrebbero dovuto cominciare a farmi male, furono invece bagnate dalle mie lacrime. Piansi come se fossi stato io a nascere. Infine presi le mani del fattore tra le mie e gli dissi: “Grazie! La ringrazio...”

Lungo il viaggio di ritorno Emre era così contento che continuava a ripetermi: “Sono orgoglioso di te”. Dopotutto avevamo preso due piccioni con una fava. Ero riuscito a toccare nello stesso giorno un animale e un uomo. Io stesso non riuscivo a trattenermi per l’entusiasmo, e posai addirittura più volte la mano sulla spalla o il braccio di Emre... Ci guardavamo e ridevamo insieme. Ci mettemmo persino a imitare la voce del fattore: “Ama... Ama soltanto!”

Quando tornammo all’ospedale mi congedai da Emre e andai in bagno. Mi chinai sul lavandino, aprii il rubinetto e cominciai a rimuovere l’albume d’uovo che avevo utilizzato come seconda pelle. In fondo, non ero così stupido! Non così tanto... Il modo migliore per toccare una persona o una placenta era rivestire le mie mani con un tessuto simile. In verità l’idea me l’aveva data Ahad il giorno in cui aveva fatto esplodere la vescica lasciatami sul polso dalla bruciatura di sigaretta che mi ero procurato. Quando aveva finito di inveire contro di me, aveva detto: “Vai e rompi due uova... Separa il bianco dal tuorlo e spalmalo sulle vesciche! Guarisce le bruciature!”

All’epoca feci come mi aveva detto, ma non servì ad altro che a sovrapporre una sorta di guanto trasparente alla mia pelle.

Per la scena da recitare alla fattoria, quindi, mi bastavano due uova, e la cucina dell’ospedale ne era piena. Il resto era tutto teatro. E io recitavo fin dalla nascita, perché Gazâ non era una persona, ma un ruolo, solo il nome di un personaggio! Doveva essere così. Altrimenti mi sarei già ucciso da tempo. Se Gazâ fosse stato un essere umano nessuno avrebbe potuto tollerare la sua esistenza. Né sarebbe stato possibile amarlo! Mai! Quindi Gazâ non era altro che uno stuntman specializzato in scene pericolose! Proprio per questo era riuscito a ripetere in modo del tutto naturale quella frase: "Ama. Ama soltanto..." Ama la mucca, ama te stesso, ama gli esseri umani, ama la vita... Ama soltanto... Davvero? Fanculo! Hai mai conosciuto uno come Gazâ in vita tua? Perché non provi ad amarlo, visto che è così facile? In fin dei conti, forse ero pazzo... Ma non al punto di toccare le altre persone!

Eravamo sulla soglia dell'ospedale e seguivamo con lo sguardo i fiocchi di neve che si scioglievano non appena si posavano sulle nostre spalle. O forse li stavo guardando soltanto io. Emre mi porse la mano perché gliela stringessi. Prima guardai quell'arto proteso verso di me, poi abbracciai Emre in un modo che non si sarebbe mai aspettato. Lo strinsi forte come Ender aveva fatto anni prima con me. Stavolta però non ero io a non sapere dove guardare. Restai in quella posizione il più possibile, perché non si accorgesse che preferivo il contatto con il tessuto dei suoi vestiti piuttosto che con la sua mano. Mi chinai perfino al suo orecchio e gli dissi: "Grazie di tutto". Poi feci un passo indietro con la stessa rapidità con cui lo aveva abbracciato. Emre, leggermente stordito da quell'addio così caloroso, non sapendo cosa dire, tirò fuori dalla tasca il foglietto su cui avevo disegnato il labirinto con il compasso. "Guarda che questo lo conservo" disse. Poi aggiunse: "Sei un uomo molto intelligente, Gazâ!"

Questa frase non mi era nuova. Il procuratore non mi aveva detto qualcosa di simile? Forse lui aveva detto 'ragazzo', ma ormai ero cresciuto. O almeno, così sembrava dall'esterno... Per quanto mi sforzassi di non farlo, lanciai uno sguardo alla macchia di sangue rimasta sul foglietto.

"Le chiedo di nuovo scusa" dissi.

Emre mi disse: "Lascia perdere! È stata colpa mia".

Stava per mettersi in tasca il pezzo di carta, quando aggiunsi: "Peccato che quella non è la vera soluzione del labirinto..."

"Ah no?" disse Emre riprendendo a osservarlo.

"Ci rifletta ancora..." dissi con un sorriso.

"Va bene! Ci rifletterò su... Stammi bene, Gazâ".

Lasciai l'ospedale di Gölbaşı su un minibus simile a quello che mi aveva condotto lì. Ero entrato in quell'edificio da pazzo, e ne stavo uscendo da pazzo e tossicodipendente. In tasca non avevo nulla all'infuori della rana di carta di Cuma e i soldi che Emre aveva raccolto tra i suoi colleghi. Faceva freddo. La pietà copriva ogni cosa, ma sia gli pneumatici che io avevamo le catene, quindi né la pietà né il ghiaccio potevano fermarci.

Non ci fermammo, né ci voltammo indietro...

Scesi dal minibus dell'ospedale e presi un autobus per Ankara. Mi tuffai nella folla come un pugno che andava a vuoto per non toccare nessuno. Ma non c'era nulla da fare: l'autobus era così affollato che ero costretto a stare a contatto con spalle e gomiti. Ero circondato da carne umana e avevo molta strada da fare. Mentre avanzavo, costretto a sfregarmi con quei pezzi di tessuto e di carne, mi sentivo come la vera soluzione del labirinto di cui avevo parlato a Emre. Quest'ultimo, per risolverlo davvero, avrebbe dovuto cancellarlo con una gomma. In questo modo sarebbe rimasto soltanto il percorso dal centro all'uscita, ed era quello che racchiudeva il mio segreto. Infatti una volta cancellato il labirinto non sarebbe rimasto altro che una G. Non era la G di Gazâ, ma la G di gat! In quell'autobus diretto ad Ankara mi sentivo esattamente come il gat. Masticato... Come sempre... E sputato una volta sceso dall'autobus...

Ero giunto al terminal dei pullman di Ankara. A diciannove anni e alla ricerca del solfato di morfina... Passai decine di volte davanti alle due farmacie presenti nella stazione, ma la zona era piena di poliziotti. O forse era la mia immaginazione. Perciò non potevo dire: "Datemi del solfato di morfina altrimenti vi sparerò con la mia pistola invisibile!"

E in effetti come avrei potuto rapinare una farmacia senza un'arma? In quel momento capii che dovevo rassegnarmi a resistere con le compresse di Tolvon che avevo in borsa. Ci avrei dormito sopra...

Salii sul pullman che si era fermato alla pensilina un'ora prima della partenza e, dopo aver ingurgitato una quantità di Tolvon vicina all'overdose, mi promisi di dormire fino a Kandalı. Miracolosamente mantenni la promessa. Dormii senza mai svegliarmi per tutto il viaggio. Altrimenti, prima ancora di aver percorso cento chilometri, mi sarei avvicinato all'autista, avrei afferrato il volante e avrei mandato il pullman fuori strada. Se non fossi riuscito a dormire, sarei stato il primo a uscire dall'autobus, sfondando il parabrezza... Ma avevo dormito!

Così tornai a Kandalı, dopo averla lasciata a quindici anni giurando di non rimettervi più piede. Appena quattro anni dopo. Se fossi stato un'altra persona, avrei sicuramente provato dei sentimenti contrastanti. Io però non sentivo nulla. Mi limitai a calpestare la segatura sparsa sui marciapiedi. Passai davanti alla caserma della gendarmeria e ai tre ristoranti in cui tempo prima avevo comprato il cibo per la ragazza più bella del mondo, senza provare nulla. Non era Kandalı la mia casa, bensì la cisterna alla fine di vicolo della Polvere.

Dopo mezz'ora a piedi, passai accanto al tabellone con la scritta "Arrivederci" e poi vidi il cartello che avevo piantato nel terreno. Era ancora lì, ma con una piccola differenza... Quattro buchi lasciati da altrettanti proiettili e una coltre di ruggine. L'avevano colpito, ma almeno era morto in piedi. Lo accarezzai e imboccai vicolo della Polvere...

Accelerai inconsapevolmente il passo e mi trovai di fronte a un rudere. Scoppiai a ridere. Ender era veramente un incendiario eccellente! Sapeva il fatto suo. Sembrava che avesse usato una saetta al posto della benzina. Era riuscito a bruciare quella casa a un solo piano riducendola a uno scheletro. I muri ricordavano la gabbia toracica di un dinosauro. Il tetto era crollato per metà e quella che un tempo era stata la reggia di Ahad ormai sembrava un dente guasto pronto per essere cavato. In verità Ender non poteva farmi un favore più grande! Nonostante tutto l'odio che avevo dentro di me, neanche io avrei potuto eguagliare un incendio così impeccabile.

Il porticato e il capannone erano esattamente come li avevo lasciati. C'era perfino il buco scavato per estrarre il cadavere dell'uomo magro... Aprii la porta del capannone e mi accorsi subito che era stato svuotato. Gli sciacalli di Kandalı avevano portato via tutto quello che potevano. Per quanto mi riguardava, avrebbero potuto smontare il capannone e portarsi via anche quello! L'unica cosa che mi interessava era la cisterna. Il lucchetto della botola con ogni probabilità era stato rotto dalla polizia, ma la botola era ancora lì. Era strano che gli sciacalli non l'avessero smontata per venderla a uno sfasciacarrozze. Forse avevano avuto paura, ed erano rimasti lontani dalla cisterna per non attirare su di sé la maledizione di Ahad.

Sollevai la botola con entrambe le mani e con il piede cercai il primo gradino della cisterna. Percorsi lentamente la scala facendomi luce con la fiamma dell'accendino. Mi ero sbagliato sul conto degli sciacalli: i ventilatori e le telecamere erano spariti. Restava solo la telecamera che Rastin aveva rotto lanciando il secchio di metallo. Avevano portato via anche l'orologio appeso al muro. Di certo non immaginavano che avessi modificato il meccanismo. Chissà a quale muro era appeso a rallentare lo scorrere del tempo del suo proprietario?

Sorrisi. Finalmente a casa... Spensi l'accendino e mi inginocchiai. Poi mi distesi poggiando il viso sul pavimento freddo. Non so su quale guancia abbia ricevuto il primo schiaffo della mia vita, ma mi girai facendo aderire la guancia sinistra al pavimento. Aprii le braccia il più possibile e tastai la segatura sparsa intorno. Sentivo freddo, ma non me ne importava minimamente, perché stavo abbracciando casa mia! Ero in lacrime ma ridevo. Mi sdraiai sul dorso e cominciai ad agitare le mani per toccare l'oscurità che mi circondava. Ridevo. Accarezzavo l'aria del mio paradiso e lo riempivo col suono delle risate che rimbombava da un muro all'altro... "Sono tornato!" gridai. "Eccomi! Sono tornato da te! Perché non ho un altro posto dove andare! Sei tu l'unica casa che abbia mai avuto! Sei tu tutto quello che conosco..."

Piansi. Piansi quanto mi pareva! È questa la vera libertà. Poter piangere quanto ti pare. E per quello che ti pare...

Avevo così pochi soldi che dovevo compiere delle scelte. Come quelle che Rastin un tempo aveva imposto al suo popolo... Dovevo scegliere se bere o mangiare, se riscaldarmi o avere la luce... Optai per le bottiglie d'acqua e le candele. Poi fu il momento di una scelta che non aveva nulla a che vedere con quanto denaro avessi nelle tasche. Qualcosa che aveva a che fare con il grado di malattia delle mie cellule: rapinare una farmacia, oppure tentare di dimenticare per sempre il solfato di morfina chiudendomi nella cisterna. Erano entrambe prospettive difficili. Molto... Specialmente rapinare una farmacia! Perché era pressoché impossibile che restassi solo col farmacista nell'unico e minuscolo negozio della città. Con i clienti dentro, mi avrebbero sicuramente preso. Non sapevo cosa fare. In fondo ero uscito dall'ospedale per avere del solfato di morfina, o almeno così pensavo, fin quando non ero entrato nella cisterna. Forse però era stata proprio la cisterna a chiamarmi... e il solfato di morfina solo il retroscena del mio paradiso. Ce la potevo fare. Potevo chiudermi al mondo e lasciare fuori il solfato di morfina.

Tentai... Ma né gli antidepressivi nella mia borsa,

né il tentativo di tuffarmi dentro il mio corpo trattenendo il fiato si dimostrarono all'altezza. L'astinenza da solfato di morfina era accecamento a prima vista! Per quanto tenessi gli occhi chiusi, ero sempre abbagliato da una luce accecante. Non c'era abbastanza buio. E io non ero abbastanza solo! Cosa volava nell'aria sopra di me? Quanti microbi? Quanti mostri microscopici mi cadevano addosso? Non potevo vederli, ma ero sicuro di inghiottirne migliaia ogni volta che aprivo la bocca. E anche se mi fossi coperto la bocca con la mano, mi sarebbero entrati dal naso a ogni respiro.

Ero nella cisterna da neanche una settimana e già mi sentivo più masticato che mai. Ero uscito di lì solo due volte per comprare qualche bottiglia d'acqua, del pane e qualche candela. La prima volta non ebbi problemi, ma quando uscii per la seconda volta me ne pentii. Proprio mentre ero davanti alla farmacia un tale si frappose tra me e la vetrina. Era un ragazzo che un tempo era stato fra gli scagnozzi di Ender. Mi aveva riconosciuto. Io gli dissi che non lo conoscevo, ma la mia bugia non servì a nulla. Mi disse: "Lo sai?" e iniziò a raccontarmi una storia. L'eroe del racconto era Ender e alla fine moriva! Si era arruolato volontario nell'esercito e mentre camminava sul Monte Süphan, aveva mosso l'ultimo passo della sua vita su una mina. Non fui in grado di dire nulla, quindi piantai in asso il ragazzo e corsi a rinchiudermi nella mia caverna. "Sono rovinato!" dissi. Camminavo nervosamente su e giù. C'era da scommettere che quel ragazzo avrebbe sparso la voce del mio ritorno a Kandalı. Dopodiché tutti sarebbero venuti da me. Per parlarmi e per toccarmi! A questo non avrei potuto resistere! E non solo io, nessuno avrebbe potuto resistere a una simile prova!

Trascorrevo le mie giornate in preda al tremore, rannicchiato in un angolo della cisterna, in attesa che tutta la popolazione di Kandalı venisse da me. Sarebbero venuti e mi avrebbero fatto a pezzi! Era solo una questione di tempo ormai! Non dormivo più. Mi affacciavo continuamente dalla botola per captare un eventuale rumore di passi. Non riuscivo a uscire dalla cisterna, ma allo stesso tempo ero consapevole che lì dentro ero come un topo in trappola. Quel luogo in cui mi ero rinchiuso per sfuggire al mondo era il posto ideale per essere riacciuffato da tutti! Mi avrebbero trovato immediatamente e mi avrebbero sepolto con le loro mani! Tutti gli abitanti di Kandalı mi avrebbero circondato e con il loro sguardo mi avrebbero perforato la pelle! In questa situazione, non mi restava che trattenere il respiro. L'unica mia difesa era stare in apnea recidendo ogni legame tra me e qualsiasi essere vivente! Ma non serviva a niente, perché ero così terrorizzato da non riuscire a chiudermi in me stesso e viaggiare nel mio corpo. Ci provai senza sosta. Forse per ore! Ma non accadde nulla. Non riuscii a fondermi col battito del mio cuore, né col mio sangue. Iniziai a piangere. Non feci altro che piangere, facendomi piccolo, rannicchiato in un angolo della cisterna. Poi mi passai le mani sul viso per asciugarmi le lacrime e, non appena alzai lo sguardo, lo vidi: il mio passato si ergeva di fronte a me nell'oscurità come un animale dai contorni evanescenti e mi fissava. Aveva degli zoccoli come quel vitello che avevo visto nascere, aveva le gambe magrissime ricoperte da una peluria nera ed era completamente unto da una sostanza melmosa simile agli umori di una placenta. Il ventre era fatto di terra e potevo vedere le mani, i nasi e i denti delle decine di cadaveri che vi erano sotterrati. Non aveva volto. Potevo solo distinguere due sfere rosse dove si sarebbero dovuti trovare gli occhi. Erano identiche a quelle che avevo visto sul tabellone digitale in quella banca di Ankara anni prima! Non aveva bocca, né naso. A ogni suo respiro, però, la luce delle sfere rosse veniva come offuscata da un vapore. Il battito del suo cuore marcio era lento come quell'orologio che avevo manomesso. Non riuscii a resistere oltre e, stretto nell'angolo, iniziai a gridare: "No! Noo! Tu non sei il mio passato! Il mio passato non è come te! Non è così spaventoso! Non riuscirai a ingannarmi! Lo capisci? Perché io lo so quello che ho vissuto! Non sono impazzito fino a questo punto! Non fino a questo punto! Io mi ricordo tutto! Anzi, solo io ricordo tutto! Vuoi che racconti il mio passato anche a te? Eh? Va bene, ma questa è l'ultima volta! Poi non lo racconterò più a nessuno. Lo sai perché? Perché d'ora in avanti crederò solo al mio racconto! Non crederò né a te, né a nessun altro! Crederò solo alla storia che racconterò io! Hai capito?"

Mi alzai in piedi e marciai su quel mostro che credevo essere il mio passato. Non mi fermai e, grido dopo grido, iniziai il mio racconto. Era ovvio da dove avrei cominciato: "Se mio padre non fosse stato un assassino, io non sarei mai nato..."

Il racconto del mio passato in quell'oscurità durò ore, forse giorni... Parlai fino a cadere a terra sfinito, per poi rialzarmi! Mi mancava la voce, ma non mi fermai. Raccontai qualsiasi cosa sapessi sul mio passato. Fino a farlo sparire... Davanti a me restò soltanto il futuro.

Uscii dalla cisterna e aprii la porta del capannone. Feci un respiro profondo che mi riscaldò i polmoni, ed espirai dalle narici. Parlai a me stesso.

"Devi fare quello che desideri! Hai paura che le persone vengano fino a qui? Va bene. Non ti senti abbastanza sicuro? Bene! Allora faremo in modo che nessuno metta piede qui! Ti ricordi i libri che hai letto da piccolo? Le storie in cui c'erano i castelli circondati da un fossato? Ecco, è questo che ci occorre! Non abbiamo i coccodrilli, ma un fossato può bastare!"

Dovevo trovare una pala. Mi misi in cammino lungo la strada che portava in città. Cercavo un cantiere, ma Kandalı sembrava aver giurato di non cambiare mai. Di conseguenza, dovetti camminare per ore prima di trovarne uno. Alla fine, giunto all'altro ingresso della città, vidi dei muratori impegnati nella costruzione di un edificio. Non ebbi esitazioni. Entrai nel cantiere a passo svelto. Sul tabellone all'ingresso del cantiere c'era scritto che l'edificio sarebbe stato adibito a carcere. "Proprio quello che serve a Kandalı" pensai. In verità la costruzione di una prigione era uno dei campi in cui ero più esperto. Se avessi trovato l'architetto avrei potuto dargli qualche consiglio prezioso. Io però avevo fretta. Gli operai mi passavano accanto senza domandarmi nulla. I vestiti che indossavo erano così sporchi che forse mi mimetizzavo con l'ambiente. Dopo un rapido giro del carcere, di cui era stato costruito solo il primo piano, trovai quello che cercavo. Accanto alla pala c'era perfino un piccone che faceva al caso mio. Presi entrambi gli attrezzi e mi incamminai verso l'uscita. Una volta oltrepassato il cancello udii una voce alle mie spalle.

"Dove li porti quelli?"

Avrei potuto fermarmi, ma non lo feci. Avevo esperienza in questo campo. Diversi anni prima Yadıgâr mi aveva affiancato con la sua macchina e si era messo a fare domande. Poi mi aveva portato in quella cella. Non volevo vivere mai più un'esperienza simile. Continuai a camminare. Ma la voce alle mie spalle sembrava determinata a seguirmi.

"Ehi, tu! Dico a te!"

A quel punto mi fermai e mi voltai. Tra me e l'uomo che mi aveva urlato quelle parole c'erano cinquanta metri di distanza.

"C'è un funerale! Le restituisco quando ho finito!" gridai.

Il tizio naturalmente non seppe che dire, e io colsi la palla al balzo per voltarmi e continuare a camminare. Sentii di nuovo la sua voce ma ormai non si capiva più cosa dicesse. Forse mi stava facendo le condoglianze, oppure stava imprecando. Ormai non faceva differenza...

Mentre attraversavo il mercato mi sentii un peso addosso e capii il perché. Tutti mi guardavano. In particolare guardavano i miei vestiti e i miei capelli. Non sapevo nemmeno da quanti giorni non mi lavavo. Probabilmente tutti si chiedevano da dove fossi uscito. O forse si chiedevano l'un l'altro: "E questo chi è?", o ancora, lamentandosi di dove stava andando il mondo, si dicevano: "La provincia è piena di vagabondi, cazzo! Guarda quel tizio!" Feci finta di niente. Continuai a camminare. Rallentai soltanto mentre passavo davanti alla farmacia, ma, dopo essermi reso conto di non poter fare una rapina con un piccone e una pala, affrettai il passo. Attraversai Kandalı e tornai in vicolo della Polvere.

Mi guardai intorno e immaginai il capannone circondato dal fossato. Poi però mi venne in mente che sarei stato costretto ad ampliarne il perimetro fino a comprendere la casa. Non ci sarà stato più niente da saccheggiare, ma i ruderi attirano sempre l'attenzione dei bambini. In più, nei mesi primaverili Kandalı si riempiva di prostitute cacciate da ogni dove, ed ero sicuro che avessero usato lo spazio intorno alla casa e il capannone per i loro commerci, perché il terreno era pieno di bottiglie e preservativi usati. Ciò significava che per garantirmi una perfetta solitudine avrei dovuto includere anche la casa. Il fossato che mi avrebbe protetto dalla gente sarebbe dovuto partire proprio dal punto in cui mi ero fermato, ossia il confine tra vicolo della Polvere e il giardino di casa. Scavarlo avrebbe richiesto un lavoro di mesi, ma non mi importava. Che cosa poteva essere qualche mese, in confronto ad anni di nausea continua?

Gettai la pala a terra, sollevai il piccone e assestai il primo colpo... Alla quinta picconata mi ricordai della fossa che avevo scavato per seppellire l'uomo magro e accelerai il ritmo per scacciarne il ricordo. Colpivo le zolle e, man mano che si frammentavano davanti a me, iniziai a vedere solo il terreno. Ormai non vedevo più l'uomo magro, né sentivo dolore...

Quel giorno lavorai come una ruspa e scavai un tratto di tre metri di lunghezza per quattro di larghezza. Il fossato doveva essere profondo almeno due metri. Poi avrei ricoperto il fondo con delle pietre e avrei trovato in qualche modo dell'acqua con cui riempirlo. Pensai che avrei dovuto rubare un'autobotte, ma poi dovetti riconoscere che non ero riuscito nemmeno a rapinare una farmacia. "Va bene" mi dissi. "Troverò dell'acqua! E troverò pure del linoleum! Ricoprirò il fondo con quello al posto delle pietre! Ma adesso basta, riposati. Va' a casa a coricarti... Hai fame però, non è vero? Allora vieni con me!"

Ricordavo molto bene il giorno in cui avevo camminato avanti e indietro di fronte ai tre ristoranti della città, indeciso su quali cibi comprare per la ragazza più bella del mondo. Mi ricordavo anche in quale dei tre un cameriere aveva avuto compassione di me e mi aveva detto: "Vieni, ti do una zuppa!"

Arrivai al ristorante correndo ed entrai. Una volta dentro, vidi quel cameriere, ma proprio nel momento in cui stavo per aprire bocca mi interruppe bruscamente.

“Vattene! Fuori! Forza! Vattene!” disse.

Mi tirai indietro per paura di toccare la mano che aveva teso e uscii. Il cameriere rimase sulla porta, ma eravamo ancora uno di fronte all’altro.

“Cosa c’è?” disse “Che vuoi?”

“Ho fame!”

“Ce li hai i soldi?”

“No!”

“Allora smamma!” disse “Via!”

Prima lanciai uno sguardo profondo nei suoi occhi. Poi mi voltai, attraversai la strada e mi sedetti sul marciapiede di fronte. Il cameriere, che a quanto pareva provava compassione solo per i bambini, era ancora fuori dal ristorante. Non c’era terra sul marciapiede, altrimenti avrei mangiato quella. Però c’era la segatura. Ne raccolsi quanta più potevo col palmo della mano e, guardando fisso il cameriere, me la misi in bocca. A quel punto il cameriere corse dentro come se l’avessero chiamato. Io nel frattempo, terminata la messinscena, cominciai a sputare la segatura.

Due minuti più tardi ero seduto sul marciapiede a mangiare la zuppa accompagnata da un pezzo di pane. Se avessi perseverato ancora un po’ avrei perfino potuto guadagnarmi da vivere regolarmente, perché sentivo che mancava poco per diventare il ‘pazzo di Kandalı’. In base a quanto mi risultava, in città non c’era nessuno che ricoprisse quel ruolo e con un po’ d’impegno l’avrei sicuramente ottenuto. Dopotutto, sfamare un pazzo in una cittadina equivaleva a dar da mangiare ai piccioni in una metropoli. Inoltre vantavo un credito nei confronti degli abitanti di Kandalı! Dovevano ancora darmi i soldi che si erano impegnati a raccogliere per contribuire alla mia istruzione! Per adesso bastava una zuppa... Proprio mentre facevo questo ragionamento, sentii la conversazione di duc donne alle mie spalle.

"Guarda, ma quello non è il figlio di Ahad?"

Peccato che fossi così famoso che i ricordi nei miei riguardi erano corretti! L'altra donna rispose con un'altra domanda: "Ahad chi?"

Risposi io a quella domanda, rivolgendomi al cameriere che era venuto da me per prendere il piatto vuoto: "*Daha*! Ancóra!"

Così ebbi un'altra zuppa. Alla fine, diedi il piatto vuoto al cameriere e mi spolverai i pantaloni dalla segatura che mi era rimasta attaccata. Non mi curai minimamente degli sguardi dei passanti. Tra me e loro c'era un fossato. Il solo pensiero mi bastava!

Adesso era il momento di comprare alcune cose che gli abitanti di Kandalı non mi potevano dare. Mi misi le mani in tasca e cominciai a camminare. Mi voltai verso due bambini che mi stavano seguendo. "Fate attenzione o cadrete!" dissi loro. Sarebbero veramente caduti se avessero mosso ancora un passo, annegando nell'acqua che riempiva il fossato intorno a me, ma loro non potevano vederlo. Smisero ugualmente di seguirmi.

Dopo aver percorso un breve tratto, entrai in un banco dei pegni. Vendetti la collana di mia madre e con il ricavato comprai una stecca di sigarette. Così trasformai l'angelo di mia madre in fumo che avrei aspirato.

Poi andai in farmacia. Comprai una benda per le vesciche che mi erano spuntate sulle mani impugnando gli attrezzi. "Desidera altro?" chiese il farmacista. Sondai con lo sguardo la vetrina alle sue spalle, il nome di ciò che desideravo ardentemente giunse fino alla punta della mia lingua, ma non riuscii a pronunciarlo.

Camminai ancora un po' e caddi... Mi rialzai e continuai a camminare per cadere ancora una volta. Il resto dei soldi finì così: cadendo e rialzandomi... Con una bottiglia di vodka in mano. La collana di mia madre era bastata solo per questo: tabacco, bende e ubriachezza. Di sicuro però quel ciondolo mi era stato più utile di mia madre!

Poi andai al cimitero alla ricerca della tomba di Cuma, anche se sapevo che non l'avrei trovata. Lo implorai di parlare con me. Infine, fu la notte. Tornai a chiudermi nella cisterna. O forse il contrario... Chiusi la cisterna dentro di me.

Ero al secondo giorno di lavoro e stavo scavando proprio in prossimità di vicolo della Polvere. Il lavoro di piccone era finito. Adesso dovevo spalare le zolle che avevo frantumato, ma mi tremavano le mani. Non so se per la stanchezza o per il freddo, ma facevo fatica a impugnare la pala... Non era ancora il momento di fermarmi. In fondo, una volta scavato il fossato, avrei potuto riposarmi per il resto della vita. Mi asciugai la fronte sudata col dorso della mano e volsi lo sguardo al cielo. Non vidi nulla di bello. Quindi presi fiato e affondai la pala nel terreno. Facendo forza sulle ginocchia sollevai lentamente una porzione di terra e la scaraventai fuori dal fossato. Pensai che avrei avuto bisogno di una carriola. Poi, mentre ero sul punto di affondare la pala una seconda volta, vidi ai miei piedi una bottiglia tappata. Mi chinai, ma mi venne subito in mente che potesse essere una trappola. Mi raddrizzai di scatto e mi guardai intorno. Forse, mentre ero via, qualcuno era venuto dalla città per seppellire quella bottiglia. Se era così, con ogni probabilità era nascosto a osservarmi. Di sicuro nella bottiglia c'era qualcosa che mi avrebbe fatto del male! Pensai a Ender e alla mina che aveva calpestato! Ecco, quella era la mina piazzata appositamente per me! Forse l'aveva seppellita Ender in persona anni prima! Avrei preso in mano la bottiglia e sarei saltato in aria! Non so perché, ma in quel momento mi sembrava del tutto logico morire. Forse perché poco prima non avevo visto nulla di bello in cielo...

A ogni modo afferrai il collo della bottiglia; contro tutte le mie aspettative, non scoppiò, così restai con la bottiglia in mano. Osservandola mi resi conto che conteneva un foglio. La sollevai alla luce del sole. Distinsi dei disegni. Se l'avessi trovata in mare avrei pensato che fosse la richiesta di soccorso da parte di un disperso. Come nei romanzi... Ma eravamo sulla terraferma, in un posto in cui i dispersi non avevano alcuna speranza... Tolsi il tappo dalla bottiglia e tentai di tirare fuori il pezzo di carta, ma senza risultati. Quindi uscii dal fossato e dopo averla buttata a terra ruppi il vetro con la pala. Non appena liberai il foglio dai frammenti di vetro, riconobbi la calligrafia di Ahad:

Signore mio... Non riesco a dimenticare. Perdonami. Anche se non mi perdoni, fa' che qualcuno trovi questo foglio. Ti imploro.

Tutto qui. Non sapevo cosa pensare. Che mio padre fosse un ubriacone non era un segreto, ma non lo avevo mai sentito implorare Dio. Girai il foglio e vidi che c'era una mappa. Una rozza pianta del terreno di Ahad e un punto di vicolo della Polvere contrassegnato da una x. Proprio accanto al segno aveva scritto

‘Albero’. Scoppiai a ridere. Doveva essere veramente ubriaco mentre disegnava questa mappa, perché solo io e lui sapevamo quale fosse quell’albero. Vicolo della Polvere era fiancheggiato da due file di sicomori. C’era soltanto un olivo e noi chiamavamo soltanto quest’ultimo ‘l’albero’. Forse Ahad aveva usato quell’espressione per abitudine, ma nessuno avrebbe mai potuto decifrare quella mappa. Peccato che io fossi in grado di farlo. Anzi, ero l’unica persona al mondo in grado di farlo... C’era una cosa che però non capivo: il motivo che lo aveva spinto a disegnare una mappa accompagnata da quelle frasi, infilarla in una bottiglia e seppellirla... Non mi sembrava una cosa da lui. “No” mi dissi “è impossibile!”

Pensai che forse ero io ad avere un’allucinazione, perché Ahad che si metteva a scavare una buca per seppellire una bottiglia non era per niente credibile! Non era possibile! Nella maniera più assoluta! E poi... D’improvviso, mi tornò in mente una scena! Quella che avevo visto il giorno in cui ero uscito a comprare da mangiare per la ragazza più bella del mondo. Quando avevo trovato Ahad addormentato sulla sedia, proprio nel punto in cui ero in quel momento, con lo sguardo rivolto verso la strada sterrata... Chiusi gli occhi e tentai di immaginare dettagliatamente quella scena. Non trovai però il particolare che cercavo. In quella scena la bottiglia mancava. Ahad era crollato addormentato e non aveva alcuna bottiglia nelle vicinanze. Ma certo! Perché aveva impiegato tutta la notte per svuotarla, per poi infilarvi il pezzo di carta! Proprio quella che avevo rotto con la pala e che adesso giaceva a terra ridotta in tre pezzi di vetro... Le frasi e la mappa erano veramente opera di Ahad! E questo significava che non conoscevo realmente mio padre.

Ormai dovevo prendere una decisione: o far rientrare Ahad nella mia vita, oppure gettare via quel foglio. Qual era quella giusta? Avendo trascorso la mia infanzia con due pirati come Dordor e Harmin, non ci misi molto a decidere!

Camminai con la mappa in mano e giunsi ai piedi dell'olivo. La x sulla mappa era molto vicina all'albero, tra questo e la strada. Ero in piedi proprio sul punto contrassegnato da Ahad. Mi guardai intorno. Non notai nessun cambiamento nell'ambiente circostante. L'unica spiegazione era che il motivo per cui mio padre aveva implorato il perdono di Dio giacesse proprio sotto di me. Qualsiasi cosa fosse quello che non riusciva a dimenticare, era lì sotto...

Misi il foglio in tasca insieme alla rana di carta di Cuma e iniziai a scavare, cercando di immaginare che cosa avrei trovato, ma non era facile indovinare che cosa avesse nascosto Ahad. Se solo fosse stato in grado di scavare una fossa abbastanza grande, avrebbe sotterrato il mondo intero. Ero pronto a tutto. Mi limitavo a scavare senza fermarmi, neanche per respirare... I respiri che avevo fatto durante tutta la mia vita erano già sufficienti... Pensavo a ogni lettera che componeva quelle frasi piene di rimorso e sudavo. Al tempo stesso mi interrogavo sul modo migliore per maledire la coincidenza che mi aveva condotto a quella bottiglia! Poi mi venne in mente il fossato, e mi innervosii pensando che stavo sottraendo tempo prezioso a quel lavoro. E poi cosa poteva esserci che

Ahad non riusciva a dimenticare? Poteva esistere una cosa simile? Perché l'Ahad che conoscevo di sicuro non aveva un briciolo di coscienza. O se ce l'aveva non era come la mia. Non sapevo cosa avrei provato e come sarebbe stata la mia vita di lì in avanti. Mentre affondavo la pala nel terreno, sentii all'improvviso un rumore. Un rumore metallico!

Mi inginocchiai, scostai la terra con le mani e lo vidi: un armadio di metallo a due ante. Somigliava a un normale armadio classificatore ed era lungo almeno un metro. Tentai di aprirlo, ma era chiuso a chiave. Mi alzai in piedi, raccolsi la pala e lo colpii con quanta forza avevo. Tutto inutile. Riprovai, e stavolta una delle due ante si inclinò verso l'interno. Così infilai la pala nell'interstizio che si era formato e feci leva. Sentii un rumore che somigliava a quello delle ossa rotte e gettai la pala a terra.

Mi inginocchiai nuovamente e aprii le ante dell'armadio. Cominciai a ridere, perché in vita mia non avevo mai trovato un tesoro, e adesso avevo tra le mani tutti i soldi che Ahad aveva guadagnato col traffico di clandestini. Erano dentro alcune buste trasparenti, una mazzetta sull'altra, e mi guardavano. Ridevo e parlavo con Ahad: "Era questo che non riuscivi a dimenticare? Tutti i soldi che hai guadagnato sulle spalle di quei poveracci? Per questo pregavi Dio e chiedevi perdono?"

Poi sentii l'espressione del mio viso mutare. Le labbra si chiusero e gli occhi si riempirono di lacrime. Non ridevo più, pensavo ad Ahad. Forse aveva vissuto veramente nel rimorso, magari si vergognava della vita che conduceva e aveva nascosto i profitti fatti sulle spalle di quella gente senza mai toccarli. Non aveva voluto spenderli. Magari una notte, mentre era ubriaco, si era sentito così male da desiderare che qualcuno di quei poveracci trovasse quei soldi e si salvasse. Forse non avevo mai conosciuto il vero Ahad. Quindi avevo il diritto di toccare quei soldi? Certo che sì, perché io comunque restavo il Gazâ di sempre!

Cominciai a tirare fuori le buste una alla volta, ma erano così tante che pensai fosse più logico tirare fuori tutto l'armadio. Così, piuttosto che andare avanti e indietro decine di volte, avrei potuto trasportare l'armadio nel capannone... Presi il piccone e scavai intorno all'armadio. Lo avrei liberato dal terreno e poi dalla fossa. Mi chinai e lo tirai con forza dalle ante aperte. Anche se con difficoltà cominciai a smuoverlo. Tentai di spostarlo camminando all'indietro a piccoli passi. Tenevo gli occhi fissi su ciò che conteneva. Poi mi cadde lo sguardo sul buco da cui lo avevo tirato fuori... Fu un attimo, ma mi bastò per vedere cosa c'era dentro. Alzai immediatamente lo sguardo al cielo e vidi le nuvole confondersi. Tenevo ancora ben stretto l'armadio. Ne sentivo il peso, ma non riuscivo a muovermi. Guardavo solo le nuvole. Non volevo vedere nient'altro, ma presto non riuscii più a vedere neanche quelle, perché gli occhi mi si riempirono di lacrime. Il cielo sopra di me tremava.

"Era ovvio..." dissi. "Certo... Certo... Poteva essere altrimenti?"

Anche se contro la mia volontà, mi chinai di nuovo e guardai all'interno della fossa le ossa che conteneva. Un mucchio di ossa confuse come le nuvole sospese in cielo. Cominciai a gridare.

"Aaaaaa!"
E continuai a trascinare l'armadio.
"Aaaaaa!"
E lo tirai fuori dalla fossa.
"Aaaaaa!"
Smisi di gridare quando lasciai l'armadio a terra. Feci un passo in direzione della fossa e vidi tutto. Mi ritrassi immediatamente e chiusi gli occhi. Io però ero un giocatore di scacchi e che lo volessi o no ogni scena si imprimeva nella mia mente. Quindi pensai che tutti quei soldi fossero un premio per chi avesse trovato ciò che vi stava sotto.

Due cadaveri cotti dalla terra, ridotti all'osso... Due scheletri rannicchiati uno di fianco all'altro. Avevano ancora i vestiti. Erano coperti di polvere e consumati dal tempo, ma erano ancora lì. Su quel che rimaneva dei polsi e delle caviglie erano visibili delle catene. Era chiaro che erano stati incatenati, uccisi e sepolti. Ed era stato Ahad a fare tutto questo! Non provavo nulla, scuotevo soltanto la testa con gli occhi chiusi.

"Certo!" mi dicevo. "Certo! Che ti aspettavi? Ti aspettavi di vedere qualcosa di bello? Poco fa hai guardato il cielo, l'hai visto? Non poteva dimenticare i soldi che aveva guadagnato sulle spalle di quei poveracci? Imbecille! Ecco cos'era quello che non riusciva a dimenticare! Apri gli occhi!"

Mi inginocchiai lì dove mi trovavo e aprii gli occhi. La polvere si alzò tutt'intorno a me. Ascoltai Ahad in quella fossa, in quell'armadio, sentii la sua voce quando diceva che non occorreva far asfaltare la strada... Annuivo sempre e dicevo: "Sì, papà. Hai ragione, che bisogno c'è?" e continuavo a dondolare la testa. Dopo tutto questo tempo non era cambiato niente. Avevamo soltanto un olivo e lo chiamavamo 'l'albero'. Ero io a chiamarlo così, ero stato io a piantarlo. Il figlio di puttana mi aveva mostrato il punto e mi aveva detto: "Piantalo qui!"

Sentivo fluttuare intorno a me quelle immagini e quelle parole. Tutte! Mi rivedevo seduto con Ahad su quella strada. Vedevo un padre che mette una mano sulla spalla del figlio. All'epoca volevo bene ad Ahad! Non avevo altri che lui! Lui diceva sempre: "Siamo io e te e basta, non abbiamo nessun altro" e io annuivo. Adesso stavo facendo la stessa cosa e forse piangevo anche un po'. Ma poco! Perché mi diceva sempre: "Non piangere! Non devi piangere!" e io mi asciugavo le lacrime. Forse era per questo che collegavo la parola libertà alla possibilità di piangere quanto si vuole. Mi tremavano le mani e non per la stanchezza o per il freddo, ormai ne ero sicuro!

Quindi per anni avevo giocato sopra quei cadaveri? E mia madre? Sapeva che quei morti si trovavano lì? Forse era per questo motivo che era voluta fuggire lontano da Ahad! Per liberarsi di quel marito che aveva scoperto essere un assassino... Però voleva anche liberarsi di me, giusto? Quindi anche lei era senza scrupoli almeno quanto Ahad! Anzi, forse era stata proprio lei a uccidere quelle persone! Perché no? Per una persona che aveva pensato di seppellire vivo il proprio figlio che problema era uccidere due sconosciuti?

"No!" gridai. "Io non diventerò mai come loro!"

Qualsiasi fosse la verità doveva uscire allo scoperto! Chissà le famiglie di quei morti, quanto li avevano cercati! Era tempo che sapessero tutto! “Basta!” urlai. “Ora basta!”

Avrei chiamato la polizia. La gendarmeria! Il procuratore! Avrei chiesto loro di identificare quei morti e di avvertire le loro famiglie. Avrei detto che io non volevo più cadaveri nella mia vita. Non volevo più oscurità! Sarei perfino andato dal prefetto! “Se dovessi aver bisogno di qualcosa noi siamo qui” mi aveva detto. Ecco, ne avevo bisogno! Adesso ne avevo bisogno! In questo terreno non doveva più rimanere neanche un segreto! L’unica cosa di cui avevo bisogno era la verità! Se fosse stato necessario, avrei perfino toccato delle persone! Le avrei toccate e le avrei implorate! “Aiutatemi!” avrei detto. “Guardate questi cadaveri! Adesso ditemi cosa è successo! Cosa ne è stato di me? Cosa ne è stato della mia vita?”

Mi alzai in piedi e camminai verso la fossa. Dissi: “Aspettatemi qui! Ora vengo! Vi tirerò fuori da lì e tutto finirà!” ma poi mi fermai d’improvviso. Perché vidi qualcosa che mi fece ammutolire. Restai pietrificato, perché avevo visto qualcosa che forse non avrei mai dovuto vedere. Ormai però era tardi. Perché ero troppo vicino alla fossa e avevo notato quel lembo di tessuto. Era verde... Con delle viole... Lo stesso che aveva mia madre nella sua unica fotografia!

“E anche se lo sapessi che faresti?” diceva Ahad. “Se anche sapessi dov’è la sua tomba che cambierebbe?”

Di fronte alle mie insistenze, replicava: “È sepolta in un villaggio. In un villaggio da qualche parte... Se ci andassi adesso non lo troverei!”

La notte in cui ero nato aveva raggiunto mia madre nel cimitero, mi aveva preso tra le braccia e mi aveva portato di corsa all'ospedale. Al primo infermiere che aveva visto aveva detto che sua moglie era in punto di morte al cimitero. Aveva mandato un'ambulanza che era ritornata col cadavere della moglie. A quel punto aveva detto agli infermieri: "Prendetevi cura di mio figlio!" e alle prime luci dell'alba aveva prelevato il cadavere di mia madre per seppellirlo. Non era andato né alla moschea né al cimitero di Kandalı, ma aveva guidato il camion per ore in stato d'incoscienza. Poi si era fermato in un villaggio, aveva fatto celebrare il funerale e l'aveva fatta seppellire lì. Era questa la storia di Ahad! "Nessuno ha sentito" diceva. "Nessuno ha mai saputo che tua madre ha tentato di ucciderti. Non dirlo mai a nessuno! È un nostro segreto. Hai capito? Tu sappilo e basta!"

Io dovevo saperlo e basta! Solo io dovevo sapere che mia madre aveva tentato di uccidermi! È così? Gridai: "È così, Ahad? Dovevo saperlo soltanto io, giusto? E allora chi è questa donna? Non è mia madre?"

La mia voce rimbombava contro gli alberi, facendo cadere le ultime foglie secche che planando finivano sul cadavere della donna dal vestito verde.

"La storia di Ahad!" urlavo. "Come ho fatto a crederci? Come ho potuto?"

Le lacrime mi arrivavano fino alla bocca e le mandavo giù come compresse di solfato di morfina. Non volevo sapere né vedere più niente. Caddi in ginocchio sul bordo della fossa e cominciai a riempirla di terra con le mani. Spingevo giù la terra manciata dopo manciata! Gridando e piangendo!

"Noi qui non seppelliamo morti, riempiamo buche" dicevo. "Mamma! Ahad!"

Dondolavo la testa. Guardai lo scheletro accanto a quello di mia madre e dissi: "E tu chi sei?"

Osservai i suoi pantaloni e la camicia... Era chiaro che fosse un uomo, ma cercavo di non pensare a nulla. Facevo ciondolare la testa per evitare di interrogarmi. Tirai fuori dalla tasca la foto di mia madre e la gettai nella buca sotterrando anch'essa. Il mio unico desiderio era seppellire e dimenticare ogni cosa. Tirare un sipario di terra su tutto e chiudere l'argomento. Ormai non vedevo più i cadaveri. Né le catene ai polsi, né i vestiti, né la fotografia di mia madre, né le loro ossa e i loro crani! Ricoprivo tutto a una velocità tale che perdevo l'equilibrio cadendo con la faccia a terra. La stessa terra che era in ogni parte del mio corpo, sotto le unghie, tra i capelli, tra i denti, ovunque!

Continuai fin quando vicolo della Polvere non riprese il suo vecchio aspetto. Mi rimaneva una sola cosa da fare. Estrassi dalla tasca il foglio con il messaggio di Ahad e, tra le lacrime, lo masticai più che potei e lo inghiottii. Respiro dopo respiro...

Mi asciugai il sudore dalla fronte col dorso della mano e guardai il cielo, ma non vidi nulla di bello. A dire la verità... non vidi neanche qualcosa di brutto.

Ero seduto in una banca e aspettavo il mio turno col bigliettino in mano. Portavo con me due borsoni, riempiti con i soldi di Ahad. Pensai che la cosa più logica da fare fosse aprire un conto e depositarli. Tentavo sempre di pensare a qualcosa per dimenticare quello che avevo visto. Qualcos'altro... Almeno ci provavo. Non avevo nessuna intenzione di fare i conti con il fatto che mio padre avesse ucciso mia madre e un altro uomo a me sconosciuto. Perché una volta accettata questa realtà, mi sarei trovato nel vicolo cieco rappresentato dalla possibilità che quell'uomo fosse l'amante di mia madre. Sarei perfino potuto andare a sbattere contro un muro e ipotizzare che il mio vero padre fosse lui. Quest'eventualità, tra l'altro, si sposava perfettamente con l'atteggiamento ambivalente che Ahad aveva sempre tenuto nei miei confronti, con quello sguardo in cui sembrava essere impressa la domanda: "Lo uccido o lo amo?"

Quegli occhi freddi e azzurri! Identici ai miei! Forse mia madre si era innamorata di altri due occhi azzurri? Ecco, non ero riuscito a dominarmi, avevo incominciato a pensarci. Nelle mie vene scorreva il solfato di morfina che avrebbe dovuto impedirmi di pensare a tutto questo. Evidentemente non era abbastanza!

Una volta portate le buste nel capannone ero corso veloce come un cane rabbioso a Kandalı, avevo comprato i borsoni più capienti che ero riuscito a trovare ed ero tornato. Li avevo riempiti, avevo attraversato vicolo della Polvere sbucando sulla strada per la cittadina ed ero rimasto ad aspettare. Dopo un'attesa di mezz'ora avevo fermato un taxi che mi passava davanti e detto quella parola che fece sgranare gli occhi al tassista che mi chiedeva quale fosse la mia destinazione: "İzmir!"

Dopo un viaggio di due ore e mezzo, scesi dalla macchina e pagai al tassista la corsa più redditizia della sua vita. Gli avevo chiesto di fermarsi di fronte all'albergo più grande della città, di cui in precedenza avevo soltanto sentito il nome. Dato il mio aspetto, il portiere dell'hotel, vestito come un generale di un esercito inesistente, sulle prime non voleva farmi entrare, ma le banconote che gli allungai ebbero l'effetto di farlo tacere immediatamente. In verità il problema non era soltanto com'ero vestito, ma il tanfo che emanavo, tanto che per tutto il viaggio il tassista aveva dovuto tenere i finestrini aperti. Dopo la conversazione di rito alla reception, potei finalmente andare in camera, convincendo il personale con un cospicuo pagamento anticipato. C'era una sola cosa che mi aveva permesso di fare tutto questo, anche se con difficoltà: il pensiero che tra non molto avrei avuto tra le mani il solfato di morfina che sognavo da tempo. Era stato questo a darmi la forza di stare da solo con una persona durante il viaggio di due ore e mezzo...

Una volta salito in camera mi feci una doccia veloce e uscii portando con me entrambi i borsoni. Fermai un taxi e dissi al conducente: "Cerco una farmacia. Ho un po' di fretta!" ed era vero, perché ormai non resistevo più. Pensare a quello che era successo in vicolo della Polvere e restare solo con una persona mi logorava. Tremavo e avevo dolori in tutto il corpo. Anche agli occhi...

Avevo girato sette farmacie continuando a dire al tassista: "La medicina che cerco non c'è nemmeno qui!" Nessuno accettava di vendermi il solfato di morfina senza ricetta. Alla fine l'ottavo farmacista aveva detto: "L'M-Eslon manca, ma ho l'equivalente, lo Skenan-LP. L'avevamo ordinato da internet per un nostro cliente che poi non è venuto a ritirarlo. Costa un po', naturalmente..." Io avevo riso in preda all'esasperazione, guardando il farmacista che si perdeva in chiacchiere, imbarazzato perché stava facendo una cosa illegale... Avevo comprato ben otto scatole di Skenan-LP. Una per ogni farmacia che avevo girato! Al triplo del prezzo di etichetta dell'M-Eslon...

Al primo passo sul marciapiede che separava la farmacia dal taxi avevo già aperto in malo modo una delle scatole, al secondo passo avevo strappato il blister ed estratto una compressa, al terzo l'avevo mandata giù senz'acqua e al quarto ero montato in macchina sentendomi un'altra persona.

Solo che adesso pensavo che una compressa non sarebbe bastata. Stavo allungando la mano verso la scatola che avevo in tasca per prenderne un'altra, quando sentii qualcuno pronunciare a voce alta il numero scritto sul foglietto che avevo in mano. Proveniva dallo sportello. In quell'istante mi venne in mente il vecchio della banca dove ero entrato con Bedri. E feci esattamente ciò che aveva fatto lui. Aspettai in silenzio. Perché non ero pronto a parlare con nessuno. Quando il mio numero scomparve dal pannello digitale che si illuminò col successivo, mi alzai dal mio posto, andai alla macchinetta e ne presi uno nuovo. Poi tornai a sedere.

Quel vecchio aveva preso un nuovo numero per rimanere tra la gente e continuare ad aspettare. Il suo unico scopo era ritardare anche di poco il rientro a casa, dove sarebbe lentamente morto di solitudine. Sperava di scambiare qualche parola con qualcuno, mentre era in attesa in quella banca... Forse quando mi aveva chiesto: "Che numero hai?" aveva pronunciato le prime parole della giornata. Era talmente solo che aveva passato tutto il giorno immerso nel silenzio e aveva voluto sentire la voce di una persona. Io invece stavo così male che non volevo parlare con nessuno. Al contrario del vecchio non volevo sentire nessuna voce. Perché ero sicuro che di lì a poco, quando avrei messo sotto il naso del cassiere due borse piene di denaro, avremmo parlato a lungo! Forse, se mi fossi rinchiuso di nuovo nella cisterna, non avrei dovuto comunicare con nessuno e avrei potuto aspettare la morte in silenzio. Ma ormai era impossibile! Finché quei resti umani si trovavano in vicolo della Polvere non potevo tornare lì. La terra di Kandalı mi era interdetta. Era talmente corrotta che nemmeno io avrei potuto viverci. O forse ero l'unico a non poterci vivere. L'unico sulla faccia della terra...

Stavolta non potei scappare perché l'addetto alla vigilanza, che aveva visto il numero che avevo in mano, mi disse: "Chiamano il tuo numero, tocca a te".

Ciò che accadde dopo fu una scena nella quale mi persi. L'impiegato, una volta appreso l'ammontare della somma da depositare sul conto che avrei aperto, mi fece immediatamente accomodare nell'ufficio del direttore della filiale. Costui, credendo di aver trovato una miniera d'oro, sulle prime mi aveva tenuto una conferenza su come avrei potuto investire quel denaro e solo quando aveva visto che la cosa non mi interessava, aveva detto: "Non si preoccupi, ci pensiamo noi" per poi tacere. Avevo messo decine di firme e ognuna era diversa dall'altra. Persino il direttore se n'era accorto e aveva detto: "Metta solo le iniziali, sarà più facile". Avevo la fortuna di vivere in un paese e in un'epoca in cui le persone non vengono interrogate quando depositano in banca somme sostanziose. Ringraziavo silenziosamente tutti quei politici che fino a quel giorno avevano fatto il possibile perché, oltre al denaro in nero, anche quello sporco avesse un proprio posto nell'economia mondiale.

Quando uscii dalla banca non avevo più nulla da fare. Dovevo tornare subito in camera e chiudermi a chiave. La vita per strada comportava troppe relazioni. Bisognava guardare in faccia le persone e parlare con loro per ogni minima cosa. Il mondo poteva girare benissimo senza di me. Chiamai un taxi e ci salii...

Non mi ci volle molto per trasformare la mia stanza d'albergo in una cella d'isolamento. Il cibo mi veniva consegnato su dei vassoi che venivano lasciati davanti alla porta, per cui non ero costretto a incontrare i camerieri. Dopo aver mangiato rimettevo il vassoio con i piatti vuoti fuori dalla porta e senza che nessuno mi vedesse mi richiudevo in camera. L'unico problema erano gli addetti alle pulizie, che chiedevano con insistenza di rifare la stanza. La soluzione che escogitai fu di ridurre a una volta alla settimana gli interventi di pulizia, durante i quali uscivo in corridoio, e lì aspettavo che avessero finito.

All'inizio tenevo la televisione spenta e le tende chiuse. Poi, a poco a poco, cambiai idea e, pur non entrandoci in contatto diretto, cominciai a seguire la vita esterna attraverso le tende e la televisione. Non poteva danneggiarmi, perché in entrambi i casi ero protetto da un vetro.

Dopo tredici giorni trascorsi senza uscire dalla stanza, pensai che avevo bisogno di libri e di un computer. Per quanto il mio corpo fosse abituato a star fermo, lo stesso non si poteva dire del mio intelletto. Il mio cervello è sempre stato più veloce del mio cuore: dovevo tenerlo continuamente impegnato. Altrimenti si sarebbe messo a gridare come un bambino che ha trovato il cadavere della propria madre, e mi avrebbe disturbato. Sognavo una vita in cui potessi fare tutto per telefono. Sarebbe stato l'ideale! Dovevo iniziare dalla farmacia. Sulle buste che contenevano le confezioni di solfato di morfina c'era il numero di telefono. Chiamai e dissi cosa mi serviva. Tuttavia, sebbene mi fossi fatto riconoscere, il farmacista mi chiuse il telefono in faccia. Non c'era niente da fare. Capii che sarei dovuto uscire dall'albergo, almeno una volta.

Dovevo sistemare tutto in una giornata. Scesi con la mia dose giornaliera di solfato di morfina nelle vene e con dei contanti che avevo messo da parte. Dissi alla donna con il nome scritto su un tesserino che sarei rimasto ancora un mese. "Naturalmente" disse. Poi però non fu capace di resistere e tentò di scoprire il motivo per cui alloggiavo per così tanto tempo in un hotel caro come quello. Come tutte le persone false, fece alcune domande indirette, ma i suoi sforzi non diedero frutti, perché risposi ai suoi interrogativi con una domanda. Di conseguenza la nostra conversazione si svolse così: "I suoi affari qui si sono prolungati?"

"Qual è la libreria più vicina?"

"Percorra la strada per duecento metri e la trova sulla destra. È la sua prima volta a İzmir?"

"Dove posso comprare un computer?"

Dopo aver capito che non sarebbe riuscita a sapere niente sul mio conto, la donna aveva chinato il mento all'altezza del tesserino e, guardando lo schermo del computer, aveva preso le banconote che le porgevo e si era dovuta rassegnare a dire: "Bene, la stanza è disponibile. Buona giornata".

Mentre uscivo dall'albergo la donna guardò insistentemente i miei vestiti, convincendomi della necessità di comprarne degli altri. Sarebbe stata una lunga e noiosa giornata di spese... E fu davvero così.

Una volta tornato in stanza però avevo tutto. Da quel momento in poi avrei potuto governare tutta la mia vita col telefono. E, cosa più importante, pagando un lauto anticipo avevo convinto il farmacista a non chiudermi più il telefono in faccia. Ero euforico per essere riuscito a ridurre al minimo i contatti che dovevo avere con le altre persone nella mia vita quotidiana. Chiusi gli occhi e mi dissi "Forse mi compro una casa. Così mi chiudo lì dentro e lascio tutti fuori!"

Purtroppo la faccenda era più complicata, perché per comprare una casa sarei dovuto restare solo con molte persone. "Forse più avanti" mi dissi. "Forse quando aumenterò un po' la dose di solfato di morfina, o forse dopo, quando inizierò a iniettarmelo direttamente in vena perché le compresse non basteranno più. O forse dopo ancora, quando le vene si sclerotizzeranno..."

Ecco, a quel punto mi sarei potuto comprare una casa e poi sarei morto di overdose! Morire in un hotel sarebbe stato inopportuno. Il mio cadavere sarebbe stato trovato non appena avrebbe iniziato a puzzare. Poi decine di mani appartenenti a sconosciuti mi avrebbero toccato impudentemente. Meglio morire in una casa, così chi mi avrebbe trovato non avrebbe avuto carne da toccare. Dovevo trovare la casa più isolata del mondo. Come quel faro nel romanzo di Jules Verne. Dovevo ritirarmi in cima al mondo. Quando mi avrebbero trovato dovevo essere marcito già da tempo. Mi dovevano trovare così. In decomposizione! In modo da provocargli immediatamente la nausea! Sarebbero stati assaliti dalla paura al primo sguardo! Così almeno avremmo pareggiato il conto...

Ero in quell'albergo da sette mesi e vivevo in un regime di disciplina fantastico. Il mio grado di solitudine era proprio come desideravo. Soltanto internet, libri e me stesso... E forse qualche specchio... Il direttore dell'hotel e il resto degli impiegati si erano abituati a me. Anche se il motivo della mia presenza restava un punto interrogativo, nessuno mi disturbava. Dopotutto l'importante era che pagassi e, finché avessi continuato a farlo, avrei assaporato la mia perfetta solitudine.

Qualche volta però, per quanto raramente, sentivo la mancanza delle altre persone. In alcuni momenti cercavo addirittura di immaginare come sarebbe stata la mia vita se avessi stabilito delle vere relazioni o toccato altri esseri umani. Ma un attimo dopo mi assaliva una paura tale da farmi subito assumere il solfato di morfina. In questo modo riuscivo a mettere una barriera tra me e il panico che frantumava la mia anima. Perché il panico era come una palla di cannone con spuntoni avvelenati! Mi attraversava lasciando sul suo passaggio solo sangue e carne lacerata. Da quando avevo iniziato a iniettarmi in vena lo Skenan-LP, sentivo anche altri effetti. Avevo spesso dei brevi vuoti di memoria. Mi facevo un'iniezione seduto sul letto e quando riaprivo gli occhi mi trovavo in bagno senza avere idea di come vi fossi arrivato e di quanto tempo fosse trascorso. Agivo inconsapevolmente, come un sonnambulo...

Questo effetto non mi piaceva, specialmente perché temevo che sarei potuto uscire in quello stato. Eppure, più avevo paura, più cresceva il mio bisogno di solfato di morfina. Sentivo di essere caduto in un circolo vizioso e per dominare questo sentimento mi affidavo interamente alla disciplina. Se ero in un circolo vizioso, quantomeno doveva essere il *mio* circolo vizioso! Ogni mia azione doveva ripetersi ogni giorno alla stessa ora e dovevo essere io l'unico padrone. Non potevo assolutamente tollerare perdite di tempo, forse per una vecchia abitudine lasciatami dalla vita all'orfanotrofio... Un'abitudine ereditata da Azim...

Facevo ginnastica per stancare il mio corpo, ma gli esercizi che potevo fare in camera erano limitati. Riuscii a farmi portare un tapis roulant. Speravo che stancandomi avrei evitato di uscire quando mi trovavo sotto l'effetto del solfato di morfina, perché avevo constatato che non bastava chiudere la porta a chiave. Una volta mi ero ritrovato addirittura in corridoio, impalato come una statua sul tappeto bordeaux a qualche metro dalla porta della camera... L'aspetto preoccupante era che ero rivolto verso l'ascensore, alla fine del corridoio. Che avrei fatto se avessi ripreso conoscenza per la strada? Non volevo neanche pensare a questa eventualità, perché non uscivo da mesi e non contavo di farlo in futuro. Mi limitavo ad andare e venire di corsa da un bancomat per prelevare i contanti, ma quello non lo consideravo 'uscire', perché non incrociavo lo sguardo, né venivo a contatto con nessuno. Evidentemente però c'erano impulsi sopiti dentro di me, che aspettavano solo che perdessi conoscenza col solfato di morfina per venire a galla. In verità non so chi tenesse d'occhio chi. Sentivo una parte di me in agguato sull'altra, o almeno io restavo in agguato. Così correvo per ore, finché non crollavo, nel tentativo di tenere sotto controllo quella parte oscura della mia anima che voleva farmi uscire tra la gente... A parte questo, la mia vita era perfetta! O forse era la mia immaginazione, come sempre.

Al mio nono mese in albergo, decisi di non combattere più contro quel lato 'mondano' della mia personalità. E così feci il grande passo, iniziando a uscire di mattina per passeggiare. Andavo sul lungomare, muovendomi tra la folla. Effettivamente era un passo talmente grande da far tremare le gambe, perché ero costretto talvolta a urtare altre persone o a sentirmi dire "Buongiorno!"

In realtà queste passeggiate erano un espediente per proteggermi dall'eventualità che, sotto l'effetto del solfato di morfina, facessi di peggio, perché quando ero in quello stato non c'era limite a quello che rischiavo di fare.

Avrei perfino potuto riprendere conoscenza sul letto di una prostituta dopo essermi accordato sul prezzo. Tutto era possibile!

Di conseguenza se dentro di me c'era una scintilla che poteva portarmi alla guarigione, dovevo essere io a trasformarla in un incendio, e non l'io che veniva allo scoperto quando ero sotto solfato di morfina.

Quindi decisi di procedere per gradi. Mi sedevo in un caffè ad ascoltare le conversazioni delle persone sedute al tavolo accanto al mio. Mi risultavano totalmente innocue. Dopotutto nessuno si rivolgeva o si interessava a me, però in questo modo stabilivo una sorta di comunicazione. Tentavo di conoscere di nuovo le persone...

Dopo un po' capii quali fossero gli argomenti privilegiati in un caffè o in un altro e cominciai a organizzare in quest'ottica le mie passeggiate. Per esempio, se volevo ascoltare delle donne di mezza età andavo in un posto, se volevo sentire delle ragazze della mia età andavo in un altro e se cercavo uomini di ogni età che parlavano delle stesse ragazze in un altro ancora. Di fatto, ascoltare le conversazioni del tavolo accanto era come star seduti vicino al caminetto. Era una delle forme di socializzazione più sicure, perché non vi era alcuna responsabilità. Mi sembrava di rivivere quei momenti, alle elementari, quando andavo vicino al cestino per temperare la matita e, nonostante avessi accanto a me una classe numerosa che seguiva la lezione, mi sentivo invisibile. Peccato però che non fosse possibile temperare una matita all'infinito. Nemmeno le conversazioni duravano per sempre...

Poi feci un ulteriore passo in avanti entrando in una chat su internet, dove potevo stabilire delle relazioni conversando, ma fu una delusione. Non appena mi iscrissi capii che mi stavo prendendo in giro. In rete potevo parlare di qualsiasi cosa fino allo sfinimento, ma sapevo che tutto ciò non mi avrebbe aiutato neanche a pronunciare il mio nome nella vita reale. Mi resi conto che non c'era molta differenza tra internet e il solfato di morfina. Era come tentare di leggere i pensieri delle persone che mi passavano accanto per strada e che non avrei mai conosciuto. Non era questo ciò di cui avevo bisogno, perché nel mio cervello di voci ce n'erano già abbastanza...

Più avanti partecipai a delle visite guidate. Seguii per giri naturalistici o siti archeologici quelle guide che parlavano in continuazione. Dovetti smettere perché nelle pause pranzo spuntava sempre fuori qualcuno intenzionato a parlare con me e io, a quel punto, mi chiudevo in me stesso. Quando qualcuno mi rivolgeva una domanda mi girava la testa, sentivo un'oppressione al cuore, dimenticavo tutto ciò che sapevo, balbettavo e mi trasformavo in un perfetto imbecille. Cominciai a credere che la mia allergia alle persone fosse di natura biologica, oltre che psicologica. Perché ogni volta che si avvicinavano troppo mi prudeva il collo, sentivo il viso bruciare, mi sudavano i palmi delle mani e le tempie...

Pensavo alle parole di quel giovane psichiatra che Emre e gli altri medici non avevano preso sul serio: "Una variante di fobia sociale di origine traumatica". Aveva ragione lui, o quantomeno, in questa nuova situazione in cui mi trovavo, la diagnosi che mi si confaceva iniziava con: fobia, ansia, disturbo o qualsiasi altra merda di natura sociale! Ero riuscito, seppur ricorrendo alla simulazione, a superare la prova di Emre sulla mia riconciliazione con la *vita*. Adesso era il momento di riappacificarmi con la normalità, con i normali gesti sociali che le persone compiono senza pensarci nella loro vita quotidiana... Tuttavia, per quanto cercassi di convincermi, non mi sentivo al sicuro tra la gente e non mi fidavo di loro. Avevo paura che mi seppellissero. Temevo di restare intrappolato sotto la montagna dei loro sentimenti, di essere schiacciato dai loro pensieri, di avere le ossa fratturate dal peso dei loro corpi. Quelle bocche che si aprivano in continuazione, quelle mani che non smettevano di fare gesti, quei denti che apparivano e scomparivano mi minacciavano. Quell'inferno di tredici giorni e cinque ore mi aveva rovinato. La mia malattia era più grande di qualsiasi miglioramento! O almeno io mi sentivo così. Per quanti progressi facessi, ero certo che non sarei mai riuscito a stabilire una vera relazione con le persone.

Quando ero piccolo dicevo in continuazione: "Quando sarò grande starò sempre da solo!" ed ecco che adesso ero solo! Il problema era che ero imprigionato nella mia solitudine. In verità, quello che desideravo era una stanza di solitudine in cui potermi chiudere senza privarmi della possibilità di uscire. Tutto per stare lontano da Ahad e quei clandestini... Una stanza di solitudine con una porta... Ma ormai davanti a quella porta c'era una montagna di cadaveri che si ergeva come un muro, lasciandomi solo con il mio respiro. Il mio corpo era ormai fuori dalla cisterna, ma io vedevo ancora i muri oscuri di quella prigione. La portavo sempre con me, come quel fossato immaginario che un tempo credevo mi circondasse.

La mia solitudine era come una tagliola. Ero stato catturato dalla vita e restavo lì in attesa che il cacciatore venisse a prendermi. Come per il solfato di morfina, esisteva un'overdose di solitudine e io ci vivevo... L'essere umano dentro di me, sopravvissuto a tutto, cercava una strada per stare con i propri simili, ossia le altre persone. La mia anima era come un pagliaio da cui molto difficilmente un ago avrebbe trovato una via d'uscita. Trascorrevo le mie giornate bagnato da una cascata di solfato di morfina o dal sudore della corsa sul tapis roulant. A parte questo leggevo. Leggevo e basta. Leggevo di quel mondo, di quelle persone e di quel tempo che avevo perso. Non c'era altro che potessi fare. Forse mi sarei potuto uccidere, ma non ne avevo il tempo. Perché proprio quando ero sul punto di impiccarmi, crollavo addormentato.

Vissi per dieci mesi in quell'hotel, ma il denaro calava troppo in fretta e fui costretto a trasferirmi. Non in una casa, ma in un altro hotel... Si chiamava La nave. Era per questo che lo avevo scelto, in memoria di Dordor e Harmin... Un albergo la cui seconda stella doveva essere stata incisa con una chiave sulla parete dell'ascensore.

Trascorsi mesi, poi anni alla Nave. All'inizio, più che migliorare, mi chiusi ancora di più in me stesso. Anzi, ero così chiuso che mi ero trasformato in un mulinello che risucchiava e mescolava ogni cosa. Il mio passato si ripresentò ancora più spaventoso di com'era nella cisterna. Questa volta era invisibile. Sentivo soltanto la sua voce, simile a quella di Ahad, rauca come se provenisse dalle viscere della terra. L'unico sistema per contrastarlo era uscire dal vortice e continuare a gridargli: "Tu non sei il mio passato! Il mio passato non è così! Te lo racconto io, il mio passato! Ascoltami bene, perché è l'ultima volta che te lo racconto! E d'ora in poi crederò solo a quello che racconterò".

Era ovvio da dove avrei iniziato: "Se mio padre non fosse stato un assassino, io non sarei mai nato..."

Terminata la mia storia restai in silenzio. Ormai non ero più un mulinello, ma acqua ferma. Poi continuai a vivere...

La mia vita al singolare era un provvedimento disciplinare, come sempre. Ogni mio atto col tempo aveva acquisito una sicurezza tale da sfiorare una precisione millimetrica. Sapevo come e quanto le mie unghie si sarebbero sporcate dopo una determinata azione, quanti colpi di spazzolino servissero per pulirle completamente, quante parole avrei memorizzato durante una lettura, quanto tempo potessi stare in equilibrio sul piede destro e quanto sul sinistro. Conoscevo il numero esatto delle persone di cui ricordavo la data di nascita e di morte, e dei pittori del Rinascimento che riuscivo a elencare mentre facevo gli addominali senza mai toccare terra con la schiena e i talloni.

La mia memoria era scolpita con la disciplina. Io ero l'incarnazione stessa della disciplina. Dopotutto non avevo altro da fare se non occuparmi di me. Così passavo gli anni a costruirmi come un gioiello della tecnologia. Ero alla ricerca di tutta la conoscenza necessaria per assemblare me stesso in un laboratorio di cui ero stato io a innalzare i muri, restando però sempre incompleto. Questo perché non avevo mai avuto la possibilità di testare il prodotto finito, ossia me.

I controlli di qualità tentati finora ovviamente non contavano; era stata la malattia, che mi faceva soffocare ogniqualvolta tentavo di stabilire un contatto con la società, a renderli fallimentari. In presenza di un'altra persona, non sarei mai riuscito a svolgere un'azione che svolgevo impeccabilmente in solitudine. Ero un prodotto fatto così: raggiungevo il mio massimo potenziale in condizioni da laboratorio, ma mi bastava entrare in contatto con il monossido di carbonio espirato da uno sconosciuto per innescare una reazione chimica che mi rendeva inservibile.

La mia genialità quando ero solo eguagliava la mia perfetta stupidità quando ero circondato da altri esseri umani. Per strada ero come l'unico mortale in un mondo popolato da dei, mentre quando mi chiudevo nella mia solitudine ero io stesso il padre degli dei... In verità era tutta una questione di impegno. Io avevo tutto il tempo per essere il padre degli dei. Gli altri invece subivano gli effetti collaterali del vivere in società e così impiegavano la propria energia per vivere insieme agli altri. Per di più nessuno di loro era consapevole della propria condizione e credevano che fosse necessario vivere insieme. Ormai lo volevo credere anch'io.

Non appena uscivo per strada, però, toccavo il cavo elettrico scoperto che chiamano realtà, e iniziavo a tremare. Iniziavo a parlare da solo senza riuscire a fermarmi. Mi sedevo su una panchina del lungomare e cominciavo a dire a ruota libera qualsiasi cosa mi venisse in mente. La gente mi guardava allontanandosi impaurita e nel frattempo io cercavo di stare zitto, ma non ci riuscivo.

Poi mi venne in mente la scrittura. "Se scrivo, forse la smetto di parlare" pensai. E così andai sul lungomare portando con me un quaderno e una penna. Cercai di scriverci qualsiasi cosa mi passasse per la mente, nel tentativo di non parlare. Ma dopo un po' mi ritrovai a scrivere delle lettere indirizzate alle persone che mi circondavano. In verità non erano delle vere e proprie lettere, somigliavano più a delle richieste d'aiuto urlate. Come le urla che avevo lanciato quando ero rimasto sepolto sotto quella montagna di cadaveri... Forse non potevo toccare o parlare con quelle persone, ma almeno tentavo di comunicare scrivendo.

Un anziano sedeva sulla panchina accanto a me e io scrivevo: "Salve... Io sono Gazâ".

Tuttavia nessuno sentiva la mia voce. Quindi scrivevo a caratteri più grandi. Lettere che urlavano! Ma nessuno mi ascoltava! L'anziano se ne andava e il suo posto veniva occupato da una giovane donna. Io voltavo pagina e facevo un altro tentativo: "Salve... Io sono Gazâ".

Così trascorsi i miei primi tre anni alla Nave, tentando di migliorare me stesso e di trovare una via di fuga dalla mia prigione di solitudine. Feci innumerevoli piani d'evasione e li misi in pratica tutti. Fui sempre riacciuffato, ma non mi diedi per vinto. Fuggire da una prigione di cui si è anche i guardiani è incredibilmente difficile! Ma prima o poi ce l'avrei sicuramente fatta.

Al quarto anno d'albergo ero perennemente per strada. Ogni giorno! Avevo sempre persone davanti, dietro e accanto a me. Prendevo l'ascensore con loro, pigiavo gli stessi tasti e portavo alle labbra le bottiglie vuote che buttavano nella spazzatura. Come quando ero un ragazzino, camminavo dietro le donne facendo in modo che mi urtassero il pacco con le mani. Permettevo alle persone di appoggiarsi a me quando all'orario di uscita dagli uffici prendevamo l'autobus tutti insieme. Se fosse stato lì Felat sarebbe sicuramente stato orgoglioso di me! Perché inventavo mille modi per avvicinarmi agli altri! Facevo di tutto! Proprio di tutto!

In quel quarto anno alla Nave, infine, avvenne il miracolo! Vissi un'esperienza straordinaria, avvicinandomi alla gente in un modo diverso, che non mi era mai passato per la testa. Alla fine fui premiato per aver passato tutto quel tempo per strada, perché quella circostanza inaspettata cambiò ogni cosa. Proprio ogni cosa!

Era il mese di ottobre. Il sole al tramonto splendeva come se stesse preannunciando il miracolo, e poi accadde.

Insieme a dei perfetti sconosciuti partecipai al linciaggio di un perfetto sconosciuto.

Io guardavo il sole. Sostava un'ultima volta prima di tramontare e da sopra la torre dell'orologio, l'edificio più vistoso della piazza, guardava me. Come sempre il gong, che suonava il rientro in camera, a una frequenza udibile solo dai *turisti* come me, aveva interrotto gli affari e spazzato la maggior parte della folla sotto gli asciugamani dell'hotel. Anche quelli che all'ora di cena erano rimasti ancora in piazza aprivano i sacchetti e ci guardavano dentro per capire quanti dei loro acquisti fossero una fregatura. Si fermavano ogni tre passi e, a ogni sosta, la luce del sole cadeva sulle loro spalle come un mantello d'oro.

Anche io avevo sentito il gong, ma non volevo andarmene. Perché da dove mi trovavo tutti sembravano delle sagome. Non c'erano bocche che parlavano alle mie spalle, né sopracciglia che si sollevavano, né occhi che mi ignoravano. Le persone si trovavano tra me e il sole e tutto era diventato scuro. Non riuscivo a distinguere il viso né a intuire i pensieri di nessuno e mi gustavo il piacere di questa illusione. A mano a mano che le ombre si spandevano e si allungavano tutt'intorno insieme ai loro corpi, sul selciato della piazza compariva un paese di giganti.

E io, dal posto in cui mi trovavo, osservavo le teste di quei giganti che finivano sotto i miei piedi al loro passaggio e le calpestavo. Non dovevo muovere nemmeno un passo. Erano loro che si allungavano fin sotto le mie suole perché facessi a pezzi le loro braccia, le loro gambe e i loro corpi. Forse non stavo al di sopra delle persone, ma delle loro ombre sì, e per il momento questo mi bastava. Per uno che sentiva di potersi avvicinare agli altri solo grazie a un presunto trapianto d'organi era persino troppo... In quell'istante sentii un sibilo. Poi all'improvviso la terra iniziò a tremare. Vidi i giganti fuggire di corsa dal loro paese e sollevai la testa per guardarmi intorno.

Non c'era più nessuno. Solo un bambino che trascinava sua madre per un braccio, indicando con il gelato che aveva in mano un punto alle mie spalle. Stavo per voltarmi a guardare quando qualcosa mi passò accanto. Fu così veloce che per capire che si trattava di un essere umano dovetti strizzare gli occhi due volte. All'inizio pensai fosse un ladro. Ma quest'uomo correva per sfuggire a uno tsunami, non alla polizia. La posta in gioco era la vita, non la libertà. E anch'io, quando mi voltai, vidi lo tsunami. Dopotutto due terzi dei corpi che venivano verso di me, come la lava di un vulcano che ha appena eruttato, erano composti d'acqua. Quell'acqua di cui erano fatti straripava schiumando dalle loro bocche; le braccia, che in preda alla corsa oscillavano ancora più veloci, ondeggiavano come i denti di una mietitrice pronta a tranciare tutto ciò che le si parava davanti. Dovevo fare qualcosa: farmi travolgere, cominciare a correre, oppure sollevare le mani e dire: "Fermi!"

Non avevo molta scelta, dal momento che non avevo il coraggio né di farmi schiacciare né di parlare. Dovevo correre. Ma come? Il più piccolo errore di tempistica e sarei stato calpestato dalla folla che inseguiva l'uomo, oppure, standogli troppo vicino, qualunque fosse stato il suo crimine, ne avrei condiviso il castigo. Dovevo correre in maniera tale da mescolarmi alla folla senza arrecarmi danno.

Era una decisione talmente importante che non potevo prenderla io. Per questo delegai alla paura il controllo assoluto del mio corpo e della mia mente. E quel tiranno chiamato paura mi trasformò in uno staffettista: nell'istante in cui sentii il fiato della folla sul collo, mi fece realizzare una partenza eccellente. La tempistica era così perfetta che, se avessero potuto vedermi, tutti i trapezisti del mondo, che si guadagnano da vivere lanciandosi nel vuoto al momento giusto per poter afferrare una coppia di mani, mi avrebbero invidiato. E io non avevo neppure una rete di protezione. Sotto di me c'era un asfalto polveroso e consumato che attendeva di scartavetrare la pelle del malcapitato che sarebbe caduto.

Mi mescolai alla folla così bene che qualunque fosse stato il punto da cui era partita, sentivo che lo avevamo fatto insieme. Era come se corressimo spalla a spalla da quando ero nato. Ormai non ero più in prima fila, ma un po' più indietro. La paura mi aveva preso tra le sue braccia, come un neonato, fasciandomi con la folla. Ormai non era più il mio tiranno, ma il mio dio. E come tutti gli dei anche lei esigeva un sacrificio. Non c'era bisogno di cercarlo, perché correva gridando poco più avanti. Aveva fatto appena qualche passo quando sentì prima la mia voce nelle orecchie e poi le mie mani che lo afferravano per le spalle. Cercò di salvarsi con un ultimo guizzo, ma fu immediatamente travolto dalla folla. Non solo il dito, la mano o il braccio, ma tutto il suo corpo fu come passato sotto una sega... Avevo appena superato due che mi stavano davanti e mi ero avvicinato per vederlo meglio, quando qualcosa colpì l'angolo interno del mio occhio sinistro.

All'inizio pensai fosse stato un piccolo sasso o il dito di uno di quelli che mi correvano accanto. Continuavo a correre, ma con un occhio chiuso. Era come se la palpebra fosse stata incollata e sigillata con la ceralacca. La punta del dito, che di riflesso avevo portato all'occhio per strofinarmi, era tutta rossa. A sigillare la palpebra non era stata la cera, ma il sangue. Il primo sangue versato dal sacrificio era volato in aria come la lenza di una canna e come l'amo della stessa canna si era infilato nel mio occhio. Vedevo sangue.

In quel momento mi resi conto che a controllarmi non era più la paura. Essendo diventata un dio si era insuperbita e aveva delegato il comando del mio corpo e della mente all'emozione. L'emozione di trovarmi a correre nella stessa direzione insieme alla gente con cui per anni non ero riuscito a entrare in contatto. L'emozione di perseguire lo stesso ideale di persone che normalmente avrei avuto difficoltà non solo a toccare, ma persino a guardare negli occhi! Solo pochi minuti prima mi accontentavo di calpestare le loro ombre, mentre ora mi tenevano per mano, invitandomi a calpestare un altro, tutti insieme.

Mi sentii libero come non mai. Le mura della mia prigione di solitudine erano crollate! Nessuno mi interrogava, nessuno credeva che io fossi un pazzo! Io ero la società, le sue costrizioni, e mi sentivo come ubriaco. Io e la folla nella quale mi ero piacevolmente dissolto eravamo magnifici! Come una gigantesca manta che fluttuava nel vuoto. Come un *Leviathan* senza macchia! I nostri piedi erano sollevati dal suolo, le nostre mani si mescolavano. Andavamo a sbattere, incespicavamo, ci tenevamo gli uni agli altri. Salivamo e scendevamo, cadevamo, ci rialzavamo e correvamo senza guardarci alle spalle. Respirando all'unisono, gomito a gomito, passavamo accanto a muri impolverati e versavamo sudore l'uno sulle spalle dell'altro. Non battevamo ciglio, non smettevamo di gridare. Cosa dicessimo o dove andassimo non aveva importanza, perché noi eravamo solo alle sue calcagna. Di quell'unico corpo insanguinato. Inseguivamo quel corpo che più mani aveva addosso più diventava rosso, più spariva nella folla più ne riemergeva, spogliato dei suoi abiti. Se fosse stato possibile, ci avrebbe inspirato nei polmoni al posto dell'ossigeno con le sue narici dilaniate. Se gli fosse rimasta una palpebra da aprire, l'avrebbe richiusa su di noi. Perché noi eravamo ovunque su di lui. Eravamo a centinaia, forse a migliaia! Chissà quante unghie avevamo, chissà quanti denti. Quanti di noi erano sazi, quanti avevano lo stesso nome? Non importava, perché noi ormai eravamo un tutt'uno. Lui era la nostra anima e noi la sua carne. E come tutte le anime anche lui veniva sempre prima della carne. Nell'istante in cui veniva afferrato per i capelli la sua testa veniva calciata lontano, e proprio mentre stava per essere schiacciato il suo corpo veniva trascinato via. Mentre ci toglievamo dalle dita i capelli che gli avevamo strappato, battevamo le suole per terra. Non riuscivamo a trattenerlo. Volava di mano in mano e di piede in piede come una farfalla che apre le ali per chiedere pietà. Non riuscivamo a trattenerlo. Il suo corpo, che volteggiava come una bandiera sulle nostre teste, quasi fosse privo di ossa, in un istante si trasformava in un pallone sgonfio che rimbalzava dalle punte dei nostri piedi. Lui era il tronco di un albero in balìa della corrente, noi invece eravamo la corrente stessa. Un attimo c'era, l'attimo dopo non c'era più, appariva e scompariva tra le onde. E noi avevamo un solo desiderio: acchiapparlo prima che morisse, lavarci le orecchie con il suo ultimo grido e il viso con il suo ultimo respiro. Dentro di me gridavo: "Vorrei che non finisse mai. Qualunque cosa sia il presente, vorrei che non finisse mai". Perché una volta finito non avrei saputo cosa fare. E invece finì...

Prima calò la nebbia tutt'intorno e noi cominciammo a tossire. Poi gli occhi cominciarono a lacrimare e si abbatté una pioggia di manganellate. Goccia a goccia entrò dalle nostre nuche e venne fuori dalle bocche. Dagli angoli delle nostre labbra, a furia di denti rotti. Sotto le sferzate di acqua pressurizzata ci disperdemmo come fumo. Tutti se ne ritornarono piegati in due da dove erano arrivati di corsa, e la manta che ondeggiava nel vuoto si mescolò a quel vuoto e sparì. Il Leviathan era morto.

Il resto lo vidi alla televisione. Al telegiornale. La polizia aveva trovato la nostra anima, che avevamo lasciato in una pozza di sangue, in quella piazza. Seppi la sua identità dall'annunciatrice: B puntato F puntato. Era un vecchio insegnante di letteratura. Uno stupratore che aveva riempito una studentessa di quattordici anni non con la poesia, ma con se stesso. Aveva trascorso otto anni nella cella dove lo avevano messo per proteggerlo dagli altri prigionieri e il giorno stesso in cui era uscito di prigione era stato aggredito prima da una e poi da chissà quante persone.

L'annunciatrice, la cui sfumatura di biondo doveva aver richiesto un'operazione chirugica molto pericolosa, diceva: "Incredibile! È incredibile che si sia salvato dopo essere stato aggredito da una folla simile! Sì, signori telespettatori, come avete vis..."

Andò via la luce. E io mi ritrovai a un palmo dallo schermo buio a guardare la mia immagine riflessa. Sedevo ai piedi del letto nella camera più piccola della Nave. In quel buio, l'unico arredo di valore era la luce che entrava dalla finestra e si riversava sul muro. Proveniva dal lampione stradale che, come una giraffa sacra, mi guardava attraverso il vetro con la sua aureola intorno alla testa. Il rumore perpetuo della caldaia, le cui impostazioni erano state bloccate in modo che il cliente non potesse modificarle, era cessato. E io, da quando aveva cominciato a fare freddo, mi riscaldavo con quel rumore, o almeno così credevo...

Prima si congelò il tempo. Poi il freddo inondò la camera come un fiume e io cominciai a tremare come se stessi annegando. Tremavo così tanto che mi venne la nausea. Non riuscivo a tener ferme né la mascella né le mani. Persino i miei occhi dovevano tremare. Se in quell'istante mi avessero scattato una fotografia sarei venuto certamente sfocato. La stanza era così piccola che non potevo vomitare da nessuna parte, se non su me stesso. Per quanto difficile, serrai le labbra e mandai di nuovo giù i resti dell'ultimo pasto che mi erano risaliti in bocca. Non sapevo che fare. Non potevo essermi ammalato. O forse sì!

Non è che avevo preso un virus dalla folla a cui mi ero unito? Perché no? Tutto quell'odio doveva avermi per forza trasmesso qualcosa. Una malattia strana di cui il dottore avrebbe dovuto ripetere il nome almeno tre volte per assicurarsi che lo capissi bene! Mi abbracciai stretto e tremando in quella camicia di forza invisibile cercai di trovare una spiegazione al mio stato. Non ci mise molto a trovarmi: la paura. Mi colpì dal cielo come una martellata in fronte. Caddi all'indietro. Sul letto, dove mi contorcevo come se fossi stato rinchiuso ancora vivo in un sacco per cadaveri, assistetti alla trasformazione della stanza in paura. Prima i cavalli dalla criniera bianca, venuti fuori dal quadro di merda appeso sopra la mia testa, si tramutarono in paura e mi vennero addosso al galoppo. Poi il muro di fronte divenne paura e mi crollò sulle gambe, così come il soffitto sopra di me, fattosi paura, mi cadde in faccia. Alla fine anche la corrente elettrica ritornò sotto forma di paura.

Mi alzai dal letto così velocemente che mi girò la testa. "Immediatamente!" dissi.

"Immediatamente! Subito, adesso! Devo andarmene, devo scappare! Mi troveranno! Mi prenderanno! Capiranno cos'ho fatto! Sapranno che oggi ero lì! Lì, in mezzo a quella folla! L'ho forse colpito? Sono riuscito a colpire quell'uomo? Cambia qualcosa? L'essermi trovato in mezzo a loro non è sufficiente? Mi getteranno in carcere! Sono spacciato!"

La mia voce, che aumentava gradualmente di volume, rimbombava prima dentro di me e poi nella stanza, finché non bussarono due volte al muro al quale mi ero appoggiato per non cadere. Tacqui e trattenni il fiato. Chi c'era nella stanza accanto? Mi avrebbe denunciato? Mi aveva sentito gridare? Avrebbe chiamato la polizia? Poi bussarono di nuovo. E ancora, ancora, ancora. Ancora una volta e poi ancora. L'ultimo colpo fu seguito da un gemito. Dopo tutti quei tamburi, un violino mise fine a ogni cosa. Il panico, il tremore, la paura... Tutto finì con un orgasmo.

Nessuno mi cercava! Nessuno avrebbe chiamato la polizia! Non gliene fregava niente a nessuno! Quelli della stanza accanto, quelli della stanza dopo ancora, quelli al piano di sopra e al piano di sotto, persino quelli che si erano accalcati in piazza per uccidere un uomo e che avevano fallito, tutti, ma proprio tutti, a quanto pareva, facevano o avevano fatto l'amore, per poi scavare le gallerie che portano dal sonno al sogno. La vita continuava e io mi vergognavo di aver avuto paura. Risi. Se sei a Roma comportati da romano. Non era così che si diceva? Invece io ero uno spartano a Roma! Per questo non facevo l'amore, né con me stesso né con qualcun altro. Piuttosto frantumai due compresse di solfato di morfina in un cucchiaio e, dopo aver schiacciato con l'accendino i minuscoli grumi che si erano formati, sciolsi con pazienza la polvere nell'acqua fredda per aspirarla lentamente con la siringa. Poi me la iniettai tra le dita della mano destra aperte in segno di vittoria, e vaffanculo al mondo.

Passarono due giorni senza che nessuno bussasse alla mia porta. Non mi arrestarono, né vennero a interrogarmi. Nel frattempo mi ricordai di Baudelaire e della sua famosa frase: "Non cercare più il mio cuore, le belve l'hanno divorato". Ecco, anch'io ormai ero una di quelle belve. E se le belve sono in numero considerevole, mangiare il cuore non comporta nessuna punizione. Altrimenti Baudelaire avrebbe continuato così: "E un giorno le belve furono scuoiate una a una!" Ma un verso del genere non compare in nessuna delle sue poesie. Significa che la regola fondamentale della cucina del linciaggio è la seguente: non importa quanto ti sporchi, da questa cucina uscirai sempre pulito! Anche io avevo fatto così: mi ero lavato ed ero uscito dalla mia stanza. Dove andassi era chiaro.

Tornai nella piazza dove tutto era cominciato. Anche quel luogo era pulito almeno quanto me. Non si vedevano né tracce di sangue, né un solo molare. Un campo di battaglia, fatto pulire dai pompieri, era stato cancellato dalla storia, e i turisti avevano preso il posto degli assassini e dei cadaveri. Dunque l'azione definita linciaggio si può considerare una guerra? Stavo pensando alla risposta a questa domanda, quando vidi un uomo e una donna che si scattavano fotografie a vicenda. Quei turni mi ricordarono il compito che mi ero dato. Ormai mi davo dei compiti semplici che cercavo di portare a termine, seppur con difficoltà. Avevo abbandonato penna e quaderno ed ero passato alle corde vocali. Anche se poco, riuscivo a parlare con le persone.

Mi avvicinai all'uomo che, cercando di far entrare entrambi nella stessa inquadratura con la torre dell'orologio alle spalle, stava testa a testa con la fidanzata, tendendo disperatamente il braccio per tenere la macchina fotografica il più distante possibile.

"Se volete ve la scatto io" dissi.

Erano così presi dal tentativo di centrare l'inquadratura che impiegarono qualche secondo a capire cosa avessi detto. La donna sorrise e rispose al posto dell'uomo.

"Molte grazie. Se può prendere anche la torre, per favore..."

Di fronte alla risposta istantanea della donna, lui non seppe che fare. Non aveva avuto abbastanza tempo per studiarmi e capire se ero o no il tipo che afferra la macchina e scappa. Forse, se avesse avuto cinque secondi in più, me l'avrebbe allungata con maggiore sicurezza. Alla fine, non potendo dire a uno sconosciuto: "Ho molta paura che tu sia un ladro. Mi giuri che non lo sei?", non gli rimase che mostrarmi il pulsante dello scatto. Presi la macchina fotografica e feci quattro passi indietro. La avvicinai al viso e socchiusi l'occhio sinistro per guardare attraverso l'obiettivo.

Prima l'uomo appoggiò una mano sulla spalla della donna. Poi la donna si mise di fianco e posò la sua mano sul petto dell'uomo, standogli appiccicata con tutto il corpo. Entrambi sorrisero nello stesso istante. Alla fine il momento che aspettavano era arrivato. Con molta probabilità nella maggior parte delle foto che avevano scattato quel giorno sembravano una coppia di menomati. Perché ogni volta, insieme a loro, avevano voluto inserire nell'inquadratura un edificio, una statua, una fontana, un phaeton, un cavallo, una merda di cavallo e così nella foto a uno mancava la fronte, all'altro il naso e la bocca. Comunque tutto questo a me non interessava. Io mi occupavo della mia terapia e della sua prima fase: ero riuscito a propormi di scattare una foto.

Ma la seconda parte del compito era più difficile. Non mi sarei dovuto agitare mentre avevo davanti due persone che mettevano in posa le loro vite, non avrei dovuto far caso al fastidio che tenere quei sorrisi stampati sul viso gli provocava e avrei dovuto trascorrere in quel modo almeno trenta secondi.

E dentro di me ero in grado di contare solo fino a sei.

La prima a reagire fu la donna. Dopotutto era sua la responsabilità di avermi introdotto nelle loro vite. Riuscì in un'impresa ardua: senza smettere di sorridere mi chiese: "Non scatta?"

Non risposi. Perché questa era una terapia. Un processo di disintossicazione. Premere il pulsante prima che fossero passati i trenta secondi avrebbe voluto dire ricadere nella dipendenza dall'eroina. Resistere era molto difficile. La presenza di quei due, che mi stavano davanti come due animali domestici impagliati, mi era davvero insopportabile. Sembrava che con i loro sguardi mi perforassero la gola, che mi strappassero le orecchie con i denti mentre li immaginavo serrare le labbra. O almeno io mi sentivo così. Perché loro in realtà si limitavano a fissarmi. Più precisamente, a fissare la macchina fotografica. Stavolta fu l'uomo a chiedermi: "Non scatta?"

Di nuovo non risposi. In realtà persino le loro domande dimostravano quanto fossero in buona fede. Invece di dire: "Perché non scatti?" chiedevano: "Non scatta?", dando la colpa alla macchina fotografica. Non sarei riuscito ad andare oltre. Ma io ero una diga che aveva difficoltà a sopportare la presenza delle persone e che doveva restare in piedi fino alla fine. Nell'istante in cui l'uomo sollevò la mano dalla spalla della donna per incamminarsi verso di me, gridai: "Va bene, scatto!"

In verità si trattava di un grido di gioia. L'uomo si rimise in posa e schiacciai il pulsante dello scatto. Trentatré secondi precisi! Un successo grandioso! Tutti noi avevamo superato quella prova di pazienza! Loro mi avevano mostrato quanto potessero essere civili e io avevo provato a me stesso che non li temevo. Con due passi ci venimmo incontro, prima guardarono la foto nello schermo della macchina e poi me. Tutti e tre sorridevamo.

"È venuta molto bene, grazie" disse la donna, e così dovetti passare alla terza parte del compito.

"Prego. Due lire".

Entrambi smisero di sorridere.

"Come?" disse l'uomo.

"Il prezzo" dissi. "Due lire".

Questa volta fu la donna a parlare: "Lei scatta foto a pagamento?"

"Certo".

"Non ce l'ha detto, però" disse l'uomo.

"Non l'avete chiesto" risposi. "Credevo lo sapeste, per questo..."

"Come potevamo saperlo?" ribatté la donna che, non volendo rovinarsi la giornata con una tale assurdità, infilò la mano nella borsa e, mettendo a tacere il fidanzato, che intanto stava borbottando, aggiunse: "Va bene, va bene, non importa!"

Mancava poco alla fine della terapia, quando la donna cominciò a cercare il portafogli nella borsa, che assomigliava a un sacco. L'operazione durò un tempo infinito, neanche fosse caduto in un buco nero, mentre io non sapevo dove nascondermi. Nel frattempo l'uomo continuava a scuotere la testa, maledicendo dentro di sé tutto ciò che gli impediva di uccidere lì su due piedi un imbroglione come me: il mutuo, l'assicurazione sanitaria, anni di istruzione e l'amore che provava per la donna, in breve tutto ciò che possedeva. Ciò che in quel momento lo portava a odiarmi non erano le due lire, ma l'aver violato con un solo gesto le invisibili regole di umana cortesia, ricordandogli che non bisogna mai fidarsi di nessuno. Probabilmente stava pensando che sulla terra non si può trascorrere neppure un attimo in pace e che tutti, ma proprio tutti, sono sempre pronti a imbrogliarti. Alla fine, comunque, tutti e tre guardavamo la stessa cosa. Quella borsa aperta da cui il portafogli non ne voleva sapere di venir fuori. All'improvviso la donna sollevò la testa e guardò l'uomo. Naturalmente anch'io lo guardai.

"Tu non ce li hai?"

"No!" disse l'uomo. In realtà voleva dire: "No, vaffanculo!" Quindi tornammo a osservare la borsa in silenzio. Stare lì fermo a guardare era così imbarazzante che me la sarei volentieri data a gambe. Ma dovevo resistere. Ero fuggito per anni. Questa volta non mi sarei mosso. Dovevo calmarmi. Pensare a qualcosa e uscire da quello stato d'animo. La prima cosa che mi venne in mente fu il linciaggio. Pensai a quello. A come mi ero sentito in mezzo a quella folla. A come ero riuscito a toccare le persone senza paura...

"Prego!"

La donna mi sbatté le due lire in mano come fossero un righello e, infilato il braccio dell'uomo, disse: "Andiamo". Si allontanarono rapidamente per poi rallentare. Li osservavo alle loro spalle e mi sentivo bene. Ma non durò a lungo: il mio stomaco cominciò a girare su se stesso come la punta di un trapano. Questa volta avevo spazio a sufficienza intorno a me per non vomitarmi addosso. Ma per abitudine mi portai le mani alla bocca. Vomitai un po' sulle lire, un po' attraverso le dita sul selciato polveroso della piazza. Volevo guardarmi intorno e gridare, ma mi limitai a sussurrare: "Qualcuno chiami i pompieri!"

Tornai in albergo e mi chiusi in camera. Ma non servì a nulla. Ancora non ero al sicuro. L'addetto al piano, che avevo incrociato poco prima nel corridoio, salutandomi mi aveva fatto capire: "Posso entrare in camera tua quando voglio!" Presi la sedia, che come lo sgabello nel capannone aveva una gamba più corta dell'altra, per cui cedeva ogni volta che mi sedevo, e l'appoggiai alla porta. Ma anche quello non servì a nulla: in quell'istante mi ricordai che la porta si apriva verso l'esterno. Mi era rimasta un'unica soluzione: chiudermi a chiave in bagno.

Quel bagno, delle cui dimensioni mi ero lamentato sin dal primo giorno in cui mi ero trasferito nell'albergo, ma sempre tra me e me e mai alla reception, per la prima volta mi tornava utile. Era grande come una cabina telefonica: la distanza fra le tre pareti e la porta era di appena un braccio. Mi resi conto per la prima volta che la porta non aveva la chiave. In ogni caso non avevo altra scelta, perché dovevo calmarmi.

Entrai in bagno e chiusi la porta, ma senza lasciare la maniglia. In qualsiasi momento da fuori potevano aprire. Per questo con una mano cercavo di trattenere la porta, come se dall'esterno la stessero forzando, mentre l'altra, che non sapevo dove mettere, l'appoggiai allo specchio. Dopo almeno dieci respiri profondi per calmarmi, sollevai la testa e mi trovai faccia a faccia con me stesso. E dopo un po', come facevo sempre quando capitavo davanti a uno specchio, cominciai a parlare.

"Vuoi stare bene? Vuoi veramente stare bene? Qual era la tua malattia? Non era non riuscire a stare con le persone? Come dicevano, a socializzare? Ecco, è questo che non riesci a fare! Ancora non hai capito che non è una malattia da cui si guarisce con stupidate tipo quella di poco fa? Sai qual è la terapia giusta? Te lo dico io: socializzare a livelli estremi! Solo così potrai salvarti! Senza socializzare a livelli estremi non è possibile socializzare a livello normale, lo capisci? Visto che hai una malattia che ti porta a nasconderti e a strisciare come un verme, vuol dire che imparerai a volare! Solo così potrai trovare il giusto mezzo! Controbilanciare la tua malattia! La tua unica terapia è il linciaggio! Perché a questo mondo non c'è forma di socializzazione più estrema. Mi stai ascoltando? Non farne parola con nessuno. Ora esci in strada e trovati una donna! Non aver paura, scemo, stavo scherzando, torna in camera e fai due flessioni. Anzi aspetta, prima lavati i denti. Ma mi raccomando, non lasciare la porta!"

Non riuscivo a smettere di pensare al linciaggio. Non avevo altro in mente e non facevo che leggere sull'argomento. Più mi documentavo, più mi rendevo conto che non era una banale forma di violenza. Non si trattava semplicemente di un gruppo di uomini che all'improvviso si ritrovavano a fare a pugni. Era un fatto sociale! Era un tipo di azione inclusa nell'antropologia sociale. Era persino formativo! Uno dei meccanismi di regolazione delle relazioni tra società e individuo, tra maggioranza e minoranza. Era un diritto collettivo! Era ciò che Rousseau definiva *democrazia diretta*! Era tutto! E quell'americano, Charles Lynch, che ci ha fornito il termine per definirlo, era un genio! Oggi forse sarà considerato un barbaro, ma gli Stati Uniti d'America governano il mondo grazie a una legge che porta il suo nome: la legge di Lynch!

Quando mi stancavo di leggere fissavo il soffitto e pensavo... Io e la mia stanza eravamo in una di quelle piccole palle di vetro con dentro la neve, e il linciaggio ci aveva messi sottosopra. Così i pezzi di pensiero sparsi sul pavimento erano finiti per aria. Seguivo i miei pensieri che cadevano come fiocchi di neve in quella palla di vetro. Dopo un po' tutto intorno a me era di un bianco candido e mi si presentava di fronte un panorama... Un panorama scientifico almeno quanto l'articolo intitolato "La forza del potere":

> *Il primo primate che è diventato progenitore dell'uomo, ergendosi in piedi ha battuto la testa contro il ramo di un albero che aveva proprio accanto, riportandone un trauma cerebrale. E questo trauma, che si è trasmesso geneticamente di generazione in generazione, ha avuto due conseguenze che hanno cambiato la storia dell'umanità.*
> *Innanzitutto, gran parte del cervello è rimasta inutilizzata. Pertanto l'essere umano, che è il nipote di quel primate, si è dovuto accontentare della parte rimanente. La seconda conseguenza è la seguente:* la paura dell'ambiente circostante, *iniziata con quel colpo dato al ramo di un albero, che ha formato la colonna vertebrale dell'esistenza umana.*
> *Se la vita di quel primate fosse continuata su quattro zampe, come quella degli altri animali, certamente le cose sarebbero andate diversamente. Solo che continuare ad andare da un punto all'altro sempre a quattro zampe avrebbe aumentato il rischio di essere stuprati per strada, quindi fu costretto ad alzarsi. Certo, se prima di farlo avesse guardato in alto sarebbe stato meglio. In ogni caso, per colpa di quel nostro antenato, siamo nati tutti menomati e fifoni. Noi non abbiamo colpa di niente. Anzi, da un certo punto di vista, si può dire persino che siamo parecchio progrediti. Dopotutto questa paura comune che è parte essenziale della nostra identità è ciò che ci ha permesso di distinguerci.*

In realtà questa paura non è altro che una sceneggiatura tragica scritta a partire dalle nostre esperienze. Ha bisogno di un nome e per essere credibile è indispensabile che sia in latino: bellum omnium contra omnes. *La guerra di tutti contro tutti! È la peggiore delle ipotesi! Per questo è la nostra vera fonte di paura! Al punto che cerchiamo il modo di proteggere la nostra vita con le armi, il nostro pudore con i tessuti e i nostri beni con le pareti. Se possibile vorremmo persino nascere, vivere e morire senza essere visti né scoperti da nessuno. Perché la guerra di tutti contro tutti è un'apocalisse dalla quale nessuno può dirsi al sicuro e questo lo sappiamo. Chi fermerebbe il nostro vicino che ha messo gli occhi su nostra moglie e i nostri soldi? Che motivo avrebbe per non aggredirci una notte o l'altra? E noi, come potremmo ignorare i lamenti della donna e del denaro del nostro vicino che supplicano per passare nelle nostre mani? Chi frenerebbe l'invidia, chi ci impedirebbe di farci la guerra gli uni con gli altri?*
Mentre si pone queste domande, che provano quanto poco abbia perso dello stato animale, malgrado si sia eretta in piedi, l'umanità riceve un segnale divino: il concetto di unicità.
In realtà non è un segnale poi così divino. Ha soltanto a che fare con il numero di stelle che ci danno la vita. Il giorno in cui abbiamo capito che il sole e la luna non sono lo stesso astro e che quella cosa dorata che porta la primavera è unica, essendo in grado di imitare ciò che vediamo intorno a noi, quanto meno nella misura in cui ci riesce uno scimpanzé, il concetto di unicità ha immediatamente pervaso la nostra mente.

In conclusione abbiamo iniziato a darci da fare per ridurre tutto all'unicità. Perché è la cosa giusta! Un unico dio, un unico leader, un unico stato, un'unica nazione... E, soprattutto, un unico nemico!
Il concetto di unicità è stato una trovata geniale, un miracolo. Alla fine siamo riusciti a sbarazzarci dell'eventualità della guerra di tutti contro tutti sostenendo a spada tratta la necessità della guerra di tutti contro uno.
Sì, il linciaggio è una specie di guerra. Una guerra condotta da una maggioranza contro una minoranza. Una guerra combattuta contro un singolo. Come tutto il resto anche questa ha la sua espressione latina: bellum omnium contra unum.
Di conseguenza, in questa guerra contro un solo nemico si aggregano prima le famiglie, poi le tribù e infine le comunità. E così viene creata la società, cosa di cui si era sempre avvertita la mancanza, fino al momento della sua invenzione.
Bene, ma chi è questo nemico unico divenuto necessario perché tante persone si riuniscano insieme a formare un gruppo? Chi se ne frega! Che importanza ha? Nelle guerre il nemico non ha nome! Il nemico è soltanto il nemico! Perché se avesse un nome ci si ricorderebbe che è un essere umano, e allora non si riuscirebbe ad andare in guerra così a sangue freddo! La storia è piena di soldati che non conoscevano il nome delle persone, delle organizzazioni, dei paesi contro i quali combattevano. Pertanto il nome del nemico unico non è importante. Ciò che conta sono le conseguenze del linciaggio di quell'unico nemico.

Se c'è il linciaggio c'è l'unione. Se c'è l'unione non c'è il caos. Se non c'è il caos c'è il commercio. Se c'è il commercio c'è il progresso. E se c'è il progresso c'è ancora più commercio! E quindi ancora più progresso! Ormai possiamo andare avanti fino alla morte! Così l'esserci eretti in piedi non è stata cosa vana. Siamo pronti a fare passi da gigante verso il futuro e tutto questo è meraviglioso! Una società che si accanisce contro il nemico unico non produce mai scismi, guerre civili, instabilità. Odiare la stessa persona o la stessa cosa insieme al vicino, al vicino del vicino, al vicino del vicino del vicino e alla popolazione di tutto il paese ha un effetto molto rassicurante. Dona una tale fiducia che le persone riescono a versare sangue armoniosamente come mai prima. Versare sangue insieme è il fondamento di una società. È la dimostrazione di quanto una società sia progredita e stabile.

Per questo al giorno d'oggi i paesi sviluppati sono quelli che da lungo tempo sono riusciti a ridurre i loro nemici all'unicità. Così riescono a porre fine alle lotte intestine e a essere uniti di fronte a quell'unico nemico. Inoltre fanno il possibile perché i paesi che abitualmente sfruttano non raggiungano mai quello stadio. Per garantirsi la loro debolezza, li mantengono in uno stato in cui tutti sono sempre in guerra contro tutti.

Il risultato è l'emergere di regioni come il Medio Oriente, che non hanno mai potuto sviluppare la disciplina del linciaggio. Non essendoci unità di linciaggio, ogni strada ha il suo. Di conseguenza tutti i popoli di questa regione restano sempre deboli. Se solo aprissero un po' gli occhi potrebbero vedere tutta la potenzialità aggregante del linciaggio, soprattutto nelle culture religiose. La lapidazione del demonio, che migliaia di persone compiono tutte insieme durante il pellegrinaggio alla Mecca, non è un esempio perfetto di unione creata dal linciaggio? "Chiunque tu sia, vieni e prendi a sassate il diavolo!" Basta smettere di farsi la guerra l'un l'altro e unirsi contro un solo nemico! Porre fine a tutte quelle inutili lapidazioni *interne e unirsi per il vero grande linciaggio! Proprio come hanno fatto i paesi sviluppati! Ovviamente i mediorientali fanno quello che possono... Linciando i dittatori, quando ci riescono, o i diplomatici occidentali, quando li acchiappano, si sforzano di gettare i semi, anche se solo a livello locale, di una società moderna.*

In breve, l'uomo ha il linciaggio nel sangue. Accade dappertutto come una necessità naturale: in famiglia, a scuola, nel quartiere, nella società, nelle relazioni internazionali, ovunque. Decine di stati ogni giorno si riuniscono per dichiarare un nemico comune. Grazie a quel nemico di stato, ci si mette d'accordo almeno su qualcosa e così si può passare tranquillamente alla gestione degli affari quotidiani.

Pensavo a tutto ciò e mi rendevo conto di ogni cosa. Soprattutto ora mi era chiaro perché i plotoni di esecuzione sono composti da una fila in cui una dozzina di persone spara a un singolo. Ormai anch'io, come Martin Luther King, avevo un sogno!

Nel mio sogno alcuni alieni giungevano sul nostro pianeta e tutti gli stati del mondo si riunivano in nome del linciaggio spaziale per vivere in pace e fratellanza!

E se il linciaggio poteva portare alla pace nel mondo, di sicuro era in grado di curare la mia malattia! Dovevo soltanto cambiare fazione! Perché per anni mi ero sentito io, quello linciato! Ma adesso sarei uscito dal mirino della folla e mi sarei unito a essa. Non sarei più stato il nemico unico, ma al contrario gli avrei dato la caccia schiumando dalla bocca e trasformandomi in un eroe. Così sarei diventato un membro rabbioso ma rispettabile della società.

Tutti questi pensieri mi avevano talmente esaltato che d'un tratto mi ero alzato in piedi sul letto, battendo la testa contro il quadro sul muro. Mi ero fatto male, ma non me ne importava niente. Oltre alla piccola parte utilizzata del mio cervello e alla mia codardia, cos'avevo da perdere?

C'era solo una questione da risolvere, che mi si parava davanti in tutta la sua mole, occupando quasi tutta la stanza. Bene, la mia salvezza era il linciaggio, ma dove si linciava? Secondo l'annunciatrice che doveva essere morta e resuscitata per diventare bionda, da anni non si assisteva a una tale aggressione. Dunque non aveva senso fermarsi ancora a lungo in città. Non potevo aspettare anni perché si verificasse un nuovo episodio di linciaggio. Avevo già avuto fortuna una volta, di certo non sarebbe ricapitato. Quindi, se il linciaggio non veniva da me, sarei andato io da lui. Ma come? Come si fa a individuare un linciaggio prima che accada? Non c'era un calendario o un orario. O forse sì? Forse c'era.

Era una vita che sentivo alla televisione la stessa

frase riferita ai linciaggi avvenuti in diverse parti del paese: "Queste sono azioni organizzate in precedenza da alcuni centri oscuri". Se ciò era vero, c'erano persone che organizzavano i linciaggi come fossero concerti e che pianificavano operazioni gigantesche. Come potevo raggiungere quei centri oscuri? Un giorno, in futuro, sarei potuto persino diventare anch'io un centro oscuro? C'erano speranze per me?

Per prima cosa dovevo fare una lista. Una lista di potenziali linciaggi. Dovevo mettermi davanti a una cartina del mondo e segnare tutti i luoghi dove poteva verificarsene uno. Per questo dovevo analizzare la storia dei linciaggi dei paesi e delle città, dovevo capire se i conflitti sociali che li avevano causati erano ancora in auge oppure no.

L'episodio che tre giorni prima aveva riportato la città al Medioevo, anche se solo per mezz'ora, era stata un'eccezione. L'aggressione di un vecchio criminale era una circostanza particolare la cui evenienza non si poteva calcolare in anticipo. Non potendo mettermi a seguire le date di scarcerazione di tutti i pedofili del mondo, i linciaggi di cui dovevo interessarmi erano quelli politici. Le informazioni di cui avevo bisogno erano nascoste nel luogo dove tutti gli ignoranti del mondo ricevevano un'istruzione, ovvero internet.

Trascorsi la settimana seguente studiando tutti i conflitti politici in corso nel mondo. Solo che non era possibile stabilire in quale di essi covasse un linciaggio sul punto di scoppiare. Quella settimana, però, accadde qualcosa di interessante e alla televisione diedero questa notizia: un centinaio di americani, riunitisi nella via principale di una cittadina per accogliere i soldati di ritorno dall'Afghanistan, avevano cercato di linciare quattro afgani che volevano manifestare contro il corteo. E questo mi diede un'idea.

In fin dei conti, la persona o il gruppo che vuole linciare è sempre pieno di odio. L'unica cosa che serve per dare il via al linciaggio è una piccolissima scintilla. Voglio dire, quegli americani di fatto linciavano gli afgani ogni giorno con lo sguardo, per strada, al supermercato: aspettavano solo il momento appropriato per passare all'azione. Dunque il punto su cui dovevo concentrarmi era l'odio.

Se fossi riuscito a individuare chi odiava chi, avrei saputo dove andare a imboscarmi in attesa del linciaggio. Solo che l'odio doveva essere tale da far percepire l'esistenza dell'altro come un'offesa a se stesso. Dunque, chi odiava qualcuno per la sua stessa esistenza? Era ovvio, i razzisti e i settari!

Quando cercai le regioni in cui questi due tipi di discriminazione erano presenti ai massimi livelli, mi trovai davanti a un magnifico giro del mondo. Avevo trovato il filone. Ormai ciò di cui avevo bisogno era un passaporto e qualche visto. Sarei stato il primo cliente e la prima agenzia viaggi del turismo da linciaggio al mondo. Il primo turista da linciaggio al mondo! Per uno che fino a quel momento non era riuscito a essere niente, non era affatto male. Dopotutto, fino a dieci giorni prima per provare un minimo di sollievo calpestavo le ombre. Ventiquattro anni, cinque mesi e tredici giorni prima piangevo per il solo fatto di essere nato.

Era passato circa un mese dal linciaggio e non mi sentivo per niente bene. La mia situazione era peggiorata al punto che dovevo prepararmi in anticipo le conversazioni che sarei stato costretto ad affrontare durante il giorno, scrivendomi le frasi che avrei detto su dei fogli di carta e imparandole a memoria. Così quando dicevo al cameriere che mi portava la colazione in camera: "Posso avere un altro succo d'arancia?" o all'addetto al piano: "Oggi non occorre pulire la camera" non dovevo prendere parte alla comunicazione, ma ripetere soltanto le frasi che avevo memorizzato. Questo mi metteva al riparo dal dover prendere una qualsiasi decisione. Non ero io a parlare, solo la mia memoria e le mie corde vocali. Grazie a questo sistema non mi sentivo veramente coinvolto nella comunicazione, il che mi offriva un po' di sollievo. Non dovevo preoccuparmi di pensare a ciò che avrei detto, perché lo sapevo già, e cercavo di continuare la mia esistenza senza dare nell'occhio.

Mi sembrava di essere come un soldato che avanza strisciando sotto il fuoco nemico. In realtà, a parte in televisione, non avevo mai visto un soldato strisciare. A questo proposito, grazie alla collaborazione tra il proprietario dell'albergo e il rappresentante di quartiere, le Forze armate turche avevano bussato alla mia porta per la leva militare, ma per qualche motivo avevano pensato che il mio stato di decomposizione fosse infettivo. Con un rapporto che provava come io minacciassi il collasso di un intero esercito, mi avevano detto: "Va' e marcisci da solo!" Ciononostante io ero sicuro di poter strisciare molto più quatto di qualsiasi altro soldato di qualunque esercito del mondo. In tutti i sensi...

Ma la vita, per quanto fenomeno che si ripete quotidianamente, non è mai ordinaria e riserva sempre delle sorprese. Ci sarebbe sicuramente stato qualche sviluppo che avrebbe vanificato la serie dei dialoghi che io imparavo a memoria, che avrebbe mandato all'aria tutti i miei piani di comunicazione. Perché a nessuna delle persone con cui ero costretto a parlare fregava qualcosa di me. Né io, né le mie bozze di dialogo entravamo nel loro campo d'interesse. Persino il dialogo più semplice rischiava di complicarsi, spuntavano sempre nuove domande che facevano a gara per cogliermi impreparato. In tali condizioni era naturale che le mie frasi imparate a memoria non servissero a nulla. Negli ultimi anni il mio rapporto con la legge, il cui principio fondante consiste nell'ignorare le identità di coloro che compaiono davanti a essa, in quanto tutti i soggetti, me compreso, sarebbero uguali, era piuttosto buono. Quando le frasi che avevo memorizzato non erano adeguate alla vita, oppure quando mi sentivo male, tiravo fuori dalla tasca il Codice penale e cominciavo a leggere. Negli articoli contenuti in quel libro non ci sono nomi, cognomi o informazioni personali. Al loro posto c'è uno a cui capitano delle disgrazie, che oscilla tra premio e castigo e che viene definito persona. Non importa assolutamente che si esprima o no: muta o cieca, con una gamba sola o cinque orecchie, è solo una persona!

Questa struttura anonima del diritto è ovviamente un'illusione. Perché niente su questa terra è anonimo. Un re e un mendicante non sono e non saranno mai giudicati allo stesso modo. Eppure, nei momenti in cui mi sentivo fottuto da tutti quelli che mi circondavano, pensare in termini giuridici mi aiutava a calmarmi.

Uno di questi termini era *forza maggiore... Vis maior*! È il corrispondente giuridico di una valida scusa per non fare qualcosa che dovremmo fare. Forza maggiore! Può essere un terremoto, o un attacco di cuore. La mia invece era la vita nel suo insieme. La vita stessa era la forza maggiore! Vivevo in un terremoto, perennemente sotto attacco cardiaco. Per questo cercavo di tranquillizzarmi fingendo di essere esonerato da qualunque azione. Solo che nemmeno questo ormai serviva più...

Ero consapevole che se le persone mi avessero conosciuto mi avrebbero giudicato senza pietà! La mia situazione era persino peggiore di quella di un mendicante che si divincola nelle maglie della legge. Loro almeno riescono a parlare. Non solo, grazie ai loro superpoteri, i mendicanti riuscivano a individuare su un marciapiede affollato la persona che avrebbe ceduto alle loro richieste, cioè io, e ad accerchiarmi in pochi secondi con i loro palmi aperti. I loro radar per la compassione dovevano percepire anche la debolezza, perché riuscivano a trovarmi sempre, anche tra mille persone.

Io non avevo quei poteri e sul mio radar non comparivano altre tracce se non le mie. Per questo non ero in grado né di provare la mia innocenza nei tribunali improvvisati durante il corso quotidiano della vita, né di sfuggire a ingiuste pene capitali.

Il poliziotto dell'ufficio passaporti, mentre mi sventolava davanti al viso il modulo su cui avevo lasciato in bianco la voce professione chiedendomi: "Il tuo lavoro, qual è il tuo lavoro?", aveva cominciato a occuparsi della persona dietro di me, prima ancora che rispondessi; all'ingresso del consolato, gli addetti alla sicurezza, vedendomi la fronte grondante di sudore, mi avevano perquisito come se fossi stato una bomba vivente; i funzionari dei visti invece, non credendo a una parola di quello che dicevo, avevano controllato ogni mia informazione tre volte, facendomi aspettare due ore per una faccenda da cinque minuti.

Ma, essendo uno la cui forza maggiore è la vita nel suo insieme, l'unica difesa che ero in grado di produrre al momento era parlare a memoria. Ogni volta che tornavo in camera, scrivevo sceneggiature di dialoghi alternativi per rappezzare il mio scudo pieno di buchi e, a loro insaputa, supplicavo le persone che avrei incontrato il giorno seguente di esaudire le mie richieste. Ovviamente nessuna di esse mi ascoltava... Né quando le imploravo nel mio letto né quando, in ginocchio davanti a loro, chiedevo quando mi avrebbero consegnato il passaporto.

Stavo cominciando a nutrire qualche dubbio riguardo allo svolgimento della mia terapia personale, quando accadde qualcosa che mi diede nuovo slancio. Vidi una folla riunita davanti al consolato dove ero andato per chiedere l'ultimo visto necessario al mio tour mondiale del linciaggio. Urlavano slogan, reggevano striscioni e prendevano a calci i muri.

Prima esitai, poi mi venne in mente il linciaggio avvenuto nella piazza. Come quella folla mi avesse accolto con tanta facilità... Nel linciaggio non c'era bisogno d'invito, perché tutti erano invitati. Seppure a piccoli passi, mi avvicinai a quelle persone fuori di sé e uno di loro, malgrado non mi conoscesse, mi parlò. Anzi, mi guardò negli occhi e gridò: "Diciamo tutti insieme: Dio è grande!"

Dalla mia bocca, aperta per l'emozione, non uscì alcun suono per via dell'emozione stessa, ma nessuno se ne accorse, perché in quell'istante gli altri ruggirono con una coordinazione perfetta, come un coro che ha provato a lungo. A quel ruggito tutti i miei organi interni tremarono. Quel ruggito mi portò a un livello e a una velocità che solo con la cocaina avrei potuto raggiungere. In un attimo mi sentii libero e me stesso!

Prima che arrivasse la polizia e ripristinasse i confini della violenza, lanciai quattro pietre trovate per terra, due manganelli e il palo di un cartellone contro il palazzo del consolato, gridando frasi senza senso. In quel brevissimo lasso di tempo mi sentii così partecipe dell'umanità che il giorno dopo, quando mi misi in fila davanti allo stesso edificio per chiedere il visto, ero molto più tranquillo. Cosa più importante, non ripetevo di continuo dentro di me i discorsi imparati a memoria. Non ne sentivo il bisogno. Quel giorno, durante le varie fasi della procedura di richiesta del visto, non ebbi il minimo problema di comunicazione. Improvvisai tutto. Del resto avevo assunto la mia dose di linciaggio! Per quanto non fosse esattamente lo stesso, nel mio sangue scorreva qualcosa di simile al linciaggio. Un metadone che poteva sostituirlo. Una situazione che la legge potrebbe definire come un *incidente sociale*. Una sostanza sociale che in caso di assenza di linciaggio poteva dare un effetto simile. Io avevo iniziato con l'eccitante più potente che ci fosse, cioè il linciaggio vero e proprio, quindi sapevo che era quella la vera medicina necessaria per la mia terapia. Le proteste o manifestazioni simili per me non avevano alcun significato. Fu allora che mi vennero in mente le partite di calcio.

Per tre settimane di fila andai a sei partite, mescolandomi a decine di migliaia di persone su quelle tribune dove non ha nessuna importanza da dove tu provenga, per trasformarmi questa volta non in uno tsunami, ma in un'onda messicana. La violenza di queste partite aveva un effetto estremamente passeggero: mi concedeva solo qualche giorno di normalità. Insieme a perfetti sconosciuti, insultavo perfetti sconosciuti fino a ferirmi la laringe. Naturalmente ogni volta mi univo alla tifoseria più numerosa, perché avevo vissuto abbastanza da Don Chisciotte e adesso era il mio turno di essere mulino. Ed essere mulino era facile. Bastava comprare qualche accessorio. Con una maglietta e una sciarpa che cambiavano a seconda della partita, potevo diventare invisibile. La folla è una cosa talmente magica che quando ci si entra non resta né nome né corpo. La massa li inghiotte entrambi e permette di liberarsi, anche se per un lasso di tempo circoscritto, della responsabilità dell'identità che si possiede. È una magnifica armatura che ti protegge da te stesso e da tutto il resto. Non assomiglia per niente alla stupida ferraglia che indossava Don Chisciotte. È così resistente che ovunque fossi potevo rivolgere alle persone le offese peggiori senza che osassero neppure guardarmi.

Tuttavia vedevo che una volta finita la partita, quando ci si metteva in fila per lasciare lo stadio, le persone con cui poco prima avevo imprecato si trovavano in una situazione difficile almeno quanto la mia. Anche loro come me si affrettavano a salire sull'autobus, sul taxi o sulle auto per allontanarsi il più rapidamente possibile da lì. Nessuno voleva trovarsi a tu per tu con le persone che fino a mezz'ora prima aveva insultato. Per questo all'uscita, come branchi di animali, camminavamo compatti, guardandoci le spalle gli uni con gli altri. Nessuno di noi voleva separarsi dal branco finché non si sentiva al sicuro. Malgrado ci fosse chi aveva gli occhi iniettati di sangue come la folla del vero linciaggio in quella piazza, la maggior parte era più simile a me. E io non volevo una folla composta da decine di migliaia di persone come me. Io volevo la folla del linciaggio. Non una sua copia!

Per questo prima di partire non mi ero perso un telegiornale, dormendo solo quattro ore al giorno, nella speranza di individuare almeno in quale punto del paese si sarebbe verificato un linciaggio. Ma all'orizzonte non vedevo molto. Seguivo le immagini di quelli avvenuti in passato e sognavo. Perché alcuni erano straordinari. Soprattutto il massacro di Sivas o le aggressioni di Rostock! Quelli sì che erano veri linciaggi! Incendi, devastazioni, morti, tutto quanto... Ma eventi del genere non si vedevano mica tutti i giorni!

Ciononostante uscii dalla mia stanza pieno di speranze, andai all'aeroporto e salii sul primo aereo che trovai. In dodici giorni ne presi altri sette, percorrendo più di quattromila chilometri su e giù per il paese. In camere d'albergo dalle pareti ammuffite, attesi a braccia conserte che l'odio esplodesse. Ma non accadde nulla.

Solo a un certo punto, per una fortuita coincidenza, mi mescolai a una piccola folla, gridai e insultai due persone che poi avrei scoperto essere due deputati. Ma durò solo qualche secondo, perché la polizia ci circondò in un istante come una piovra. Erano in maggioranza schiacciante, e quando ci rannicchiammo per terra, c'erano almeno tre manganelli per ogni testa. Passai dal linciare all'essere linciato e per poco non fui arrestato. Naturalmente in quel momento l'unico mio pensiero era che avrei voluto essere un poliziotto. Perché dovevo stare sempre dalla parte della maggioranza! Non sarei mai stato dalla parte debole o in minoranza! Io volevo essere mille contro uno! Anzi diecimila! Centomila! Un milione! Volevo la folla! Volevo ancora più folla! E gridare: "In qualunque religione non ci sia il dejà vu, a quella religione io crederò!"

Non appena rientrai alla Nave l'uomo alla reception mi allungò una busta e disse: "È arrivato il tuo passaporto. Hai dato il mio nome al corriere. Non farlo mai più!"

Avrei dovuto rispondere "Non preoccuparti, non accadrà più!" ma la frase che avevo imparato a memoria era un'altra: "È arrivata una busta per me?"

Ovviamente non aspettai la risposta, ma lasciai l'uomo a fissarmi, dirigendomi verso l'ascensore. Salii in camera e raccolsi le mie cose. Quindi abbandonai quell'edificio chiamato La nave. E poi quell'edificio chiamato La nave affondò. Perché era quello che volevo io.

UNIONE

Una delle quattro tecniche fondamentali della pittura rinascimentale. Come lo sfumato, consiste in una fusione dei colori e delle tinte. Tuttavia diversamente dallo sfumato le tinte e i colori utilizzati sono sempre intensi e luminosi e donano un effetto più vivo.

L'uomo di mezza età, barbuto, alto almeno un metro e ottanta, indossava solo un pezzo di stoffa che gli copriva l'inguine. Faceva freddo, ma sembrava non curarsene. I piedi erano nudi, così come il ventre e le gambe. Teneva gli occhi chiusi, le mani giunte all'altezza del petto e modulava il respiro in modo da rallentare il battito cardiaco. In quel momento, tra tutte le cose che il mondo poteva offrirgli, accettava solo ciò di cui la sua mente aveva bisogno. Non aveva bisogno di sentire freddo, quindi non lo sentiva. Subito accanto a lui c'era un tavolo e sul tavolo un cubo di vetro largo non più di quaranta centimetri. Una delle facce laterali si poteva estrarre in modo da creare una piccola apertura che faceva da porta al cubo stesso.

Eravamo in un vicolo. Un vicolo affollato. Nella via pedonale di un quartiere dove le persone camminavano trascinandosi a vicenda, per poter fare più acquisti e più velocemente. Parlavano. Chiacchieravano e contrattavano sul prezzo. Dalle vie intorno proveniva il rumore delle automobili. Alcune si mettevano in moto, altre frenavano, altre ancora, con i finestrini aperti, rovesciavano musica all'esterno come portacenere stracolmi. Le voci si mescolavano, facendo a gara per intasarci le orecchie. Eravamo tutti sovrastati dal rumore della città, ma quell'uomo se ne stava ritto su un piede e non sentiva altro che i battiti del suo cuore. Ne ero certo, perché aveva dipinta sul volto quell'espressione da sordo che mi era familiare. Sapevo che quando una persona comincia ad ascoltare solo il suo cuore, quei segni inconfondibili si imprimono sul suo viso...

Aprì gli occhi e guardò la vita. O meglio, aprì le porte dei suoi occhi e noi guardammo la sua vita... girò intorno al tavolo su un tallone solo, sollevò lentamente il ginocchio destro e vi posò sopra il piede. Le sue gambe erano lunghe ed elastiche come quelle di una rana. Appoggiò le punte delle dita sul tavolo e di slancio ci salì sopra. Così sembrava ancora più alto.

Intensificò il ritmo del respiro, mise il piede destro dentro il cubo e lo posò alla sua base. Si chinò e inserì il ginocchio destro nell'angolo più distante del cubo. Con una mano teneva ferma la scatola di vetro mentre con l'altra si teneva in equilibrio sul tavolo. Stette immobile per qualche secondo, poi infilò l'anca nel cubo e si sedette dentro. Proprio in quel momento alzò al cielo la mano destra e ritraendola si toccò il viso con le dita. Prima infilò nella scatola il gomito, poi la spalla. Si fermò... E noi con lui... Alla fine, infilò anche la testa. Muovendo lentamente la gamba destra si fece un minuscolo spazio e con le dita della mano destra afferrò la punta del piede sinistro portandolo verso di sé. Così facendo incrociò le tibie formando una x visibile attraverso la superficie di vetro del cubo. Ormai erano rimasti fuori solo il ginocchio e la mano sinistra, che appoggiò per un attimo sul tavolo come se fosse posticcia. Poi la agitò come un tessuto, posandola sul piede destro.

A quel punto una persona che avevo preso per uno degli spettatori si avvicinò al tavolo, afferrò la superficie in vetro del cubo, attese qualche secondo e la chiuse. Ormai l'unica cosa che potevamo vedere erano due gambe incrociate e una testa calva pressata su di esse. La faccia superiore del cubo corrispondeva alle ginocchia. Stavamo guardando un uomo impegnato a piegarsi su se stesso fino ad annullarsi. O a diventare qualcosa...

Piangevo. Non soltanto perché quell'uomo che si piegava su se stesso mi ricordava la mia condizione sotto quella montagna di cadaveri. C'era anche un altro motivo: una scena che avevo visto tre mesi prima... Non riuscivo a dimenticarla. Perché era un episodio che aveva cambiato tutto. Tutto!

Mi avvicinavo al secondo anno del mio tour mondiale del linciaggio. Da due anni mi spostavo da un paese all'altro. A dire il vero non credevo che sarebbe durato così tanto. Quando avevo preso il primo aereo e tentavo di immaginare come sarebbe andata, le mie aspettative non erano così alte. Ma il mondo mi aveva ricordato quanto sia intenso l'odio che vi dimora. In due anni avevo visto un numero di linciaggi che non mi sarei mai immaginato. Sembrava che tutti quanti stessero aspettando solo me per scannarsi. Come se avessero aspettato che mi sedessi alla loro tavola per divorare insieme uno dei loro concittadini. O forse era una mia illusione, perché il mondo è sempre stato così. È stato la culla del linciaggio prima di me e avrebbe continuato a esserlo dopo di me. Non è la terra a ricoprire il mondo ma l'odio, e io ci camminavo sopra.

Medio Oriente, Nord Africa, Balcani, Europa continentale... Ci sono linciaggi dappertutto. Non occorre nemmeno trovarsi nel posto giusto al momento giusto, perché il linciaggio è in ogni luogo e tempo. Basta leggere i giornali in una qualsiasi lingua straniera e annusare l'aria. Perché la creatura chiamata uomo vive di linciaggi e io ne ero stato testimone...

Avevo visto uomini trasformarsi in un branco di piranha per avventarsi su un bambino, divorandone la carne pezzo dopo pezzo, prendere una donna per i capelli e stuprarla per ore... Io ero stato testimone di tutto questo perché ero uno di loro. Osservavo per un momento quelle persone schiacciate da decine di corpi, mentre anch'io mi trasformavo in un mattone del muro di carne che si sarebbe abbattuto con violenza sulle loro teste. Rivedevo me stesso in quelli che schiacciavamo. Eravamo come una massa di cadaveri sopra di loro e li soffocavamo soltanto con la nostra presenza. Ero riuscito veramente a ribaltare la mia situazione. Ormai non ero più io a sopravvivere in una fossa, adesso ero uno dei cadaveri che la popolavano.

Avevo visto anche bambini... linciarsi davanti alle scuole... Bambini che non si accontentavano dell'atto in sé, ma registravano tutto coi loro telefoni per poi diffondere su internet immagini che avrebbero fatto vergognare a vita la vittima. Avevo assistito anche al cosiddetto *happy slapping*: i bambini scelgono a caso la vittima e la colpiscono alle spalle per poi scappare tra le risate. Anche in questo caso avevo visto i loro amici registrare le immagini di nascosto per diffonderle su internet... In Medio Oriente avevo visto gli uomini bomba. Persone che si fanno saltare in aria ribaltando la dinamica del linciaggio! Avevo visto quelle 'bombe solitarie' linciare la folla, anziché farsi linciare da essa. E mi ero immaginato un bambino inglese impegnato nell'*happy slapping* che muore saltando in aria perché si mette a schiaffeggiare senza saperlo una di quelle bombe umane. Mi ero messo a ridere. Avevo pensato anche che in certi paesi alcuni giochi non si possono proprio fare.

Ero stato testimone del brusio della folla inferocita, delle sue urla e dei suoi schiamazzi... Avevo udito le sue parole simili a carbone che alimenta un incendio. Qualche volta mi distraevano. Così per non sentirli ascoltavo i Nasenbluten. Ascoltavo quella musica nascondendo gli auricolari nel colletto alzato. Per due anni avevo visto e ascoltato solo questo.

Avevo provato a guarire. Avevo tentato di riappacificarmi con le persone. Linciaggio dopo linciaggio. Nei pochi posti in cui non avveniva spontaneamente, lo creavo io a pagamento. Organizzavo raid contro i senzatetto insieme a gente raccolta per strada. Avevo capito che in fondo non era difficile come pensavo divenire uno di quei 'centri oscuri'. Era solo una questione di contanti, tutto qui...

Nonostante tutto questo però non ero riuscito a migliorare neanche un po'! Ero malato esattamente come all'epoca in cui alloggiavo alla Nave. Non riuscivo a stabilire delle relazioni con le persone al di là delle trattative per formare un branco. Quel muro tra noi non scompariva, perché ormai non provavo più nulla. Col tempo mi ero assuefatto ai linciaggi e, come col solfato di morfina, avevo cominciato a sentire il peso della mia dipendenza. Non c'era alcuna differenza con il parto a cui avevo assistito per ordine di Emre. Quelle persone morivano linciate o sopravvivevano mutilate con la stessa naturalezza con cui i neonati vengono al mondo.

Quanto alle persone che partecipano ai linciaggi, sono le stesse ovunque. Perché le 'dinamiche di massa' esistono davvero. Quando il pastore del gregge è il gregge stesso, il destino di ogni individuo dipende dalla folla di cui fa parte. Non importa se si tratta di un branco di provocatori o di un gruppo di individui con volontà autonome. La situazione è la stessa. Questa dinamica, come tutto ciò che c'è di marcio a questo mondo, non è altro che il risultato di un tacito accordo tra i miliardi di persone che popolano la terra. Un individuo testimone di uno stupro può essere processato per non essere accorso in aiuto della vittima quando era in grado di farlo. Se però è una società intera a tenere questo comportamento, non è prevista alcuna punizione, non viene neanche considerato un crimine. Di conseguenza, le caratteristiche di una folla che si dedica al linciaggio coincidono ovunque, nonostante parlino lingue e indossino vestiti diversi... Ogni individuo di quella massa da un lato è impegnato a tallonare la vittima, dall'altro, guardando chi gli sta accanto, pensa: "Lo faccio perché lo stai facendo anche tu. Se linci tu, devo linciare anch'io!"

E anche chi gli sta a fianco pensa più o meno la stessa cosa: "Sono qui perché tu sei qui!"

Per me tutto questo non significava niente, né quelle persone, né la loro nascita o la loro morte.

L'uomo non è altro che una creatura intrappolata in una prigione composta da quattro mura: su due lati c'è la nascita e sugli altri due la morte! Ma una volta nato l'uomo si trova circondato su tutti i lati dalla morte. Come diceva Harmin, l'unico significato della vita distribuito a buon mercato è la paura della morte, e il linciaggio non è altro che il momento in cui questa paura diventa reale come una pietra.

"Forse è per questo che non riesco a guarire" pensavo. "La paura della morte è ancora l'unico significato della mia vita e trascorro i miei giorni in mezzo a persone con la stessa paura!"

Una sera poi vidi quel ragazzo... Camminava da solo, tenendo le mani in tasca. Doveva avere all'incirca quindici o sedici anni. Teneva il capo chino con lo sguardo rivolto al marciapiede. Era arabo...

Ero entrato in un pub frequentato dai militanti della English Defence League che identificano i musulmani come i loro più acerrimi nemici. Mi era bastato allungare qualche banconota per radunare un piccolo branco di ragazzi. Quando mi avevano chiesto chi fossi, io gli avevo semplicemente risposto: "E che importanza ha? Io li odio almeno quanto voi!"

Non avevano neanche sentito il bisogno di chiedermi chi odiassi e mi erano venuti dietro. Erano ubriachi fradici, ma io no. Camminavamo insieme urlando e lanciando richiami. Cercavamo un arabo, chiunque potesse somigliare a un musulmano. Non era neanche necessario che fosse veramente musulmano, bastava che potesse essere preso per tale. Ed ecco che ci troviamo davanti quel ragazzino, che camminava senza altri pensieri se non quello di proteggersi dal freddo incassando la testa fra le spalle. Ci scambiamo un'occhiata d'intesa con i componenti del branco e ci diciamo: "Va bene! Eccolo lì!"

La strada era buia e i lampioni non riuscivano a illuminare tutto il marciapiede. Sembrava che gli abitanti delle case ai due lati della strada fossero addormentati da tempo. Anche se non dormivano dovevano essere seduti al buio, perché dalle finestre non proveniva alcuna luce e, cosa più importante, non c'era polizia nei dintorni.

Noi eravamo sul marciapiede sinistro. Il ragazzino, che aveva udito le nostre voci e si era voltato a guardarci per un attimo, camminava sull'altro lato. Io facevo il possibile per far parlare i ragazzi dietro di me e non insospettire l'arabo: anni di esperienza mi avevano insegnato che in questo tipo di caccia il silenzio mette in allarme la preda. Al contrario, comportarsi come un normale gruppo di ubriachi è sempre un buon travestimento. I ragazzi del branco, forse perché ubriachi lo erano davvero, a un certo punto non resistettero più e cominciarono a correre verso il ragazzino. Naturalmente mi misi a correre anch'io!

Il rumore delle suole delle nostre scarpe, mentre ci lanciavamo all'inseguimento, fu il campanello d'allarme che fece scattare il ragazzino. Eravamo in nove, un branco di predatori notturni. Per un momento, correndo insieme a loro, mi sentii di nuovo bene. Come ai vecchi tempi! Forse era per questo che non mi ero accorto di niente... Perché avevo di nuovo gli occhi iniettati di sangue...

Sulla strada si affacciava un vicolo che il ragazzino arabo imboccò correndo con tutte le sue forze. Senza accorgermene ero passato alla testa del branco. Correvamo e basta: i miei compagni di linciaggio non erano abbastanza lucidi per correre e lanciare insulti contemporaneamente. Imboccammo anche noi quel vicolo. Nonostante tutti gli anni di solfato di morfina, potevo essere orgoglioso di come riuscissi a correre. Dopo qualche centinaio di metri, le case lasciarono il posto a dei semplici muri e i lampioni si fecero più radi. Con lo sguardo fisso sul ragazzino che si perdeva nel buio per poi riapparire mormoravo a denti stretti: "Ti sei infilato nel vicolo sbagliato!"

Ringhiavo mentre dicevo: "Nessuno si accorgerà di niente, nessuno sentirà le tue urla!"

E alla fine accadde ciò che avevo immaginato: era un vicolo cieco! Ero distrutto, ma ne era valsa la pena! Era in trappola. Potevo vedere chiaramente il muro alto che chiudeva il vicolo. Potevo anche vedere il ragazzino. Si guardava convulsamente a destra e a sinistra alla ricerca di una porta o un qualsiasi buco in cui infilarsi... Ma era circondato solo da muri! Tra noi c'erano più di trenta metri, ma anche in quell'oscurità potevo distinguere il ragazzino che, come un topo in trappola, correva all'impazzata per poi fermarsi a guardarmi. Quando anche lui capì di essere completamente circondato da mattoni, io giudicai inutile continuare a correre e avanzai verso di lui a passo lento. Il ragazzino piangeva. Io invece ridevo. Aprii le braccia per ricordargli che non aveva via di scampo. Ormai c'erano al massimo dieci metri tra noi. Dissi: "È finita!" e lanciai un'occhiata dietro di me. Mi resi conto di essere solo. Mi voltai e vidi che il vicolo era deserto. Il mio branco si era disperso andandosene chissà dove! Quei figli di puttana mi avevano lasciato solo! E non me n'ero accorto, perché avevo gli occhi iniettati di sangue.

Ero a tu per tu con quel ragazzino arabo in quel vicolo stretto... Gridava, ma non capivo quello che diceva. Parlava arabo. Tremava e arretrava fino a trovarsi con le spalle al muro, poi tentava di fare un passo in avanti, ma, capendo di non potersi avvicinare, arretrava di nuovo. Piangeva e si asciugava le lacrime con le mani come se si stesse schiaffeggiando, e continuava a gridare. Si infilò le mani in tasca e le rivoltò per mostrarmi che non aveva un soldo. Quei due lembi di stoffa bianca pendevano dai pantaloni del ragazzino che continuava a piangere. Io non sapevo che fare. Avrei voluto voltarmi e scappare via, ma non riuscivo a muovermi. Cosa mai potevo fare da solo? Quei ragazzi ubriachi erano come la mia pelle! Senza di loro mi sentivo nudo! In due anni di linciaggi non ero mai rimasto solo con una vittima! Ero pietrificato, non riuscivo a muovere un passo. Alla fine non potei trattenermi. Iniziai a gridare. In realtà stavo solo pensando a voce alta. Molto alta.

"Anch'io ho paura! Capito? Anch'io ho paura!"

Il ragazzino però non capiva niente. Anzi, le mie urla lo spaventarono ancora di più. Proprio in quel momento sentii qualcosa di umido sulle labbra. Non era sudore. Erano lacrime. Adesso anch'io stavo piangendo. Avanzai verso di lui tendendo le mani in avanti. "Non aver paura! Non aver paura!" dissi. Forse non stavo parlando al ragazzino, ma a me stesso. Quando vide che continuavo ad avanzare verso di lui, inciampò e cadde a terra. Si raddrizzò immediatamente, ma rimase inginocchiato. Teneva le mani sollevate, scuoteva la testa e parlava tra le lacrime. Sapevo che stava dicendo: "Non ti avvicinare!"

Non capivo quello che diceva, ma potevo immaginarlo! Io piangevo almeno quanto lui e non volevo che nessuno avesse più paura, in quel vicolo. Tenendolo per le mani, che aveva alzato per proteggersi, mi inginocchiai e tentai di abbracciarlo. Stavo delirando.

"Basta, niente paura! Non aver paura! Ti prego! Non aver paura!"

Il ragazzino tentava di allontanarmi da sé, ma io volevo abbracciarlo, volevo poggiare la sua testa sul mio petto e dirgli: "Non c'è più niente di cui aver paura!"

Volevo che mi credesse! Per la prima volta da anni stavo avendo un vero contatto con una persona...

Poi, d'improvviso, mi spinse via, sottraendosi al mio abbraccio, e si mise a correre con quanta forza aveva in corpo, come quell'uomo che mi era schizzato davanti nel mio primo linciaggio in piazza... Il ragazzino mi passò accanto come un fantasma e il rumore dei suoi passi svanì come in sogno. Quanto a me, rimasi lì a piangere con le mani appoggiate al muro in fondo al vicolo... Piangevo per Felat... per Cuma... per tutti quegli afgani morti... per mia madre... per Dordor e Harmin... per me stesso... perfino per Ahad...

E adesso piangevo guardando quell'uomo in quella strada chiassosa. Erano minuti, ormai, che se ne stava rannicchiato in quel cubo di vetro, piegato su se stesso. Era circondato dalla folla che lo applaudiva. Io invece avrei voluto avere tra le mani un martello per distruggere quel cubo... Insieme al mio passato... Per liberare entrambi. Sia quell'uomo che me...

Mancavano tre ore alla partenza del mio aereo. Passeggiavo davanti all'aeroporto con un biglietto per Rio de Janeiro comprato mesi prima. Stando ai piani, il mio tour mondiale del linciaggio sarebbe continuato nel continente americano. Ma per qualche motivo non volevo entrare nell'edificio. Presi un taxi e dissi all'autista: "Al pub più vicino!"

In fondo avevo ancora tempo.

Ci fermammo in un quartiere in cui le persone, con il loro aspetto e il loro modo di camminare, erano cupe almeno quanto i muri contro cui si appoggiavano. Proprio mentre stavo per entrare nel pub, una di quelle ombre mi si avvicinò. Doveva essere un esperto, perché con una sola occhiata aveva capito da cosa fossi dipendente. Così, invece di entrare nel pub, andammo in un parco giochi nelle vicinanze. La sua piazza era lì, ma c'era un problema: avrei giurato che assaggiasse qualsiasi sostanza vendesse! Mi chiese da dove venivo.

"Sono turco".

"E dillo, fratello!" disse, e ricominciammo tutto da capo. "Io ero lì che mi domandavo di dov'è questo tizio? *Albanian*? Russo? Come ti chiami?"

"Gazâ".

"Io Edip... Ma da queste parti mi chiamano Oedipus! Oedipus the Motherfucker! Capisci? Significa che mi fotto mia madre!"

"Bene, finché è tua madre..."

"*Wha*?"

"Lascia perdere! Allora, quant'è?"

"Dai, fermati un attimo, fratello! Parliamo un po'! Sei un compatriota... Ti rollo qualcosa?"

"No! Questo cos'è? Subutex?"

"Sì! *Made in France*! *Hip shit*! Ho pure il Buprenex, questo è *British*! Oedipus the Motherfucker! Mi fotto mia madre! Quante ne vuoi?"

"Tu dimmi il prezzo e io ti dico quante me ne servono!"

"*Ok*! *Cool*! Non ti incazzare! Per quale squadra?"

"Che?"

"Calcio! Per quale squadra tifi!"

"Per tutte!"

"*Come on*! Mi fotto mia madre! È mai possibile?"

"Certo! Sono andato alle partite di tutte quante! A quanto lo vendi il Buprenex?"

"Oedipus the Motherfucker! Capisci?"

Intorno a noi era pieno di bambini... Sullo scivolo, sull'altalena, sul dondolo... soprattutto sullo scivolo...

"Che cosa?" domandai.

Oedipus parlava dondolandosi continuamente. Nel frattempo i bambini si lasciavano andare giù dallo scivolo cadendo uno sull'altro come cadaveri.

"The Motherfucker! Capisci?"

"Non capisco".

"*Wha*? Edip! Oedipus! Edip! Oedipus! Capisci?"

I bambini continuavano a scivolare. Ridevano, si scontravano e scivolavano giù. Poi uno di loro, non appena si liberò lo scivolo, cominciò a risalirlo senza usare la scala, tenendosi per i montanti. Lo scivolo però era così alto che dubitavo che ce l'avrebbe fatta a salire fino in cima. In quel momento, mi tornò in mente il gioco che Dordor e Harmin facevano agitando le mani in direzione delle navi dei turisti. Anch'io feci un gioco. Scommisi tutto quello che avevo sul successo del bambino. Ormai guardavo solo lui.

"Lo vuoi o no?" mi chiese Oedipus.

"Che cosa? Un momento!"

"Ti rollo qualcosa?"

Per quanto si sforzasse, il bambino non riusciva a superare la metà dello scivolo, perché i piedi gli slittavano.

"Non lo voglio!"

"Mi fotto mia madre! Capisci?"

Il bambino cadde un'ultima volta e rinunciò. Poi si incamminò come gli altri verso la scala. Lo scivolo era libero. Guardai Oedipus the Motherfucker, lasciai la borsa a terra e iniziai a correre. Se il bambino non ci era riuscito, ce l'avrei fatta io! Non appena mossi un passo per dirigermi verso lo scivolo, inciampai e caddi. Oedipus gridava: "Che fai? *You fool*! Lascia stare il Buprenex! *No good for you*!"

Io ridevo, ancora a terra... Era l'unica cosa che potessi fare: ridere. E mi faceva bene... Mi alzai in piedi, mi pulii i vestiti, poi guardai Oedipus e dissi: "Tienitelo!"

"*Wha*? Mi fotto mia madre!"

"Ho smesso!"

"Cosa?"
"Tutto quanto!"
Così raccolsi la borsa e iniziai a correre. Sentivo Oedipus che gridava ed ero sicuro che si stesse dondolando!
Presi il primo taxi e dissi: "Aeroporto di Heathrow!"
Poi chiusi gli occhi per rivedere tutte quelle rane disegnate ovunque sui muri del parco.

Stavo leggendo una notizia che seguivo da un po'. Riguardava un curdo che era stato ucciso dalla sua famiglia perché omosessuale. Sotto l'articolo c'era una fotografia, la scena di un matrimonio. Un giovane biondo e occhialuto reggeva un'urna con le ceneri del ragazzo ucciso, davanti a una folla che applaudiva. L'uomo aveva il sorriso sulle labbra e le lacrime che gli rigavano il volto. Alla fine si erano potuti sposare. Osservai quel vaso e bisbigliai: "È possibile che sia tu, Felat?"

Il mio sussurro rimase tra le pagine del giornale che avevo chiuso. Mi alzai. Presi la borsa dal ripiano bagagli. Feci qualche passo lungo lo stretto corridoio e attesi che si aprissero i portelloni dell'aeroplano. Avevo trascorso il viaggio con la fronte appoggiata all'oblò, osservando le nuvole che sembravano un campo di cotone baciato dalla luce del sole. Pensai che un giorno mi sarei assolutamente dovuto lanciare col paracadute, tuffandomi in quelle nuvole per cadere sul mondo come una goccia di pioggia, poi toccare terra ed evaporare per unirmi di nuovo a quelle nuvole... In realtà una parte di me era già lì. Anzi, si può dire che quelle nuvole contenessero una parte di tutti gli esseri umani venuti al mondo, perché tutti avevano pianto. Anche i più duri avevano pianto almeno alla nascita. E quell'acqua vaporizzata che fluttuava nell'atmosfera conteneva una parte di loro: tutte le lacrime del mondo... Immaginai di lanciarmi col paracadute attraverso le mie lacrime...

Si aprirono i portelloni e avanzai a piccoli passi. Quando venne il mio turno di uscire, restai per un attimo sulla soglia, inspirando quell'aria calda. Forse non ero a Rio de Janeiro, ma avrei calpestato una terra calda almeno quanto il Brasile.

La polizia di frontiera pakistana, quando vide i miei visti dell'area Schengen e degli Stati Uniti, mi timbrò il passaporto in cambio di trentadue dollari. Così potei entrare senza visto in Pakistan, paese amico della Turchia, solo grazie alla garanzia dell'Europa e degli Stati Uniti. "È naturale" pensai... Era naturale...

All'uscita dall'aeroporto scelsi il tassista dall'aria più truffaldina tra tutti quelli che mi assalivano. Cercavo degli occhi che rivelassero confidenza con l'illegalità. Gli anni trascorsi a Kandalı mi avevano insegnato a riconoscerli. Ero cresciuto sotto gli sguardi dei clandestini e adesso ne avevo uno davanti. Due occhi assatanati, leggermente strabici, su una faccia d'angelo, puntati su di me. Non appena incrociai il suo sguardo mi venne incontro e, togliendomi la valigia dalle mani, parlò in inglese: "Benvenuto a Islamabad!"

"Come ti chiami?" gli chiesi.

"Babar" disse.

Lasciai che si impadronisse di me in mezzo a quella folla. Mi aprì un passaggio nella massa di mendicanti con un braccio solo, ladruncoli che invece ne avevano tre e ciarlatani che urlavano in quattro lingue. Camminammo fino a una Mercedes che aveva almeno trent'anni e Babar indicandola mi disse: "Ecco la mia reggia! La mia *reggiamobile*!"

Peccato che una delle portiere della reggia fosse sfondata e non si potesse più aprire. Entrando dall'altro lato, mi trovai seduto sul sedile posteriore ad ascoltare Babar.

"Ti posso portare in un albergo" disse. "Un albergo ottimo! È di mio zio. Una reggia in tutto e per tutto!"

Babar andava matto per le regge.

"Va bene" dissi. "Portami lì".

Accese il motore. Il parabrezza dell'auto era crepato, sembrava coperto da una ragnatela. Cominciammo il nostro viaggio. Babar parlava in continuazione e con buona probabilità stava pensando a che cosa potesse vendermi. Donne? Ragazzini? Droga? O magari un tappeto dall'aria antica? Gli risparmiai di continuare a scervellarsi. Io sapevo bene cosa volevo comprare: "Voglio andare in Afghanistan".

Rise e rispose: "Vuol dire che sei sceso alla fermata sbagliata!"

"Hai ragione" dissi. "C'è stato un errore... Puoi sistemare la cosa?"

Non rispose subito. Stava ragionando. Pose la prima domanda che gli era balzata in mente: "Sei un soldato?"

"No" dissi. "Sono un turista".

Rise di nuovo.

"Se non sei un soldato ti annoierai tantissimo in Afghanistan. Si combatte tutto il giorno! Non c'è niente al di fuori della guerra! Ormai non ci vanno più neanche i giornalisti. Stanno tutti qui. Scrivono le notizie sulla guerra da Islamabad. Tanto sono sempre le stesse!"

"Forse mi troverò qualcosa da fare" dissi. "Prima però devo attraversare il confine... Se è possibile senza passaporto..."

"Se cerchi dell'eroina te la porto io!" disse.

Pensava che fossi lì per la famosa eroina afgana. Stavolta fui io a ridere.

"No, grazie... Ho appena smesso!"

"Allora chiedi il visto! Te lo faccio avere io... Sistemo tutto!"

Il guadagno che avrebbe ricavato dall'attraversamento illegale del confine doveva essere così insignificante da indurlo a indirizzarmi verso altri acquisti. Ma io avevo le idee chiare su ciò che volevo. Sporsi il capo tra i due sedili anteriori e gli dissi all'orecchio: "Senti, c'è un amico mio. Un afgano... È venuto da me clandestinamente e io ho intenzione di andare da lui allo stesso modo. Capito?"

Non aveva capito niente, ma non importava, perché era un vero mercante e non mi avrebbe mai lasciato andare via senza vendermi qualcosa. D'altronde, annuire facendo finta di aver capito non gli costava molto. Mentre continuava a dondolare il capo disse: "C'è un camion! Il camion di mio zio! Ci sali sopra e vai! Lui trasporta mele in Afghanistan. Può portare anche te. È un po' caro però! Perché quel camion è come una reggia!"

"D'accordo" dissi.

Fece un ultimo tentativo.

"Vuoi una donna?"
Risi di nuovo...
"Babar, io da questo momento in poi sono una mela. Che ci faccio con una donna?"
"Allora ti trovo una donna che ti dia un morso!"
"Lascia stare!" dissi. "Evitiamo di far cacciare dal paradiso qualcun altro!"
Non aveva capito nemmeno questa volta, ma rise lo stesso. Per questo mi piacevano i mercanti. Con loro la vita è facile, non occorre capire sempre tutto. In quel momento pensai alla gente che si gioca la vita come una *fiche* per vincere il paradiso. Le demoliscano pure, le porte del cielo. Personalmente, non mi sfiorava neanche il pensiero di tornare in un luogo da cui ero stato cacciato. Mai! Non ero così sfacciato. Non fino a questo punto! Ormai...
Arrivammo davanti all'ingresso dell'albergo. L'edificio di uno dei falsi, innumerevoli zii di Babar era così malridotto che a tenerlo su erano i due palazzi ai suoi lati.
Babar però vedeva tutta un'altra cosa: "Che te ne pare? Una reggia, vero?"
Adesso ero io a dover fingere di aver capito. Questo almeno lo sapevo fare, e così vidi insieme a Babar quella reggia inesistente.
"Sì!" dissi. "Proprio una reggia!"

Ormai ero in Oriente. Il luogo da cui proveniva tutta quella gente che transitava per la cisterna diretta in Occidente. A Peshawar l'esercito pakistano combatteva contro i talebani versando il sangue dei morti nel fiume Bara. Quest'ultimo confluisce nel fiume Kabul, che a sua volta si disperde in altri corsi d'acqua attraverso il deserto. Quel che ne resta confluisce nell'Indo, che infine sfocia nell'Oceano Indiano. Con tutti quei fronti di guerra vicino ai fiumi, l'oceano doveva brulicare di pesci che si nutrono di sangue umano. Io, seduto nel giardino dell'albergo, ne stavo probabilmente mangiando uno.

Il camion che aveva procurato Babar poteva venire a prendermi da un momento all'altro. Quindi tentavo di riempirmi lo stomaco prima del lungo viaggio.

Il fumo che si alzava su Peshawar aveva deviato le rotte degli uccelli migratori. Quindi anche noi avremmo valicato il confine molto più a sud, per dirigerci a Kandahar. Sul camion non ci sarebbero state mele... Soltanto io e un po' di armi... Secondo quanto diceva Babar, qualcuno aspettava delle casse di kalashnikov, in Afghanistan. Quelle persone dovevano essere impazienti come bambini. Immaginavo che non vedessero l'ora di avere le armi tra le mani, che si esaltassero, nell'attesa, smaniosi di sparare a qualsiasi cosa si muovesse. Dopotutto il kalashnikov non è un'arma qualunque! Dal 1983 è pure sulla bandiera del Mozambico! Per un'arma, trovarsi sulla bandiera di un paese è un bel risultato. Ma naturalmente bisogna considerare anche questo: nella storia recente i servizi segreti del Regno Unito, degli USA e di quello che un tempo era l'URSS hanno creato così tanti paesi in laboratorio che non dev'essere facile trovare una bandiera diversa per ognuno di loro. Anzi, queste tre 'fabbriche di stati' dovrebbero istituire un Dipartimento di progettazione di bandiere per gli stati in costruzione, incaricato di curarne la grafica. I paesi non si fondano mica tirando delle linee su una cartina! Bisogna produrre collanti, come una storia e una cultura comuni. E a partire da queste, infine, delle bandiere! Così, quando è stata la volta del Mozambico, a causa della mole di lavoro, i grafici, in piena crisi di creatività, hanno disegnato la prima bandiera che veniva loro in mente... Sì, anche questo è possibile! Dopotutto ero in un paese che fino a ieri non esisteva. Una terra conosciuta come India... In realtà c'era poco da dire: era un posto in cui gli uomini erano rotti e strapazzati come uova. Le 'battaglie mondiali di tiro con l'uovo' venivano fatte da queste parti. Per questo tutto puzzava di marcio! Perché le uova marce hanno lo stesso odore del sangue. O forse era la mia immaginazione che me lo faceva sentire...

Mezz'ora dopo entrò nel giardino dell'albergo un assassino. Non l'avevo mai visto prima, naturalmente, ma gli assassini si riconoscono anche solo dal modo di camminare. Somigliava a Yadıgâr. Ci guardammo.

"Babar?" domandai.

"Babar!" rispose lui.

Comprai quattro bottiglie d'acqua e seguii l'assassino. Mi condusse al camion che Babar aveva descritto come 'una reggia'. Nel vano di carico, tra le innumerevoli immagini e caratteri disegnati con colori a olio, c'era anche quella: una reggia...

Mentre mi accingevo a salire sul camion, l'assassino mi fece segno di sedermi accanto a lui. Avevo pagato il doppio della somma richiesta, guadagnandomi il diritto di viaggiare in prima classe! Il camion era della stessa marca di quello di Ahad, ma un modello molto più vecchio. Aprii la portiera e salii. Da bambino ogni tanto aprivo entrambe le portiere del camion e poi mi mettevo di fronte a osservarlo. Mi sembrava la faccia di un gigante. Una faccia enorme con le due portiere che facevano da orecchie... Adesso ero in groppa a un altro gigante che mi portava con sé.

Le strade erano così malmesse che percorremmo in sette ore un tragitto che avremmo potuto coprire in quattro. Arrivammo a Multan senza esserci detti una parola per tutto il viaggio. Quando entrammo in città era già notte, quindi ci fermammo in un'area di servizio. In realtà, più che un'area di servizio, sembrava una baracca pronta per essere smontata e ricostruita in un altro posto, con davanti una pompa di benzina. Doveva essere un luogo di grande importanza geopolitica, visto che durante il tragitto avevamo incontrato posti decisamente più simili a un'area di servizio e non ci eravamo fermati!

L'assassino mi guardò e si mise la mano sulla guancia piegando leggermente la testa. Voleva dire: "Dormiamo qui". Non feci in tempo a chiedermi dove avrei dormito esattamente, che l'assassino era già andato ad aprire il vano di carico del camion e mi stava chiamando.

Così trascorsi la notte su un camion, in compagnia di un assassino, circondato da casse piene di kalashnikov. Pensavo che non avrei chiuso occhio, ma mentre facevo questo ragionamento sprofondai nel sonno.

Stavo sognando che c'era stato un terremoto. Qualcuno mi stava passando una mano sulla fronte. Era una mano piccola...

Normalmente il solo pensiero di un contatto del genere mi avrebbe fatto venire la nausea. Stavolta però non sentivo niente di tutto questo. Non ero squassato da fitte di dolore in ogni parte del corpo, né avevo le pulsazioni accelerate. "Peccato che fosse un sogno" mi dissi, e aprii gli occhi. Mi misi a ridere, perché chi mi passava la mano sulla fronte era realmente accanto a me. Era un bambino e mi guardava con i suoi occhi grandi. Un bambino di cinque anni con i capelli rasati... Teneva una mano sulla mia fronte e l'altra sulla sua bocca. Allora capii cosa aveva scatenato il terremoto nel mio sogno. Ci stavamo muovendo. Avevo dormito così profondamente che non mi ero accorto di nulla! Ero circondato da persone e avevamo ripreso il viaggio! Quindi quel distributore fatiscente era veramente una tappa! Un punto di raccolta di persone... Gli uomini e le donne intorno a me, seduti sulle ceste piene di armi, mi guardavano sobbalzando lungo la strada sconnessa. Da quanto tempo mi stavano guardando? Mi raddrizzai, mettendomi seduto. Abbozzai un sorriso. Pochissimi lo ricambiarono. Chi era questa gente? Saremmo andati in Afghanistan tutti insieme? Così sembrava. Io avevo le idee chiare sul perché ci andassi, ma queste persone dov'erano dirette? In quel momento mi tornarono in mente i lavoratori stagionali di Kandalı. Pensai che forse anche loro stavano andando a lavorare. In fondo, come avveniva per le coltivazioni di tutto il mondo, quei campi di papaveri dovevano aspettare con impazienza qualcuno che li lavorasse! E probabilmente erano questi gli uomini che lo avrebbero fatto...

A differenza del nostro, il vano di carico di questo camion era aperto e si poteva coprire con un telone allacciato ai montanti laterali. Potevo vedere la strada perché il telone non era ancora stato tirato. Ciò significava che per il momento eravamo ancora regolari. Non avevamo bisogno di nasconderci.

Vidi che avevamo lasciato la strada principale. Poco dopo, imboccammo quella che non poteva neanche essere definita una strada, ma piuttosto una pista tracciata dagli pneumatici. Dopo circa mezz'ora, vidi delle case fatte di terra e pietre. Dovevamo essere entrati in un villaggio. Alcuni bambini, spuntati dal nulla, cominciarono a correrci dietro. Il camion rallentò e il più veloce di quei bambini afferrò una catena che pendeva dal portellone posteriore e si tirò su. Quel bambino, di dieci anni al massimo, aveva trovato un punto d'appoggio per il piede e si teneva in equilibrio reggendosi al portellone. Era attaccato come una ventosa al camion che continuava ad andare, anche se lentamente, e nel frattempo rideva mostrando i suoi quattro denti. Forse fui l'unico a ridere. Gli altri non ci facevano molto caso. Il camion si fermò.

Sentii l'assassino aprire e chiudere la portiera. Poi cacciò il bambino che si reggeva ancora alla catena. Quello sparì dietro il telo e scappò via, continuando a ridere. L'assassino sganciò i lacci del telo di copertura. Mi fece un cenno, si voltò e lanciò un richiamo. Non riuscivo a capire a chi si stesse rivolgendo, ma dopo qualche minuto capii ogni cosa...

Si avvicinarono un uomo e una donna. Erano entrambi giovani. Poi, d'improvviso, furono circondati da decine di persone, forse dal villaggio intero... Baciarono e abbracciarono tutti. I vecchi piangevano, i bambini ridevano continuando a giocare. Sulle prime non riuscivo ad afferrare il significato di ciò che stavo vedendo, ma poi la mia mente fu come colpita da un fulmine, perché mi resi conto che si stavano dicendo addio e che non si sarebbero visti mai più. Le persone accanto a me non stavano andando a lavorare in Afghanistan, ma molto più lontano. Ormai avevo capito! Ero tra i *migranti*, nel luogo da cui *emigravano*. Ero al punto di partenza! Stavo assistendo al momento in cui iniziavano il loro lungo viaggio dal Pakistan fino a chissà quale paese dell'Europa. Tutto avveniva sotto i miei occhi. Ero nel luogo che quelle persone abbandonavano, alla ricerca di una vita migliore. Le stesse persone che caricavamo sul camion a Derçisu e che poi smistavamo sulle barche. Mi alzai in piedi e porsi la mano a quella giovane donna per aiutarla a salire sul camion. Poi feci la stessa cosa con l'uomo... Entrambi piangevano, perché anche loro erano consapevoli di non avere idea di ciò che li aspettava in futuro. Si stavano lanciando nel buio in un giorno in cui il sole era così radioso da illuminare anche l'interno delle nostre bocche. Poi osservai le loro mani. Stringevano delle piccole borse. Fino a quel momento non me ne ero accorto. Anche tutti gli altri ne avevano una. Un uomo barbuto di mezza età, invece, aveva soltanto un sacchetto della spesa... Si stava mettendo in viaggio munito solo di un sacchetto... Un sacchetto sarebbe bastato per trasportare le sue cose, per ricominciare tutto da capo... Forse quel sacchetto conteneva del cibo e una volta finito quello l'avrebbe buttato via. Sarebbe andato fino alla sua destinazione senza nulla in mano. Solo con i suoi pensieri... Gli uomini del villaggio guardavano la giovane coppia in silenzio, mentre le donne cantavano una canzone che ricordava un lamento funebre, perché sia chi la cantava che quelli che l'ascoltavano piangevano. Dovevano appartenere alla stessa famiglia. Avevano volti pressoché identici. Specialmente i bambini. Nessuno di loro aveva più di quattro denti.

Il rumore del camion che si metteva in moto fu come un insulto a quel momento di addio. Riprendemmo ad avanzare lentamente. I vecchi mossero qualche passo verso di noi e si fermarono. Gli uomini di mezza età camminarono e si misero a correre per un breve tratto, i giovani invece ci inseguirono fin quando poterono, agitando le mani. Come al solito gli ultimi ad abbandonare l'inseguimento furono i bambini... La giovane coppia faceva gesti di saluto, reggendosi al portellone, poi entrambi si voltarono e si sedettero. Si appoggiarono con la schiena al portellone e si strinsero le ginocchia al petto. Rimasero solo il rumore volgare del motore e i loro sospiri...

In quel momento sentii una mano sulla spalla. Mi girai e vidi il bambino che mi aveva svegliato. Lo afferrai sotto le ascelle, facendo volteggiare quelle piccole gambe, e me lo misi in grembo. Altrimenti sarebbe caduto... Poi parlai.

"Scusami..."

Tentai di guardare in faccia tutte le persone che mi circondavano, una a una. Non capirono. Tentai ancora.

"Perdonatemi".

E ancora...

"Perdonatemi per tutte le cose terribili che ho fatto!"

A quel punto mi trovai davanti agli occhi una mela. Era l'uomo barbuto con il sacchetto a offrirmela... L'uomo che andava all'altro capo del mondo portando con sé solo un sacchetto... Aveva una mela anche nell'altra mano. Rideva. Probabilmente credeva che avessi chiesto del cibo. Presi la mela e la addentai. Poi ne diedi un po' al bambino che tenevo in braccio. Evidentemente tra le ceste di kalashnikov ce ne doveva essere una che conteneva realmente delle mele, non per essere trasportate, ma come provviste per i clandestini... Come i panini al pomodoro e formaggio che preparavo io un tempo...

Stavo mangiando la mela con il bambino. La mordevamo a turno. Ero al centro del vano di carico. Mi guardai intorno. Tutti avevano una mela, le stavano addentando o masticando. Tutti eccetto la coppia che era salita per ultima... Loro stavano tentando di dimenticare. Erano tristi per ciò che avevano abbandonato.

Mi voltai verso l'uomo che mi aveva dato la mela e dissi: "Grazie. Grazie per avermi perdonato".

Non capì e rise. Tentai ancora.

"Meno male che non mi avete riconosciuto!"

E poi ancora...

"Meno male che non siete passati per la mia cisterna!"

A quel punto mi arrivò uno schiaffo! Uno schiaffo da una mano piccola e veloce. Avevo dimenticato di dare la mela al bambino che tenevo in braccio. Era il suo turno e non aveva resistito all'attesa! Tutti risero dopo quello schiaffetto che mi aveva fatto sgranare gli occhi e alzare le sopracciglia. E risero anche di gusto! Risi anch'io e perfino la giovane coppia che sedeva di fronte a me... L'unico a non ridere fu il bambino, perché aveva la bocca piena. Mi aveva punito. Quello schiaffo era la punizione per tutte le vite che avevo rovinato, e finalmente la questione era chiusa. Adesso stava accarezzando le vene martoriate del mio braccio. Il suo contatto mi faceva bene. Avevo in braccio un bambino sciamano! La guida spirituale di tutti i clandestini da Islamabad a Kabul! Sapeva tutto e il suo potere era immenso! Pensai a Maxime, quel giornalista francese... Poi baciai la mano del bambino, proprio come si conviene quando si incontra un piccolo sciamano...

Trascorremmo la notte in mezzo alla desolazione più totale, in una pianura in cui le stelle cadevano luminose sino all'orizzonte... Una distesa liscia, levigata dal caldo del giorno e pietrificata dal gelo della notte.

Tentammo di dormire. Alcuni ci riuscirono. Altri restarono a sbattere le palpebre come luci intermittenti nell'oscurità. Io ero uno di loro. Il bambino piccolo dormiva tra le braccia della madre come un cagnolino. Chissà cosa sognava...

Alle prime luci dell'alba scesi dal camion e camminai. Poi mi lasciai cadere a terra ad ammirare le stelle che scomparivano per lasciare il posto al sole che si levava in cielo. Era un sole così grande che non assomigliava a nessuno di quelli che avevo visto sorgere in vita mia. Forse era una stella vagante passata nelle vicinanze della terra. Un sole dipinto che nessuno aveva mai visto prima... Quella mattina era sorto soltanto per noi e aveva tinto il cielo prima di viola poi di rosso. Una volta che si fu interamente sollevato sopra l'orizzonte restò soltanto il cielo di un azzurro chiaro e una distesa infinita di terra gialla. Pensai a Cuma... E a me stesso.... Poi mi alzai e mi diressi verso il camion nel mezzo del deserto.

Quando salii sul vano di carico, mi accorsi che chi aveva dormito la notte aveva lasciato il posto a chi era stato sveglio. Adesso era il loro turno di riposare. Tutti gli altri si guardavano intorno con gli occhi spalancati. Il bambino si era svegliato e stava mangiando un biscotto. Incrociai gli occhi di sua madre. Anche lei sicuramente sorrise, ma non potei vederla, perché il suo volto era nascosto da un velo nero, che lasciava scoperti soltanto gli occhi. Perché gli stessi che raccontavano le favole dicendo: "Apriti sesamo!", nella vita reale dicevano: "Chiuditi al mondo, donna!" Eravamo in un luogo del mondo in cui ogni uomo si credeva Alì Babà e pensava che tutti gli altri fossero I quaranta ladroni. A forza di raccontarla, la favola era divenuta realtà.

L'assassino sembrava pimpante, anche se non ero riuscito a capire quando si fosse addormentato e quando si fosse svegliato. Disse qualche frase ai clandestini e calò il telone coprendo interamente il vano di carico e separandoci dal sole. Ciononostante, quel sole vagabondo non si dette per vinto e riuscì a penetrare fino a ferirci gli occhi, passando dai buchi del telone.

Il camion si mise in moto e riprendemmo la marcia lentamente... Poi accelerammo come un maratoneta che ha rotto il fiato. Eravamo così sballottati lì dietro che pensai che stessimo avanzando su una pista inesistente. Dovevamo essere vicino al confine. Tra non molto sarei entrato nel paese di Cuma... "Manca poco" dissi tra me. "Sto arrivando!"

In quel momento si sentì uno sparo. Poi un altro! E un altro ancora! Le persone intorno a me iniziarono a gridare e il camion accelerò la sua corsa. Chiunque impugnasse quelle armi, noi eravamo certamente il bersaglio. Alla fine un proiettile bucò il telone, ma per fortuna non colpì nessuno e uscì facendo un altro foro. Adesso avevamo altri due buchi da cui poteva entrare la luce. Mi raddrizzai rapidamente e tentai di far sdraiare a terra tutti quelli che riuscivo ad abbracciare. Dopodiché anche gli altri, che per un attimo erano rimasti pietrificati, si chinarono, iniziando a sdraiarsi. Quando ebbi fatto stendere con la forza anche due donne e un uomo che sembravano non saper fare altro che urlare e pregare, non rimase nessuno seduto nel vano di carico. Così mi stesi tra due ceste piene di armi. Ormai eravamo sdraiati uno sull'altro ed eravamo così sballottati che sembrava di stare in un dondolo. Gli spari si infittivano. Non riuscivo a capire da dove facessero fuoco. O ci stavano bersagliando da una collina oppure, ipotesi peggiore, ci stavano inseguendo con dei mezzi motorizzati di cui non riuscivamo a sentire il rumore. Mi accorsi che stavamo rallentando. Avevano colpito l'assassino? Ma in questo caso il volante sarebbe stato senza pilota e ci saremmo ribaltati, oppure saremmo caduti da qualche parte! Alla fine ci fermammo gradualmente. Il rumore degli spari cessò di colpo. Mi avvicinai strisciando verso l'uscita e diedi un'occhiata scostando leggermente il telone. Vidi due camionette. Piene di uomini armati...

Udii l'assassino aprire e chiudere rapidamente la portiera del camion. Doveva essere sceso. Entrò nella mia visuale e dopo una breve, inutile fuga, si rassegnò a voltarsi verso gli uomini armati. Uno di essi scese dalla camionetta e lanciò un grido. Poi iniziò a parlare con l'assassino. Dopo un veloce scambio di frasi, l'assassino si diresse verso di noi. Quando sganciò il fermo di chiusura del portellone, i nostri sguardi si incontrarono. Udendo quel rumore metallico le persone attorno a me, che fino a un momento prima mantenevano un silenzio tombale, ricominciarono a gridare. Non avrebbero voluto avere a che fare con gli uomini armati, ma era troppo tardi. Fu rimosso il telone e a quel punto potevamo guardarci a vicenda senza impedimenti. L'assassino ci fece segno di scendere. Io fui il primo a saltar giù, poi aiutai gli altri. Nel frattempo anche gli uomini armati erano scesi dalle camionette, schierandosi l'uno accanto all'altro. Erano in nove, col volto coperto. Noi stavamo di fronte a loro, in fila. La madre con il bambino piccolo piangeva. Durante l'inseguimento non aveva aperto bocca, ma adesso non riusciva a contenersi. L'uomo che parlava con l'assassino doveva essere il capo della banda. Era l'unico a volto scoperto. Disse qualcosa indicando il bambino in lacrime. Dopodiché, con l'aiuto dell'uomo con il sacchetto, la madre e il bambino furono fatti risalire sul camion. Voleva dire che potevamo ancora contare su un minimo di compassione. Il capo degli uomini armati si rivolse a noi e fece un breve discorso. Non appena terminò le persone accanto a me si voltarono per risalire sul camion. L'uomo con il sacchetto fu il primo a mettersi a scaricare le casse piene di kalashnikov. Due uomini armati le presero in consegna e le caricarono una a una sulle camionette. Quando ebbero scaricato l'ultima cassa, l'assassino gridò in direzione delle persone che erano rimaste fuori dal camion. Anche questi ultimi cominciarono a salirvi rapidamente. L'assassino era così infuriato per essere stato derubato che gridava in continuazione, specialmente con quelli che non risalivano in fretta! A quel punto dissi dentro di me: "Va bene. È tutto qui... non ci faranno niente. Prenderanno i kalashnikov e se ne andranno..."

A terra ero rimasto soltanto io, insieme alla giovane coppia che si era aggiunta al villaggio. Il giovane aiutò la donna a salire, ma proprio quando stava per seguirla il capo degli uomini armati parlò. Il giovane si fermò e lo guardò, scuotendo la testa. E mentre lo faceva gli occhi gli si riempivano di lacrime. Qualsiasi cosa gli fosse stata detta non voleva accettarla. Uno degli uomini armati si avvicinò e cominciò a trascinarlo per il braccio. Sua moglie non riusciva a scendere dal camion per la paura, ma al tempo stesso supplicava gli uomini di lasciare libero il marito. Urlava e piangeva. Quanto all'assassino, si limitava a guardare. Quindi l'accordo con chi l'aveva derubato era questo: continuare il viaggio in cambio dei kalashnikov e di un uomo...

In quel momento mi tornò in mente Rastin e facendo un passo in avanti lanciai un grido. Non aveva importanza cosa dicessi, perché tanto non avrebbero capito le mie parole. Tuttavia urlando e battendomi il petto con la mano riuscii a far capire che mi stavo offrendo al posto di quell'uomo. Il capo degli uomini armati scambiò un'occhiata con l'assassino. Come per chiedere: "Si può fare?" Dopotutto, ero sempre uno straniero, e non avevano nessuna intenzione di farsi colpire da un missile telecomandato da un satellite americano. Ma poiché l'assassino aveva fatto un cenno d'assenso con la testa, non c'erano problemi. Accettarono di prendere me al posto del giovane uomo in lacrime, che tenevano ancora per le braccia. Lo lasciarono andare. Non sapendo cosa fare di fronte a un simile gesto di sacrificio, lui non fece nulla. Si limitò a chinare il capo e mi passò accanto senza neanche ringraziarmi. L'unica cosa che poté fare fu porgermi la borsa una volta salito sul camion. Io nel frattempo tirai fuori dalla tasca la rana origami che portavo con me da sedici anni e gliela diedi. Il giovane uomo guardò prima la rana che aveva in mano, poi me. Indicai il bambino in lacrime nel vano di carico e lui capì cosa intendevo dire. La rana di carta di Cuma, passando di mano in mano, fu data al bambino. Quando lo guardai per l'ultima volta, il bambino stava fissando la rana singhiozzando.

L'assassino coprì il vano di carico col telone e il capo degli uomini armati mi toccò il braccio. Dovevamo andare... Camminai verso le camionette. Sulla schiena potevo sentire il calore degli sguardi provenienti dal camion. Nonostante la tenda che ci separava, quella gente mi stava guardando... Nessuno di loro mi avrebbe mai dimenticato. E io non avrei mai dimenticato loro... "Andate" dissi tra me "andate via subito... Ovunque sogniate di andare..."

Non avevo idea di cosa sarebbe stato di me, né di dove mi avrebbero portato. Avevo fatto quello che dovevo fare, il resto non mi interessava.

Durante il viaggio nessuno mi rivolse la parola. Attraversammo pianure immense e arrivammo in un villaggio. Un villaggio di case devastate dalla guerra... Dagli usci senza porte e dalle finestre senza vetri spuntavano delle teste brune. Chi ci vedeva usciva da quelle 'case-tomba' e lanciava delle urla. Erano soprattutto donne. Gli uomini intorno a me rispondevano tenendo alti i kalashnikov. Erano in festa per il ricco bottino. Le camionette si fermarono. Noi saltammo giù e cominciammo a camminare.

Dove le case si facevano più rade, appena fuori dal villaggio, vidi delle persone al lavoro con delle pale. In qualità di prigioniero volontario era chiaro che non sarei scappato. Di conseguenza fino a quel momento nessuno mi aveva picchiato o si era comportato male con me. Anzi, tutti gli uomini armati si sparpagliarono per il villaggio in diverse direzioni e accanto a me ne restò soltanto uno. Quando ci avvicinammo vidi che i picconi e le pale calati lentamente sul terreno servivano per scavare un buco. Tutti gli operai erano anziani. Quando li guardai in faccia non capii se le gocce sul loro viso fossero lacrime o sudore. Sarebbero morti presto di stanchezza o di vecchiaia. Per qualsiasi motivo scavassero quel buco, a quel ritmo non avrebbero mai visto il lavoro finito.

Mi volsi verso l'uomo armato che mi accompagnava. Strinse in un pugno la mano libera e lo portò alla bocca. Così capii che stavano tentando di scavare un pozzo. Servivano braccia. Mentre loro lasciavano il villaggio per le razzie qualcuno doveva scavare. Ma al di là di quei vecchi non c'erano altri che potessero farlo, perché chiunque fosse in grado di partire, l'aveva già fatto. Ossia i giovani, gli uomini di mezza età e chiunque avesse un briciolo di speranza per il futuro... Eravamo in un luogo che tutti abbandonavano alla prima occasione, senza pensarci due volte...

Mi diedero una pala e i vecchi si fecero da parte. Io respirai a fondo e iniziai a scavare. Il sole era come un mostro dalle mille bocche che mi divorava con tutti i suoi denti la schiena e la nuca. Ma poiché ogni mia ferita si rimarginava sempre, lavorai senza sosta. Dopotutto ero bravo a scavare. Questa volta non stavo scavando un fossato per proteggermi dalle altre persone e, cosa più importante, non rischiavo di trovare il cadavere di mia madre. Non ci sarebbe stata morte sotto quel terreno, ma al contrario vita: acqua... Scavavo soltanto per trovare dell'acqua.

Scavai per due mesi interi. Riuscimmo a trovare l'acqua soltanto dopo aver scavato il quarto pozzo. Dovemmo anche trasportare per tre chilometri le pietre necessarie per costruirne le pareti; le camionette si fermavano così di rado al villaggio, che fummo costretti a utilizzare per lo più le carriole.

Passavo le notti coricato sotto le stelle. O magari sopra... Iniziavo a lavorare al mattino non appena il sole mi svegliava. La gente del villaggio mi nutriva. A volte mi davano del pane, a volte carne, ma mai insieme... D'altronde anche loro erano quasi sempre affamati e non possedevano altro che qualche animale. E me, naturalmente. Tutto qui...

Quando, scavando il quarto pozzo, trovammo l'acqua, vidi tutti quei visi rugosi sorridere. Al mattino ci accorgemmo che il livello era di solo mezzo metro, ma non ci scoraggiammo, perché ormai avevamo un pozzo in cui potevamo vedere il nostro volto riflesso.

Dal momento che non c'era sempre un uomo armato che potesse sorvegliarmi, erano le donne e i bambini ad assolvere a questo compito. Nelle mani reggevano un kalashnikov... Dopo un po' tuttavia, vedendo che schiavo mansueto e docile fossi, mi lasciarono tranquillo. Diventai uno di loro... Accadde perfino che quando trovammo l'acqua nel quarto pozzo il capo degli uomini armati mi abbracciò e cercò di comunicarmi l'invito a restare nel villaggio qualora lo volessi. Io però dovevo andare in un posto.

Alla fine di quei due mesi di lavori forzati come scavatore mi congedai da tutti e, salito su una camionetta, continuai il mio viaggio. Di quel villaggio mi erano rimaste solo due bottiglie d'acqua. Due bottiglie d'acqua di pozzo...

La camionetta si fermò all'ingresso di Kandahar. Gli uomini che mi accompagnavano cercarono di dirmi che non mi potevano portare oltre. Non volevano entrare in città. Li comprendevo. Ognuno ha un confine intorno a sé, e la storia della sua vita si svolge in quel perimetro. Scesi dalla camionetta e mi misi in cammino. Verso la storia della mia vita...

Ero in viaggio da una settimana. In autobus, in camion o a piedi... Avevo camminato. Ma adesso sapevo che mancava poco alla mia meta. A ogni uomo che incontravo facevo la stessa domanda: "Bamiyan?"

Loro mi indicavano un puntino che si distingueva all'orizzonte. Poco a poco quel punto si fece più grande e lentamente si trasformò nell'inizio di una valle. Qualche passo ancora e sarei arrivato...

Feci un'ultima discesa. Mi fermai nel punto in cui terminava il sentiero e inspirai, ma non espirai. Avrei voluto trattenere, insieme al respiro, il momento in cui vedevo per la prima volta la valle di Bamiyan. Potevo fare solo una cosa di fronte allo spettacolo che avevo davanti agli occhi: fermarmi. Restare immobile e guardare. Avevo trovato il luogo che cercavo. Quello che aveva disegnato Cuma era davanti ai miei occhi.

Ecco, era di fronte a me... Una valle colma di alberi rigogliosi racchiusa da alte rocce. Erano lì! Dalla mia posizione potevo vedere le nicchie vuote delle due enormi statue di Buddha. Dovevano distare qualche centinaio di metri l'una dall'altra. Le pareti su cui erano state scavate formavano un velo ondulato di pietra intorno alla valle. Su di esse potevo vedere l'entrata di piccole caverne, decine di gallerie scavate una accanto all'altra, una sopra l'altra, nelle vicinanze di quelle due nicchie gigantesche. Ognuna di quelle piccole caverne sembrava un occhio, e la gente che le abitava le loro pupille...

Imboccai uno dei sentieri che portavano alla valle. Corsi e corsi senza pensare a nulla! Aggirai massi e alberi. Caddi e mi rialzai. Corsi ancora più veloce. A ogni passo tutto diveniva più magico. L'altezza delle rocce aumentava e le nicchie dove un tempo c'erano i due Buddha sembravano ancora più gigantesche.

Non sapevo verso quale delle due mi sarei diretto. Non riuscivo a capire dove mi portasse la strada. Corsi soltanto, finché mi accorsi che mi stavo avvicinando alla nicchia più grande. Distava un chilometro, forse qualcosa di più. Io non riuscivo a staccare gli occhi da tutto quello che vedevo.

E alla fine, quando mancavano solo un centinaio di metri, mi fermai a riprendere fiato. "Alla fine ce l'ho fatta" dicevo dentro di me. Chiusi gli occhi per un attimo, immaginando che la statua di cinquantacinque metri di altezza si trovasse ancora là, gigantesca, seduta nella sua nicchia... Cuma era cresciuto guardando quella statua... Forse aveva addirittura scalato la roccia e osservato il mondo dai piedi del Buddha. Adesso potevo vedere anch'io quella statua... e un bambino di nome Cuma che correva là intorno...

Aprii gli occhi e la statua scomparve, lasciando soltanto la sua nicchia. Cominciai a camminare lentamente. Poi mi trovai di fronte una donna, una donna anziana. Scosse la testa, agitando le mani. "Fermati!"

voleva dire, "Non andare". Io mi limitai a sorridere e continuai per la mia strada... La donna non si diede per vinta. La sentivo urlare alle mie spalle, forse una delle parole che aveva pronunciato era 'talebani'. Io continuai a sorridere e a camminare.

Dalle caverne si levava alto del fumo, segno che erano ancora abitate... Arrivai vicino alla gigantesca nicchia e iniziai ad arrampicarmi. Avrei scalato la roccia. Le mani e i piedi sapevano cosa fare. Era come se avessi trascorso la vita intera con Cuma in quella valle... Forse era così, perché qualsiasi cosa desiderassi poteva diventare reale.

Un ultimo slancio e fui nella nicchia. Alzai gli occhi, mi guardai intorno. Mi girava la testa. Osservai il tetto della nicchia che sembrava una cupola e lanciai lo sguardo all'orizzonte. Alle colline e a quel vuoto che non potevo abbracciare completamente con i miei occhi. Poi abbassai lo sguardo sui frammenti di roccia ai miei piedi. Forse erano ciò che restava della statua di Buddha. Mi lasciai cadere a terra. Mi sedetti e sorrisi. Poi udii una voce familiare. Una voce che non sentivo da anni... Ero giunto fin qui soltanto per sentirla...

Stai bene?
Sì.
Sei stanco?
Un po'.
Sono anni che sei in viaggio...
Sì...
Come ti pare? Somiglia al disegno?
Ci somiglia, Cuma... Ci somiglia veramente.

Ti ringrazio per avermi riportato a casa.
Sono io a ringraziare te, Cuma. Per avermi invitato a casa tua...
Adesso che farai?
Non so...
Bene... E dopo?
Forse vivrò qui, prendendo il posto di chi è andato via...
Gazâ... ti avverto: è possibile che per un po' sognerai il solfato di morfina. Ma non ti arrendere... Per favore.
Non preoccuparti.
Ti racconterai di nuovo il tuo passato?
No, no... Questa è l'ultima volta.
Dici sempre così... Ne sei sicuro?
Allora diciamo così: spero di non essere più costretto a raccontarlo!
Non lo sarai! Ti credo... Gazâ... Io vado.
Lo so.
Ci vogliamo dire addio?
Stammi bene, Cuma.
Stammi bene, piccolo... Coraggio, finisci la tua storia...
Tanto è finita.

Avevo riaccompagnato Cuma a casa, dopo averlo portato dentro di me dal giorno in cui gli avevo tolto la vita. Sentii la sua voce che non sentivo da anni solo per dirci addio. Ero nella valle di Bamiyan, nella regione di Hazarajat, in Afghanistan. In una nicchia che un tempo ospitava una statua di Buddha alta cinquantacinque metri... Quella statua era rimasta lì per millecinquecento anni per poi divenire una nube di polvere... Abbassai lo sguardo e scorsi un ragazzino. Avrà avuto al massimo quindici anni. Mi osservava nascosto tra gli alberi e impugnava un kalashnikov. Sorrisi. Il ragazzino puntò il fucile verso di me e fece fuoco. Sentii un bruciore alla spalla destra. Guardai la desolazione magnifica che avevo di fronte. Mi alzai.

Amca: 'zio paterno'. Utilizzato per rivolgersi a uomini di una certa età in modo rispettoso ma informale.

Aşık Veysel (1894-1973): celebre cantore popolare.

Berat Kandili: 'notte del perdono'. Festività musulmana minore che precede il Ramadan.

Daha: 'di più', 'ancóra'.

Gazâ: 'guerra di frontiera'. Si riferisce alle azioni di razzia contro gli infedeli, termine in alcuni casi associato al *Jihad*.

Mürit: 'discente'. Indica gli individui di rango subordinato all'interno delle confraternite mistiche.

Rakı: liquore ottenuto dalla distillazione di anice e graspi di uva.

Simit: ciambella di largo consumo in Turchia ricoperta di sesamo.

Tespih: sorta di rosario a nove grani.

Teyze: 'zia materna'. Utilizzato per rivolgersi a donne di una certa età in modo rispettoso ma informale.

Questa edizione di
Ancóra
di Hakan Günday
è stata stampata
su carta che non contribuisce
alla distruzione delle foreste primarie
presso Arti Grafiche Bianca & Volta di Truccazzano
il quindici dicembre duemilaquindici

Ristampa
VII VI V IV III II I O
Anno
2020 2019 2018 2017 2016

LA RANA DI GAZÂ

Cuma, clandestino afgano e unico vero amico di Gazâ, gli ha donato una rana origami. Gazâ non lo dimenticherà mai.
Vuoi donare anche tu una rana origami?
Qui accanto trovi due fogli per poterla creare.
È più semplice di quanto non si pensi; in pochi minuti la rana è pronta.
Ci abbiamo provato anche noi: ne abbiamo fatte e donate centinaia.

Su internet, alcuni tutorial ti aiutano a impostare agilmente le pieghe.
Te ne consigliamo due, ma ne trovi facilmente altri:

http://it.wikihow.com/Fare-una-Rana-Origami-che-Salta
https://www.youtube.com/watch?v=oNOkgvbdeHo

HAKAN GÜNDAY Ancóra/Daha Marcos y Marcos

HAKAN GÜNDAY
Ancóra/Daha
Marcos y Marcos